曹禺全集

·3·

北 京 出 版 集 团
北京十月文艺出版社

主编：王风

本卷责任编委：丁文

1936年

1937年4月《原野》初刊

《文丛》第1卷第2期

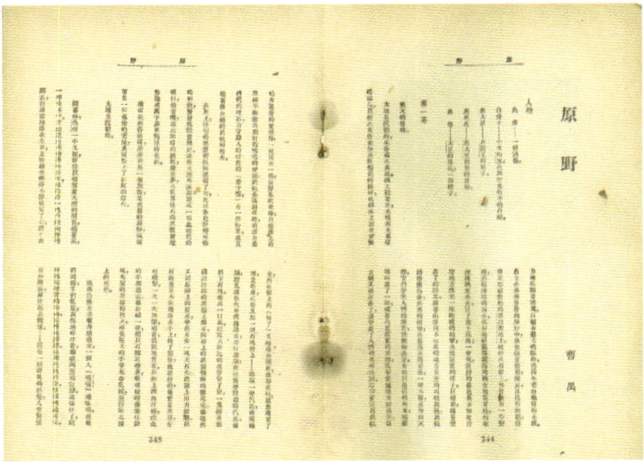

初刊首页

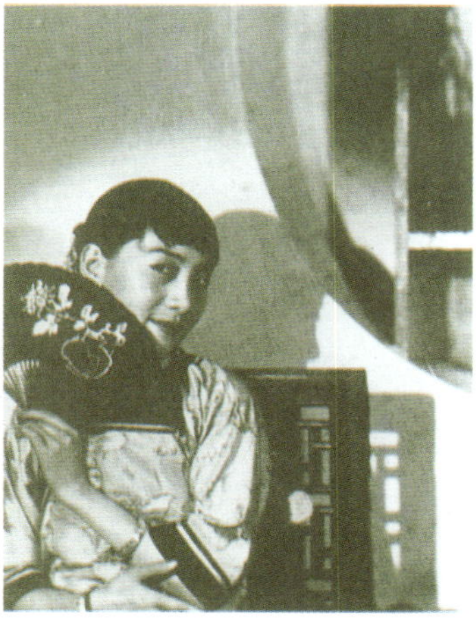

1939年8月联大剧团特邀
曹禺执导《原野》，
花金子定妆照，凤子饰

1984年4月中国青年艺术剧院
演出《原野》剧照

1981年凌子导演电影《原野》海报

杨在葆饰仇虎，刘晓庆饰花金子

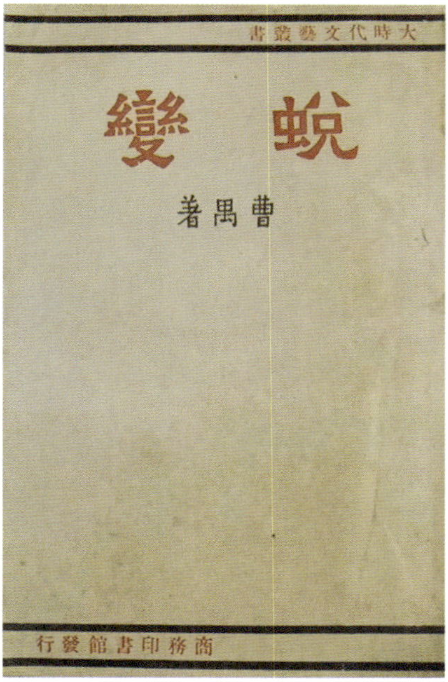

1940年10月
《蜕变》由长沙商务印书馆初版

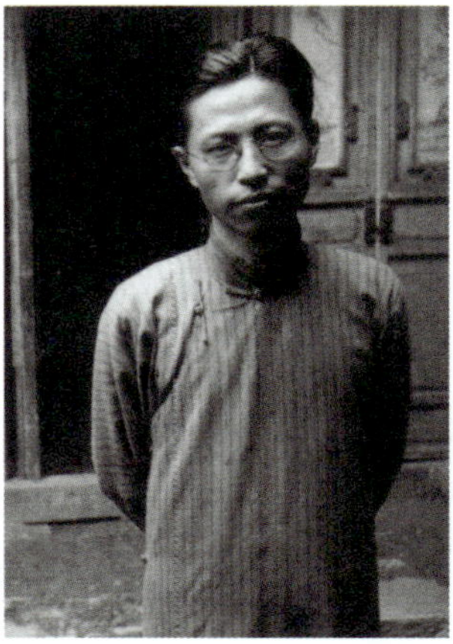

1939年曹禺在云南昆明

1939年4月国立南京戏剧学校迁四川江安，
曹禺任教务主任，其间写作《蜕变》，
图为办公室旧址

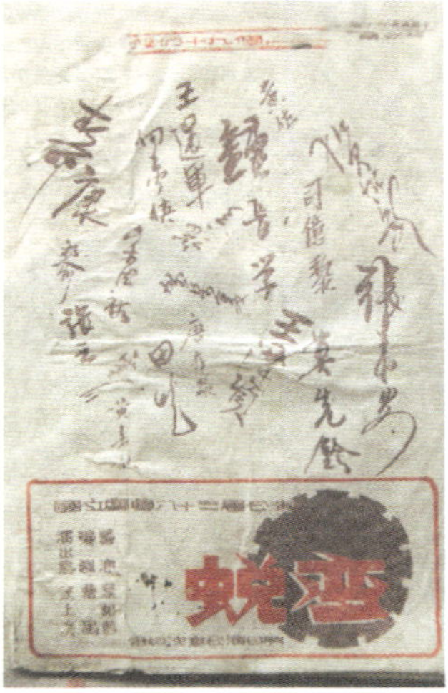

1946年国立剧专第八十三届公演《蜕变》手册

1946年曹禺赴美前，
与毕业多年的国立剧专
第一届学生合影

1943年1月9—24日重庆，
曹禺在《安魂曲》中饰莫扎特，此为他最后一次登台

1987年1月北京人民艺术剧院新版《蜕变》剧照

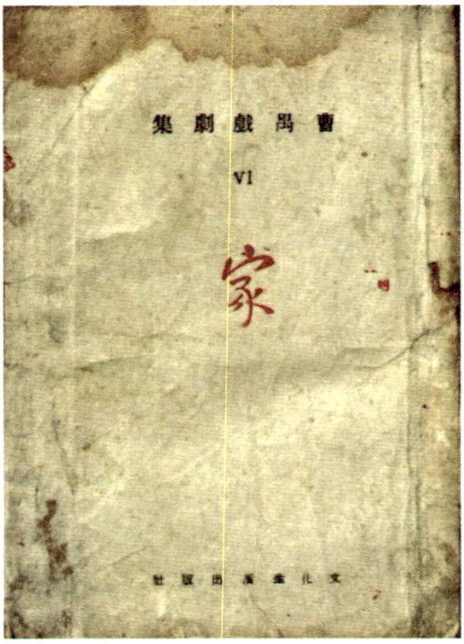

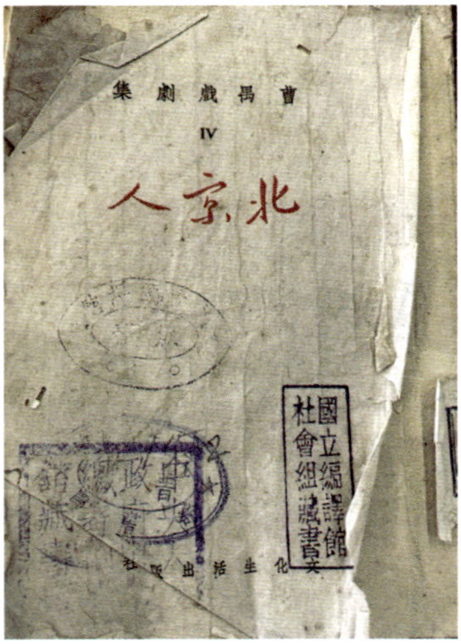

抗战物资紧缺时期，文化生活出版社出版的“文学丛刊”本和“曹禺戏剧集”本部分书影（渝版和桂版）

目　录

版本叙录

丁　文

《原野》

1936年8月曹禺到南京国立戏剧学校任教，1937年3月开始创作《原野》。曹禺自述在南开大学读书时，阅读过美国剧作家奥尼尔的作品,《原野》受到《琼斯皇》的影响，第三幕中的鼓声与枪声得益于“欧尼尔的天才”(《原野》初刊“附记”)。

《原野》于1937年4月在《文丛》第1卷第2期开始连载，至8月第1卷第5期载完，是为初刊本。《文丛》第1卷第4期载第二幕末尾有“上期第一幕收尾（五八四页）更改如下”，删去了仇虎曾打算用药麻醉焦大星的设计，使情节发展为仇虎最终用匕首杀死焦大星。这一修改以后各版本均沿用。

1937年8月文化生活出版社出版《原野》单行本，是为初版本。较之初刊本，初版本文字异动约180处。比较重要的修改有：未收《文丛》第1卷第5期第三幕末尾“附记”，此后各版亦均未收录；删去初刊本第一幕中仇虎原本打算用药麻醉焦大星的设计，改用第二幕末尾的修订版；增加了表演说明以明确情节走向：如加上焦大星“故意咬定”自己将仇虎行踪报告侦缉队，表明焦大星并未告密，确立其为无辜被杀。

文化生活版《原野》最初列为“文学丛刊”系列第五集，1941年8月被列为“曹禺戏剧集”系列第三种，直至1950年11月印至第16版。第1—8版属于“文学丛刊”系列，第9—16版属于“曹禺戏剧集”系列，这16个版次均沿用了同一纸型。

抗战爆发后，上海文化生活出版社迁址重庆民国路154号、桂林中北路桂北商场等处，《原野》于1943年5月出版“桂一版”、1943年9月出版“渝一版”。因抗战时期物资困难，桂版、渝版使用土纸印刷，版芯扩大、增加行数，以减少页码。

1949年以后，《原野》在很长时间内没有再版。据曹禺回忆：1957年初，曹禺“应人民文学出版社之约，对话剧《原野》、《蜕变》、《家》三剧进行修改，拟将此三剧收入《曹禺剧本选》第二集。但终未能出”（田本相、阿鹰：《曹禺年谱长编》，上海交通大学出版社2017年版，第539页）。

1981年3月22日曹禺看完凌子导演的电影《原野》（1981年3月22日曹禺日记，李玉茹编 钱亦蕉整理：《没有说完的话》，山东友谊出版社1998年版，第9页），产生了重新出版剧本并排印该剧的想法。他从凤子处借到文化生活出版社第12版《原野》，以此为底本进行修改（1981年5月2日曹禺致李致信，《曹禺致李致书信》，四川出版集团 四川教育出版社2010年版，第84页）。修订本1982年9月由四川人民出版社出版。这一剧作的重版，开启了曹禺对其他剧作的系统修改，1979—1985年间，四川人民出版社、四川文艺出版社出版了“曹禺戏剧集”系列丛书。

在修改过程中，曹禺否定了此前《原野》的“复仇”主题，提出《原野》主题应是写出“农民受尽封建压迫的一生和逐渐觉醒”（1981年5月31日曹禺致李致信,《曹禺致李致书信》，第97页）。

川版《原野》较之文化生活版，文字异动近五百处。除了对白、动作、舞台说明的修改外，对仇虎与焦大星的形象做了鲜明化的调整，强调阶级矛盾。删除仇虎形象中的“丑陋”（如“硕大无比的怪脸”、“罗锅腰，大头鬼”等）与原始（如“后脑勺突成直角像个猿人”），去除了其眼神的“狡恶”与“嫉恨”，将其改为“充满强烈生命力的汉子”。对焦大星的服饰（如“裤褂”改成“缎坎肩”、“青毡帽”变成“红顶瓜皮帽”），身材（“身体魁伟”改成“中等个儿”）、面容（“脸色黧黑”改成“脸色不好”、“满脸髭须”改成“无须”）等进行修改，凸显地主阶级身份。另外，第三幕中“鼓声”改成木鱼声、磬声；“庙”改成“庵”；人物“洪老”改称“老杨”。

1988年中国戏剧出版社出版了四卷本《曹禺文集》，第一卷收入《雷雨》《日出》《原野》三剧。据本卷说明,《原野》据1937年8月上海文化生活出版社版。1994年9月人民文学出版社出版了“中国现代名剧丛书”，所收《原野》以文化生活出版社版为底本，稍有修改。1996年7月花山文艺出版社出版了七卷本《曹禺全集》,《原野》收入第一卷，据该版记录，系据文化生活出版社版。

《蜕变》

1937年九、十月间至年底，国立戏剧专科学校在迁往重庆的途中滞留长沙，曹禺从“长沙调查伤兵医院”得到了材料（田本相 刘一军：《苦闷的灵魂——曹禺访谈录》，江苏教育出版社2001年版，第125—126页）。1939年冬创作四幕剧《蜕变》。剧本完成后，国立剧专教师张骏祥任导演，部分青年教师和学生任演职员，于1940年4月15至18日在重庆首次公演，余上沅评为“抗战以来第一部有力杰作”（《国立剧校旅渝劳军公演记》,《戏剧战线》1940年第12期）。

《蜕变》公演前，重庆市戏剧审查委员对剧本和演出进行了“双重审查”(沈蔚德:《回忆<蜕变>的首次演出——兼论关于<蜕变>的评价问题》,《新文学史料》1978年第1期)。提出四项修改意见:“不准提‘伪组织’”、将“省立”医院改成“受公家津贴的私人开的医院”、“丁大夫的儿子不能唱《游击队之歌》”、“红色的兜肚不能用”（石曼:《<蜕变>在四十年代重庆》,《戏剧报》1987年第4期）。首演次日，剧本连载于《国民公报》（1940年4月16日至6月3日）上，共四十九则，是为初刊本。初刊本称“系依据中宣部校正并得原作者同意之原本”，内容与“在渝公演时”有“出入”(《关于<蜕变>》,《国民公报》1940年6月3日）。连载首日的“人物表”中，确实没有“伪组织”，而代之以加引号的谐音“魏竹芝”。次日附言“昨日人物表中，梁公仰下之‘视察专员’四字应作‘监理员’，特此更正”，应也是出于审查的要求。首日写为“××省立伤兵医院”，此后均改作私人医院。“小红兜肚”也可笑地改为“小白兜肚”。不过“游击队的歌”还保留着。初刊本还有多处删节，标以“中略”、“下略”，也是因文字涉及时政而有违碍。这一版本形态，反映了战争时期国民政府宣传部门对文艺的管理和控制。

《蜕变》于1940年10月由长沙商务印书馆出版，列入王平陵主编的“大时代文艺丛书”，末附《后记》。商务本基本遵从了宣传部门审查的意见，只是不再说“小白兜肚”。“中略”、“下略”等不再标示，但初刊所略内容有部分恢复。另外还有一些技术上的修改。这一版本商务印书馆1941年4月再版后，未再重印。而文化生活出版社于1942年9月出版渝一版，1943年4月渝二版的版权页标“收回重版”，列入“渝版文季丛书之五”。版式与商务版一致，未有变动。这应是文化生活出版社购买了商务本的版权和纸型，并予重印。

然而重庆文化生活出版社早在1941年1月，就已经另行出版了与商务本迥异的《蜕变》，封面上署“曹禺戏剧集第五种”。除正文外，有“附录”二种：商务本《后记》改题《关于“蜕变”二字》收入，另附巴金《后记》。此后各版均收。在《后记》中，巴金提及此版《蜕变》是他以“油印稿本”为底本“替作者编辑的”，目的是为了避免“糟蹋作者的心血，歪曲作者的本意”，暗示较之经历了国民党中央宣传部审查的商务版，文化生活版第五种本保留了作者的意图。而事实上，不少商务版已恢复的被删节内容，该版又改回到初刊本删略的状态。版本形态驳杂，有的地方很顾忌、有的地方又很激越。

因而，抗战后期，《蜕变》有两种版本并行：一是商务印书馆两版和重庆文化生活出版社的版本；二是文化生活出版社“曹禺戏剧集第五种本"。之所以有这一奇怪的局面，还是与政府审查有关。1943年9月16日，中央图书杂志审查委员会颁布"中审发剧字第三〇〇九号公函"，称《蜕变》"曾饬作者自行修改呈核"，文化生活出版社1942年9月渝一版《蜕变》"返照指示修改蒇事"，"列为本会审定标准本"，并附"《蜕变》剧本审查删改表一份"，要求以后演出根据渝一版，并照删改表调整。（田本相、阿鹰：《曹禺年谱长编》，上海交通大学出版社2017年版，第331—332页）文化生活出版社另出渝版应与此有关。

从1945年11月文化生活出版社《蜕变》再版，改列为"曹禺戏剧集第六种"。至1951年4月，印至第7版。这6个版次，先在重庆，后迁至上海出版、印刷，均沿用了同一纸型。另外，文化生活出版社1941年12月的桂一版、1942年11月的桂二版，也与这一版本序列纸型相同，但未计入版次。

"曹禺戏剧集"第六种本中，魏竹芝恢复为带引号的"伪组织"，梁公仰"监理员"身份恢复为"视察专员"。初刊本"中略""下略"部分，商务本与文化生活渝版曾部分恢复，第五种本有些地方仍据初刊本进行删除，到第六种本则全部予以恢复。此外，第六种本还增加了一些舞台表演提示语，打磨了人物对白。显然是经过曹禺本人的仔细修改。这一版本体现出曹禺对官方干涉、朋友参与编辑、舞台表演内外因素综合考虑后所做的调整，兼顾了政治意图与艺术主张，可看作是一个融合了各方力量的定本。

《蜕变》1951年4月文化生活出版社第7版之后，未再重印。直至1984年12月由四川人民出版社出版，列为川版"曹禺戏剧集"第四种。川版《蜕变》较之文化生活版，文字异动近五百处。主要修改涉及淡化当时的国统区背景：如将“重庆”改为“盛城”、“江西”改为“西江”等。

1988年中国戏剧出版社出版了四卷本《曹禺文集》,《蜕变》收入第二卷，据卷首说明，以1941年1月重庆文化生活出版社版为底本。1994年9月人民文学出版社出版了“中国现代名剧丛书”，收入《蜕变》，以文化生活出版社版“曹禺戏剧集”第六种本为底本，稍有修改。1996年7月花山文艺出版社出版了七卷本《曹禺全集》，第二卷收入《蜕变》，据该版记录，系据重庆文化生活出版社1941年1月版。

原野

【题注】据1946年10月文化生活出版社第十二版"曹禺戏剧集"本排印。通校1937年4月至8月《文丛》第一卷第一期至第五期载序幕及第一至第三幕（校注称"原刊"）、文化生活出版社1937年8月第一版"文学丛刊"本（校注称"初版"）、四川人民出版社1982年9月"曹禺戏剧集"本初版（校注称"川版"）。参校1994年9月人民文学出版社"中国现代名剧丛书"本初版（校注称"1994人文版"）。又，"焦花氏"川版去掉夫姓焦，或称"花氏"、或称"金子"、或称"花"。"洪老"川版改为"老杨"。以上异文，不一一出注。

时间　秋天[1]

序　幕　　原野铁道旁。——“立秋”后一天傍晚。

第一幕　　焦阎王家正屋。——序幕十日后，下午六时。

第二幕　　景同第一幕。——同日，夜九时。——同日，夜十一时。

第三幕　　（时间紧接第二幕）

第一景　　黑林子，岔路口。——夜一时后。

第二景　　黑林子，林内洼地。——夜二时后。

第三景　　黑林子，林内水塘边。——夜三时后。

第四景　　黑林子，林内小破庙[2]旁。——夜四时后。

第五景　　景同序幕，原野铁道旁。——破晓，六时后。

1　本栏原刊排在第三幕“人物”表前。

2　“小破庙”川版作“小破庵”。

人　物

仇　虎——一个逃犯。

白傻子——小名狗蛋，在原野里牧羊的白痴。

焦大星——焦阎王的儿子。

焦花氏——焦大星新娶的媳妇。

焦　母——大星的母亲，一个瞎子。

常　五——焦家的客人。[1]

（第三幕登场人物另见该幕人物表[2]）

1　原刊无此句。

2　原刊无此句。

序幕[1]

1 “序幕”原刊作“第一幕”。

秋天的傍晚。

大地是沉郁的，生命藏在里面。泥土散着香，禾根在土里暗暗滋长。巨树在黄昏里伸出乱发似的枝丫，秋蝉在上面有声无力地振动着翅翼。巨树有庞大的躯干，爬满年老而龟裂的木纹。矗立在莽莽苍苍的原野中，他象征着严肃，险恶，反抗与幽郁，仿佛是那被禁锢的普饶密休士[1]，羁绊在石岩上。他背后有一片野塘，淤积油绿的雨水，偶尔塘畔簌落簌落地跳来几只青蛙，相率[2]扑通跳进水去，冒了几个气泡；一会儿，寂静的暮色里不知从什么地方传来一阵断续的蛙声，也很寂寞的样子。巨树前，横着垫高了的路基，铺着由辽远不知名的地方引来的两根铁轨。铁轨铸得像乌金，黑黑的两条，在暮霭里闪着亮，一声不响，直伸到天际。它们带来人们的痛苦，快乐和希望。有时巨龙似的列车，煊赫地叫嚣了一阵，喷着火星乱窜的黑烟，风掣电驰地飞驶过来。但立刻又被送走了，还带走了人们的笑和眼泪。陪伴着这对铁轨的有道旁的电线杆，一根接连一根，当野风吹来时，白磁箍上的黑线不断激出微弱的呜呜的声浪。铁轨基道斜成坡，前面有墓

1 “普饶密休士”川版作“普罗米修斯”。

2 “相率”川版作“相竞”。

碑似的哩石[1]，有守路人[2]的破旧的“看守阁”，有一些野草，并且堆着些生锈的铁轨和枕木。

在天上，怪相的黑云密匝匝遮满了天，化成各色狰狞可怖的形状，层层低压着地面。远处天际外逐渐裂成一张血湖似的破口，张着嘴，泼出幽暗的赭红，像噩梦，在乱峰怪石[3]的黑云层堆[4]点染成万千诡异艳怪的色彩。

地面依然昏暗暗，渐渐升起一层灰雾，是秋暮的原野，远远望见一所孤独的老屋，里面点上了红红的灯火。

大地是沉郁的。

〔开幕时，仇虎一手叉腰，背倚巨树望着天际的颜色，喘着气，一哼也不哼。青蛙忽而在塘边叫起来。他拾起一块石头向野塘掷去，很清脆地落在水里，立时蛙也吓得不响。他安了心，蹲下去坐，然而树上的“知了”又聒噪地闹起，他仰起头，厌恶地望了望，立起身，正要又取一个石块朝上——遥远一声汽笛，他回转头，听见远处火车疾驰过去，愈行愈远，夹连几声隐微的汽笛。他扔下石块，嘘出一口气，把宽大无比的皮带紧了紧，一只脚在那满沾污泥的黑

1 “哩石”川版作“里程石”。

2 “守路人”川版作“护路人”。

3 此处川版有“一般”。

4 “黑云层堆”川版作“黑云里”。

腿上擦弄，脚踝上的铁镣恫吓地响起来。他陡然又记起脚上的累赘。举起身旁一块大石[1]在铁镣上用力擂击。巨石[2]的重量不断地落在手上，捣了腿骨，血殷殷的，他蹙着黑眉，牙根咬紧，一次一次捶击，喘着，低低地咒着。前额上渗出汗珠，流血的手擦过去[3]。他狂喊一声，把巨石[4]掷进塘里，喉咙哽噎像塞住铅块，失望的黑脸仰朝天，两只粗大的手掌死命乱绞，想[5]挣断足踝上的桎梏。

〔远处仿佛有羊群奔踏过来，一个人“哦！哦！”地吆喝，赶它们回栏，羊们乱窜，哀伤地咩咩着，冲破四周的寂静。他怔住了，头[6]朝转那声音的来向，惊愕地谛听。他蓦然跳起来，整个转过身来，面向观众，屏住气息瞩望。——这是一种奇异的感觉，人会惊怪造物者怎么会想出[7]这样一个丑陋的人形[8]：头发像乱麻，硕大无比的怪脸[9]，眉毛垂下来，

---

1 “大石”川版作“大石头”。

2 “巨石”川版作“石头”。

3 “擦过去”川版作“不断擦着”。

4 “巨石”川版作“石头”。

5 “死命乱绞，想”川版作“死命地要”。

6 川版无“头”。

7 “想出”川版作“造出”。

8 “丑陋的人形”川版作“充满生命力的汉子”。

9 “硕大无比的怪脸”川版作“高大的身材”。

眼烧着仇恨的火。右腿打成瘸跛[1]，背凸起仿佛藏着一个小包袱[2]。筋肉暴突，腿是两根铁柱。身上一件密结纽襻的蓝布褂，被有刺的铁丝戳些个窟窿，破烂处露出毛茸茸的前胸。下面围着“腰里硬”，—— 一种既宽且大的黑皮带，——前面有一块瓦大的铜带扣，贼亮贼亮的[3]。他眼里闪出凶狠、狡恶[4]、机诈与嫉恨[5]，是个刚从地狱里逃出来的人。

〔他提起脚跟眺望，人[6]显明地向身边来。“哦！哦！”吆喝着，“咩！咩！”羊们拥挤着，人真走近了，他由轨道跳到野塘坡下藏起。

〔不知为什么传来一种不可解的声音，念得很兴高采烈的！[7]“漆叉卡叉，漆叉卡叉，漆叉卡叉，漆叉卡叉，吐兔图吐，吐兔图吐，吐兔图吐，吐兔图吐……”一句比一句有气力，随着似乎顿足似乎又在疾跑的音响。

〔于是白傻子涨得脸通红，挎着一筐树枝，右手背着斧头，由轨道上跳跳蹦蹦地跑来。他约莫有二十岁，胖胖的圆脸，

---

1 “打成瘸跛”川版作“被打得有些瘸”。

2 川版无“背凸起仿佛藏着一个小包袱”。

3 川版无“，——前面有一块瓦大的铜带扣，贼亮贼亮的”。

4 川版无“狡恶”。

5 “机诈与嫉恨”川版作“积恨与痛苦”。

6 “人”川版作“有人”。

7 “念得很兴高采烈的”川版作“嘟囔得兴高采烈地”。

哈巴狗的扁鼻子，一对老鼠眼睛，霎个不停[1]。头发长得很低，几乎和他那一字眉连接一片。笑起来眼眯成一道缝。一张大嘴整天呵呵地咧着；如若见着好吃好看的东西，下颚便不自主地垂下来，时而还流出涎水。他是个白痴，无父无母，寄在一个远亲的篱下，为人看羊、斫柴，做些零碎的事情。

白傻子 （兴奋地跑进来，自己就像一列疾行的火车）漆叉卡叉，漆叉卡叉，……（忽而机车喷黑烟）吐兔图吐，吐兔图吐，吐兔图吐，……（忽而他翻转过来倒退，两只臂膊像一双翅膀，随着嘴里的“吐兔”，一扇一扇地——哦，火车在打倒轮，他拼命地向后退，口里更热闹地发出各色声响，这次“火车头”开足了马力。然而，不小心，一根枕木拦住了脚，扑通一声，“火车头”忽然摔倒在轨道上，好痛！他咧着嘴似哭非哭的，树枝撒了一道，斧头溜到基道下，他手搁在眼上，大嘴里哇哇地嚎一两声，但是，摸摸屁股，四面望了一下，没人问，也没人痛[2]，并没人看见。他回头望望自己背后，把痛处揉两次，立起来，仿佛是哄小孩子，吹一口仙气，轻轻把自己屁股打一下，“好了，不痛了，去吧!”他唏唏地似乎得到安慰。于是又——）漆叉卡叉，漆

1 “霎个不停”川版作“眨个不停”。

2 “也没人痛”川版作“也没人疼”。

叉卡叉……（不，索性放下筐子，两只胳膊是飞轮，眉飞色舞，下了基道的土坡，在通行大车的土道上奔过来，绕过去，自由得如一条龙）漆叉卡叉，吐兔图吐，吐兔图吐，吐兔图吐……（更兴奋了，他咋圆了嘴[1]，学着机车的汽笛）呜——呜——呜。漆叉卡叉，吐兔图吐。呜——呜——呜——（冷不防，他翻了一个跟斗）呜——呜——呜——（看！又翻了一个！）呜——呜——呜，漆叉卡叉，吐兔图吐，——呜——呜——（只吹了一半，远遥遥传来一声低声而隐微的机车笛，他忽而怔住，出了神。他跑上基道，横扒[2]在枕木上，一只耳[3]紧贴着铁轨，闭上眼，仿佛谛听着仙乐，脸上堆满了天真的喜悦）呵呵呵！（不自主地傻笑起来）

〔从基道后面立起来仇虎，他始而惊怪，继而不以为意地[4]走到白傻子的身旁。

仇　虎　喂！（轻轻踢着白傻子的头）喂！你干什么？

白傻子　（谛听从铁轨传来远方列车疾行的声音，阖目揣摩，很幸福的样子，手拍着轮转的速律，低微地）漆叉卡叉，漆叉卡叉……（望也没有望，只不满意地伸出臂膊晃一晃）你……你不用管。

---

1 “咋圆了嘴”川版作“嘬圆了嘴”。

2 “横扒”川版作“横趴”。

3 “一只耳”川版作“耳朵”。

4 川版无“始而惊怪，继而不以为意地”。

仇　虎　（踹踹他的屁股）喂，你听什么？

白傻子　（不耐烦）别闹！（用手摆了摆）别闹！你听，火车头！（指轨道）在里面！火车！漆叉卡叉，漆叉卡叉，漆叉卡叉，……（不由更满足起来，耳朵抬起来，仰着头，似乎在回味）吐兔图吐，吐兔图吐！（快乐地忘了一切，向远处望去，一个人喃喃地）嗯——火车越走越远！越走越远！吐兔图吐，吐兔图吐，……（又把耳朵贴近铁轨）

仇　虎　起来！（白不听，又用脚踢他）起来！（白仍不听，厉声）滚起来！（一脚把傻子踹下土坡，自己几乎被铁镣绊个跟头）

白傻子　（在坡下，恍恍惚惚拾起斧头，一手抚摸踢痛了的屁股，不知所云地呆望着仇虎）你……你……你踢了我。

仇　虎　（狞笑，点点头）嗯，我踢你！（一只脚又抬到小腿上擦痒，铁镣沉重地响着）你要怎么样？

白傻子　（看不清楚那踹人的怪物，退了一步）我……我不怎么样。

仇　虎　（狠恶地）你看得见我么？

白傻子　（疑惧地）看……看不清。

仇　虎　（走出巨树的暗荫，面向天际）你看！（指自己）你看清了么？

白傻子　（惊骇地注视着仇虎，死命地“啊！”了一声）妈！（拖着斧头就跑）

仇　虎　（霹雷一般）站住！

〔白傻子瘫在那里，口里流着涎水，眼更霎个不住[1]。

1　“霎个不住”川版作“眨个不住”。

仇　虎　（恶狠地）妈的，你跑什么？

白傻子　（解释地）我……我没有跑！

仇　虎　（指自己，愤恨地）你看我像个什么？

白傻子　（盯着他，怯弱地）像……嗯，……像——（抓抓头发）反正——（想想，摇摇头）反正不像人。

仇　虎　（牙缝里喷出来）不像人？（迅雷似地）不像人？

白傻子　（吓住）不，你像，你像，像，像。

仇　虎　（狞笑起来，忽然很柔和地）我难看不难看？你看我丑不丑？

白傻子　（不知从哪里来了这么一点聪明，睁大眼睛）你……你不难看，不丑。（然而——）

仇　虎　（暴躁地）谁说我不丑！谁说我不丑！

白傻子　（莫明其妙）嗯，你丑！你——丑得像鬼。

仇　虎　那么，（向白傻子走去，脚下铛锒作响）鬼在喊你，丑鬼在喊你。

白傻子　（颤抖地）你别来！我……我自己过去。

仇　虎　来吧！

白傻子　（疑惧地，拖着不愿动的脚步）你……你从哪儿来的？

仇　虎　（指远方）天边！

白傻子　（指着轨道）天边？从天边？你也坐火车？（慢慢地）漆叉卡叉，吐兔图吐？（向后退，一面回头，模仿火车打倒轮）

仇　虎　（明白狞笑）嗯，“漆叉卡叉，漆叉卡叉”！（也以手作势，开起火车，向白傻子走近）吐兔图吐，吐兔图吐。（进得快，退得慢，火车碰上火车，仇虎蓦地抓着白傻子的手腕，一把拉过来）你过来吧！

白傻子　（痛楚地喊了一声，用力想挣出自己，乱嚎）哦！妈，我不跟你走，我不跟你！

仇　虎　（斜眼盯着他）好，你会“漆叉卡叉”，你看，我跟你来个（照着白胸口一拳[1]，白啊地叫了一声，仇虎慢悠悠地）吐——兔——图——吐！（凶恶地）把斧头拿给我！

白傻子　（怯弱地）这……这不是我的。（却不自主把斧头递过去）

仇　虎　（抢过斧头）拿过来！

白傻子　（解释地）我……我……（翻着白眼）我没有说不给你。

仇　虎　（一手拿着斧头，指着脚镣）看见了么？

白傻子　（伸首，大点头）嗯，看见。

仇　虎　你知道这是什么？

白傻子　（看了看，抹去唇上的鼻涕，摇着头）不，不知道。

仇　虎　（指着铁镣）这是镯子——金镯子！

白傻子　（随着念）镯子——金镯子！

仇　虎　对了！（指着脚）你给我把这副金镯敲下来。（又把斧头交还他）敲下来，我要把它赏给你戴！

白傻子　给我戴？这个？（摇头）我不，我不要！

仇　虎　（又把斧头抢到手，举起来）你要不要？

白傻子　（眨眨眼）我……我……我要……我要！

〔仇虎蹲在轨道上，白倚立土坡，仇虎正想坐下，伸出他的腿。

---

1 “一拳”川版作“一搡”。

仇　虎　（猜疑地）等等！你要告诉旁人这副金镯子是我的，我就拿这斧头劈死你。

白傻子　（不明白，但是——）嗯，嗯，好的，好的。（又收下他的斧头）

仇　虎　（坐在轨道上，双手撑在背后的枕木上[1]，支好半身的体重[2]，伸开了腿，望着白）你敲吧[3]！

白傻子　（向铁镣上重重打了一下[4]，只一下，他停住了，想一想）可……可是这斧头[5]也……也不是你的。

仇　虎　（不耐烦）知道，知道！

白傻子　（有了理）那你不能拿这斧子劈死我。（跟着站起来）

仇　虎　（跳起，抢过他的斧头，抡起来）妈，这傻王八蛋，你跟我弄不弄？

〔野地里羊群又在哀哀地呼唤[6]。

白傻子　（惧怯地）我……我没有说不跟你弄。（又接过斧头，仇虎坐下来，白傻子蹲在旁边，开始一下两下向下敲[7]）

〔野塘里的青蛙清脆地叫了几声。

白傻子　（忽然很怪异地看着仇虎）你怎么知道我……我的外号？

---

1 “枕木上”川版作“枕木”。

2 “支好半身的体重”川版作“支着身子”。

3 “你敲吧”川版作“你砸吧”。

4 “打了一下”川版作“砸了一下”。

5 “这斧头”川版作“这斧子”。

6 “哀哀地呼唤”川版作“咩咩地呼唤”。

7 “向下敲”川版作“向下砸”。

仇　虎　怎么？

白傻子　这儿的人要我干活的时候，才叫我白傻子。做完了活，总叫我傻王八蛋。（很亲切地又似乎很得意地笑起来）唏！唏！唏！（在背上抓抓痒又敲下去）

仇　虎　（想不到，真认不出是他）什么，你——你叫白傻子。

白傻子　嗯，（结结巴巴）他们都不爱理我，都叫我傻王八蛋，可有时也……也叫我狗……狗蛋。你看，这两个名字哪一个好？（得不着回答，一个人叨叨地）嗯，两个都叫，倒……倒也不错，可我想还是狗……狗蛋好，我妈活着就老叫我狗蛋。她说，你看，这孩子长得狗……狗头狗脑的，就叫他狗……狗蛋吧，长……长得大。你看，我……我小名原来叫……叫……（很得意地拍了自己的屁股一下）叫狗蛋！唏！唏！唏！（笑起来，又抹一下子鼻涕）

仇　虎　（一直看着他）狗蛋，你叫狗蛋！

白傻子　嗯，狗蛋，你……你没猜着吧！（得意地又在背上抓抓）

仇　虎　（忽然）你还认识我不认识我？

白傻子　（望了一会，摇头）不，不认识。（放下斧头）你……你认识我？

仇　虎　（等了一刻，冷冷地）不，不认识。（忽然急躁地）快，快点敲[1]，少说废话，使劲！

白傻子　天快黑了！我看不大清你的镯子。

1　“快点敲”川版作“快点砸”。

仇　虎　妈的，这傻王八蛋。你把斧头给我，你跟我滚。

白傻子　（站起）给你？（高举起斧头）不，不成。这斧头不是我的。这斧头是焦……焦大妈的。

仇　虎　你说什么？（也站起）

白傻子　（张口结舌）焦……焦大妈！她说，送……送晚了点，都要宰……宰了我。（摸摸自己的颈脖[1]，想起了焦大妈，有了胆子，指着仇虎的脸）你……你要是把她的斧头抢……抢走，她也宰……宰了你！（索性吓他一下，仿佛快刀从头颈上斩过，他用手在自己的颈上一摸）嚓——嚓——嚓！[2]就这样，你怕不怕？

仇　虎　哦，是那个瞎老婆子？

白傻子　（更着重地）就……就是那个瞎老婆子，又狠又毒，厉害着得呢！

仇　虎　她还没有死？

白傻子　（奇怪）没有，你见过她？

仇　虎　（沉吟）见过。（忽然抓着白傻子的胳膊）那焦老头子呢？

白傻子　（瞪瞪眼）焦老头子？

仇　虎　就是她丈夫，那叫阎王，阎王的。

白傻子　（恍然）哦，你说阎王啊，焦阎王啊。（不在意地）阎王早进……进了棺材了。

1　“颈脖”川版作“脖颈”。

2　此句川版作“喀嚓！喀嚓！”。

仇　虎　（惊愕得说不出话来）什——么？（立起）

白傻子　他死了，埋了，入了土了。

仇　虎　（狠恶地）什么？阎王进了棺材？

白傻子　（不在心）前两年死的。

仇　虎　（阴郁地）死了！阎王也有一天进了棺材了。

白傻子　嗯，（不知从哪里听来的）光屁股来的光屁股走，早晚都得入土。

仇　虎　（失望地）那么，我是白来了，白来了。

白傻子　（奇怪地）你……你找阎王干……干什么？

仇　虎　（忽然回转头，愤怒地）可他——他怎么会死？他怎么会没有等我回来才死！他为什么不等我回来！（顿足，铁镣相撞，疯狂地乱响）不等我！（咬紧牙）不等我！抢了我们的地！害了我们的家！烧了我们的房子，你诬告我们是土匪，你送了我进衙门，你叫人打瘸了我的腿。为了你我在狱里整整熬了八年。你藏在这个地方，成年地想法害我们[1]，等到我来了，你伸伸脖子死了，你会死了！

白傻子　（莫明其妙，只好——）嗯，死了！

仇　虎　（举着拳头，压下声音）偷偷地你就死了。（激昂起来）可我怎么能叫你死，叫你这么自在[2]地死了。我告诉你，阎王，我回来了，我又回来了，阎王！杀了我们，你们就得偿命；

1　此句原刊作“你逃到这个地方，改名换姓躲着我们”。

2　“自在”原刊作“安逸”。

伤了我们，我们一定[1]还手。挖了我的眼睛，我也挖你的。你打瘸了我的腿，害苦了我们这一大堆人，你想，你在这儿挖个洞偷偷死了，哼，你想我们会让你在棺材里安得了身！哦，阎王，你想得太便宜了！

白傻子 （诧异）你一个[2]念叨些什么？你还要斧子敲[3]你这镯子不要？

仇　虎 （想起当前的境界）哦，哦，要……要！（暴烈地）你可敲[4]啊！

白傻子 （连忙）嗯，嗯！（啐口吐沫[5]，举起斧子敲[6]）

仇　虎 那么，他的儿子呢？

白傻子 谁？

仇　虎 我说阎王的儿子，焦大星呢？

白傻子 （不大清楚）焦……焦大星？

仇　虎 就是焦大。

白傻子 （恍然）他呀！他刚娶个新媳妇，在家里抱孩子呢。

仇　虎 又娶了个媳妇。

白傻子 （龇着白牙）新媳妇长得美着呢，叫……叫金子。

仇　虎 （惊愕）金子！金子！

---

1 “一定”川版作“就得”。

2 川版无“一个”。

3 “敲”川版作“砸”。

4 “敲”川版作“砸”。

5 “吐沫”川版作“唾沫”。

6 “敲”川版作“砸”。

白傻子　嗯，你……你认识焦大?

仇　虎　嗯,(狞笑)老朋友了,(回想)我们从小，这么大(用手比一下)就认识。

白傻子　那我替你叫他来,(指远远那一所孤独的房屋)他就住在那房子里[1]。(向那房屋跑)

仇　虎　(厉声)回来!

白傻子　干——干什么?

仇　虎　(伸出手)把斧头给我!

白傻子　斧头?

仇　虎　我要自己敲开我这副金镯子送给焦老婆子戴。

白傻子　(又倔强起来)可这斧头是焦——焦——焦大妈的。

仇　虎　(不等他说完，走上前去，抢斧头)给我。

白傻子　(伸缩头，向后退)我！我不。(仇虎逼过去)

仇　虎　(抢了斧头，按下白傻子的头颈，似乎要斫下去[2])你——你这傻王八蛋。

〔轨道右外听见一个女人说话，旁边有个男人在旁边劝慰着。

白傻子　(挣得脸通红)有——有人!

仇　虎　(放下手倾听一刻，果然是)狗蛋，便宜你!

白傻子　(遇了大赦)我走了?

仇　虎　(又一把抓住他)走，你跟着我来!

1　“那房子里”川版作“那儿”。

2　“斫下去”原刊作“砾下去”。

〔仇拉着白走向野塘左面去，白狼狈地跟随着，一会儿隐隐听见斧头敲铁镣的声音。

〔由轨道左面走上两个人。女人[1]气冲冲的，一句话不肯说，眉头藏着泼野，耳上的镀金环子铿铿地乱颤。女人长得很妖冶，乌黑的头发，厚嘴唇，长长的眉毛，一对明亮亮的黑眼睛里面蓄满魅惑[2]和强悍。脸生得丰满，黑里透出健康的褐红；身材不十分高，却也娉娉婷婷，走起路来，顾盼自得，自来一种风流。她穿着大红的裤袄，头上梳成肥圆圆的盘髻。腕上的镀金镯子骄傲地随着她走路的颤摇摆动。她的声音很低，甚至于有些哑，然而十分入耳，诱惑。

〔男人（焦大星）约莫有三十岁上下，短打扮，满脸髭须，浓浓的黑眉[3]，凹进去的眼，神情坦白，笑起来很直爽明朗。脸色黧黑[4]，眉目间有些忧郁，额上时而颤跳着蛇似的青筋。左耳悬一只铜环，是他父亲——阎王——在神前为他求的。他的身体魁伟[5]，亮晶的眼[6]有的是宣泄不出的热情。他畏惧他的母亲，却十分爱恋自己的艳丽的妻，妻与母为他尖锐

1 “女人”川版作“女人（花金子）”。

2 “魅惑”川版作“魅力”。

3 “短打扮，满脸髭须，浓浓的黑眉”川版作“穿长夹袍，无须，细长的黑眉”。

4 “脸色黧黑”川版作“脸色不好”。

5 “他的身体魁伟”川版作“他中等个”。

6 “亮晶的眼”川版作“亮晶晶的眼”。

的争斗使他由苦恼而趋于怯弱。他现在毫不吃力[1]地背着一个大包袱。稳稳地迈着大步。他穿一件深灰的裤褂[2]，悬着银表链，戴一顶青毡帽[3]，手里握着一根小树削成的木棍，随着焦花氏走来。

焦大星 （那男人[4]）金子！

焦花氏 （不理，仍然向前走）

焦大星 （拉着她）金子，你站着。

焦花氏 （甩开他）你干什么？

焦大星 （恳求地）你为什么不说话。

焦花氏 （瞋目地）说话？我还配说话？

焦大星 （体贴地）金子，你又怎么啦？谁得罪了你？

焦花氏 （立在轨道上）得罪了我？谁敢得罪了我！好，焦大的老婆，有谁敢得罪？

焦大星 （放下包袱）好，你先别这么说话，咱们俩说明白，我再走。

焦花氏 （斜眼望着他）走？你还用着走？我看你还是好好地回家找你妈去吧？

焦大星 （明白了一半）妈又对你怎么啦？

焦花氏 妈对我不怎么！（奚落地）哟，焦大多孝顺哪！你看，出了

---

1 “毫不吃力”川版作“毫不费力”。

2 “裤褂”川版作“缎坎肩”。

3 “青毡帽”川版作“红顶瓜皮帽”。

4 川版无“那男人”。

门那个舍不得妈丢不下妈的样子，告诉妈，吃这个，穿那个，说完了说，嘱咐，又嘱咐，就像你一出门，虎来了要把她叨了去[1]一样。哼，你为什么不倒活几年长小了，长成（两手一比）这么点，到你妈怀里吃喳儿[2]去呢！

焦大星　（不好意思，反而解释地）妈——妈是个瞎子啊！

焦花氏　（头一歪，狠狠地）我知道她是个瞎子！（又嘲笑地）哟，焦大真是个孝子，妈妈长，妈妈短，跟妈带这个，跟妈带那个；我跟你到县里请一个孝子牌坊，好不好？（故意叹口气）唉为什么我进门不就添个孩子呢？

焦大星　（吃一惊）你说什么？进门添孩子？

焦花氏　（瞟他一眼）你别吓一跳，我不是说旁的。我说进门就跟你添一个大小子，生个小焦大，好叫他像你这着地[3]也孝顺孝顺我。哼，我要有儿子，我就要生你这样的，（故意看着焦大）是不错！

焦大星　（想骂她，但又没有话）金子，你说话总是不小心，就这句话叫妈听见了又是麻烦。

焦花氏　（强悍地）哼，你怕麻烦！我不怕！说话不小心，这还是好的，有一天，我还要做给她瞅瞅。

焦大星　（关心地）你——你说你做什么？

1　“叨了去”川版作“叼了去”。

2　“吃喳儿”川版作“吃咂儿（指奶头）”。

3　“你这着地”川版作“你这样地”。

焦花氏　（任性泼野）我做什么？我是狐狸精！她说我早晚就要养汉偷人，你看，我就做给她瞧瞧。哼，狐狸精？

焦大星　（不高兴）怎么，你偷人难道也是做给我瞧瞧。

焦花氏　你要是这么待我，我就偷——

焦大星　（立起，一把抓着花氏的手腕，狠狠地）你偷谁？你要偷谁？

焦花氏　（忽然笑眯眯地）别着急，我偷你，（指着她丈夫的胸）我偷你，我的小白脸，好不好？

焦大星　（忍不住笑）金子，唉[1]，一个妈，一个你，跟你们俩我真是没有法子。

焦花氏　（翻了脸）又是妈，又是你妈。你怎么张嘴闭嘴总离不开你妈，你妈是你的影子，怎么你到哪儿，你妈也到哪儿呢？

焦大星　（坐在包袱上，叹一口长气）怪，为什么女人跟女人总玩不到一块去呢？

〔塘里青蛙又叫了几声，来了一阵风，远远传来野鸟的鸣声。

焦花氏　（忽然拉起男人的手）我问你，大星，你痛我不痛我？[2]

焦大星　（仰着头）什么？

焦花氏　（坐在他身旁）你疼我不疼我？

焦大星　（羞涩地）我——我自然疼你。

焦花氏　（贴近一些）那么，我问你一句话，我说完了你就得告诉我。

---

1 “唉”原刊作“笑”。

2 “你痛我不痛我”川版作“你疼我不疼我”。

别含糊！

焦大星 可是你问——问什么话？

焦花氏 你先别管，你到底疼我不？你说不说？

焦大星 （摇摇头）好，好，我说。

焦花氏 （指着男人的脸）一是一，二是二，我问出口，你就地就得说，别犹疑！

焦大星 （急于知道）好，你快说吧。

焦花氏 要是我掉在河里，——

焦大星 嗯。

焦花氏 你妈也掉在河里，——

焦大星 （渐明白）哦。

焦花氏 你在河边上，你先救哪一个？

焦大星 （窘迫）我——我先救哪一个？

焦花氏 （眼直盯着他）嗯，你先救哪一个，是你妈，还是我？

焦大星 我……我——（抬头望望她）

焦花氏 （迫待着）嗯？快说，是你妈？还是我？

焦大星 （急了）可——可哪会有这样的事？

焦花氏 我知道是没有。（固执地）可要是有呢，要是有，你怎么办？

焦大星 （苦笑）这——这不会的。

焦花氏 你，你别含糊，我问你要真有这样的事呢？

焦大星 要真有这样的事，（望望女人）那——那——

焦花氏 那你怎么样？

焦大星　（直快地）那我两个都救，（笑着）我（手势[1]）我左手拉着妈，我右手拉着你。

焦花氏　不，不成。我说只能救一个。那你救谁？（魅惑地）是我，还是你妈？

焦大星　（惹她[2]）那我……那我……

焦花氏　（激怒地）你当然是救你妈，不救我。

焦大星　（老实地）不是不救你，不过妈是个——

焦花氏　（想不到）瞎子！对不对？

焦大星　（乞怜地望着她）嗯。瞎了眼自然得先救。

焦花氏　（撅起嘴）对了，好极了，你去吧！（怨而恨地）你眼看着我要淹死，你都不救我，你都不救我！好！好！

焦大星　（解释）可你并没有掉在河里——

焦花氏　（索性诉起委曲）好，你要我死，（气愤地）你跟你妈一样，都盼我立刻死了，好称心，你好娶第三个老婆。你情愿淹死我，不救我。

焦大星　（分辩地）可我并没有说不救你。

焦花氏　（紧问他）那么，你先救谁？

焦大星　（问题又来了）我——我先——我先——

焦花氏　（逼迫）你再说晚了，我们俩就完了。

焦大星　（冒出嘴）我——我救你。

1　原刊无“手势”，此处空格。

2　“惹她”原刊作“苦恼”，川版作“无可奈何”。

焦花氏　（改正他）你先救我。

焦大星　（机械地）我先救你！

焦花氏　（眼里闪出胜利的光）你先救我！（追着，改了口）救我一个？

焦大星　（糊涂地）嗯。

焦花氏　（更说得清楚些）你“只”救我一个——

焦大星　（顺嘴说）嗯。

焦花氏　你“只”救我一个，不救她。

焦大星　可是，金子，那——那——

焦花氏　（逼得紧）你说了，你只救我一个你不救她。

焦大星　（气愤地立起）你为什么要淹死我妈呢？

焦花氏　谁淹死她？你妈不是好好在家里？

焦大星　（忍不下）那你为什么老逼我说这些不好听的话呢？

焦花氏　（反抗地）嗯，我听着痛快，我听着痛快！你说，你说给我听。

焦大星　可是说什么？

焦花氏　你说“淹死她”！

焦大星　（故意避开）谁呀？

焦花氏　你说“淹死我妈”！

焦大星　（惊骇地望着她）什么，淹死——？

焦花氏　（期待得紧）你说呀，你说了我才疼你，爱你。（诱惑地）你说了，你要干什么，我就干什么。你看，我先给你一个。（贴着星的脸，热热地亲了一下）香不香？

焦大星　（呆望着她）你——嗯！

焦花氏　你说不说！来！（拉着星）你坐下！（把他推在大包袱上）你

说呀！你说淹死她！淹死我妈！

焦大星 （傻气地）我说，我不说！

焦花氏 （没想到）什么！（想翻脸，然而——笑下来，柔顺地）好，好，不说就不说吧！（忽然孩子似的语调）大星，你疼我不疼我？（随着坐在大星的膝上，紧紧抱着他的颈脖，脸贴脸，偎过来，擦过去）大星，你疼我不疼我？你爱我不爱？

焦大星 （想躲开她，但为她紧紧抱住）你别——你别这样，有——有人看见。（四面望）

焦花氏 我不怕。我跟我老头子要怎么着就怎么着。谁敢拦我？大星，我俊不俊？我美不美？

焦大星 （不觉注视她）俊！——美！

焦花氏 （蛇似的手抚摸他的脸，心和头发）你走了，你想我不想我？你要我不要我？

焦大星 （不自主地紧紧握着她的手）要！

焦花氏 （更魅惑地）你舍得我不舍得我？

焦大星 （男人舐舐自己的嘴唇，低哑地）我——不——舍——得。（男人忽然翻过身，将花氏抱住，要把她——[1]，喘着）我——

焦花氏 （倏地用力推开他，笑着竖起了眉眼，慢慢地）你不舍得，你为什么不说？

焦大星 （昏眩）说——说什么？

1 “男人忽然翻过身”以下川版作“男人忽然将花氏抱住”。

焦花氏　（泄恨地[1]）你说淹死她，淹死我妈。

〔一阵野风，吹得电线杆呜呜地响。

焦花氏　你说了我就让你。

焦大星　（喘着）好，就——就淹死她，（几乎是抽咽）就淹淹死我——

〔由轨道后面左方走上一位嶙峋的老女人，约莫有六十岁的样子。头发大半斑白，额角上有一块紫疤，一副非常峻削严厉的轮廓。扶着一支粗重的拐棍[2]，张大眼睛，里面空空不是眸子[3]，眼前似乎罩上一层白纱，直瞪瞪地望着前面，使人猜不透那一对失了眸子的眼里藏匿着什么神秘。她有着失了瞳仁的人的猜疑，性情急躁；敏锐的耳朵四方八面地谛听着。她的声音尖锐而肯定。她还穿着丈夫的孝，灰布褂，外面罩上一件黑坎肩，灰布裤，从头到尾非常整洁。

〔她走到轨道上，一句话不说，用杖重重在铁轨上捣。

焦　氏　（冷峻地）哼！

焦花氏　（吓了一跳）妈！（不自主地推开大星，立起）

焦大星　（方才的情绪立刻消失。颤颤地）哦，妈！

焦　氏　（阴沉地）哼，狐狸精！我就知道你们在这儿！你们在说什么？

焦花氏　（惶惑地）没……没说什么，妈。

1　原刊无“泄恨地”。

2　“扶着一支粗重的拐棍”川版作“她扶着一根粗重的拐棍”。

3　“里面空空不是眸子”川版作“空空没有眸子”。

焦　氏　大星，你说！

焦大星　（低得听不见）是……是没说什么？

焦　氏　（回头，牙缝里喷出来的话）活妖精，你丈夫叫你在家里还迷不够，还要你跑到外面来迷。大星在哪儿？你为什么不作声？

焦大星　（惶恐地）妈，在这儿。

焦　氏　（用杖指着他）死人！还不滚，还不滚到站上干事去，（狠恶地）你难道还想死在那骚娘儿们的手里！死人！你是一辈子没见过女人是什么样是怎么！你为什么不叫你媳妇把你当元宵吞到肚里呢？我活这么大年纪，我就没见过你这样的男人，你还配那死了的爸爸养活的？

焦大星　（惧怯地）妈，那么（看看花氏）我走了。（花氏口里嘟哝着）

焦　氏　滚！滚！快滚！别叫我生气！——（忽然）金子，你嘴里念的什么咒。

焦花氏　（遮掩）我没什么！那是风吹电线，您别这么疑东疑西的。

焦　氏　哼，（用手杖指着她，几乎戳着她的眼）你别看我瞅不见，我没有眼比有眼的还尖。大星——

焦大星　妈，在这儿。我就走。（背起大包袱）

焦花氏　大星，你去吧！

焦　氏　（回头）你别管！又要你拿话来迷他。（对自己的儿子）记着在外头少交朋友多吃饭，有了钱吃上喝上别心痛[1]。听着！钱

---

1 “别心痛”原刊作“不要心痛”，川版作“别心疼”。

赚多了千万不要赌，寄给你妈，妈跟你存着，将来留着你那个死了母亲的儿子[1]用。再告诉你，别听女人的话，女人真想跟你过的，用不着你拿钱买；不想跟你过，你就是为她死了，也买不了她的心。听明白了么？

焦大星 听明白了。

焦　氏 去，去。（忽然由手里扔出一袋钱，落在星的脚下）这是我的钱，你拿去用吧。

焦大星 妈，我还有。

焦　氏 拾起来拿走，不要跟我装模装样。我知道你手上那一点钱早就跟金子买手镯，打了环子了。（对着花）你个活妖精。

焦大星 好，妈，我走了。您好好地保重身体，多穿衣服，门口就是火车，总少到铁道上来。

焦　氏 （急躁地）知道，知道，不要废话，快走。

焦花氏 哼，妈不稀罕你说这一套，还不快走。

焦　氏 谁说的？谁说不稀罕？儿子是我的，不是你的。他说得好，我爱听，要你在我面前挑拨是非？大星，滚！滚！滚！别在我耳朵前面烦得慌。快走！

焦大星 嗯！嗯，走了！（低声）金子，我走了。

〔大星向右走了四五步。

焦　氏 （忽然）回来！

焦大星 干什么？

---

1 “死了母亲的儿子”原刊作“没妈的儿子”。

焦　氏　（厉声）你回来！（星怏怏地又走回来）刚才我给你的钱呢？

焦大星　（拿出来）在这儿。

焦　氏　（伸手）给我，叫我再数一下。（星又把钱袋交给她，她很敏捷地摸着里面的钱数，口里念叨着）

焦花氏　（狠狠地看她一眼）妈，您放心！大星不会给我的。

焦　氏　（数好，把钱交给大星）拿去，快滚！（忽然回过头向金子，低声，狠狠地）哼，迷死男人的狐狸精。

〔大星一步一步地走向右去。

焦　氏　你看什么？

焦花氏　谁看啦？

焦　氏　天黑了没有？

焦花氏　快黑了。

焦　氏　白傻子！（喊叫）白傻子！白傻子！白傻子！（无人应声）

焦花氏　您干什么？

焦　氏　（自语）怪，天黑了，他该还给我们[1]斧子了，哼，这王八蛋！又不知在哪儿死去了！——走，回家去，走！

焦花氏　（失神地）嗯，回家。（手伸过去）让我扶您。

焦　氏　（甩开她的手）去！我不要你扶，假殷勤！

〔焦氏向左面轨道走，花氏不动，立在后面。远远由右面又听见白傻子"漆叉卡叉，漆叉卡叉"起来，似乎很高兴地。

焦　氏　金子！你还不走，你在干什么？

1　"我们"川版作"我"。

焦花氏 （看见远远白傻子的怪样，不由笑出）妈，您听，火车头来了。

焦　氏 （怪癖地）你不走，你想等火车头压死你。

焦花氏 不，我说是白傻子！

焦　氏 白傻子？

焦花氏 嗯。

〔“火车”“吐兔图吐”地由右面轨道上跑进来，白傻子一双手疾迅地旋转，口里呜呜地吹着汽笛。

焦　氏 （听见是他，严厉地）狗蛋！

白傻子 （瞥见焦大妈，斜着眼，“火车”由慢而渐渐停止）吐兔图吐，吐——兔——图——吐，吐——兔——图——吐。

焦　氏 狗蛋，你滚到哪儿去了？

白傻子 （望望焦，又望望花氏）我——我没有滚到哪儿去。

焦　氏 斧子呢？

白傻子 （想起来，昏惑地）斧子？

焦花氏 你想什么？问你斧子在哪儿呢？

焦　氏 （厉声）斧子呢？

白傻子 （惧怕地）斧子叫——叫人家抢——抢去了。

焦　氏 什么？

白傻子 一个瘸——瘸子抢——抢去了。

焦　氏 （低声）你过来。

白傻子 （莫明其妙地走过去）干——干什么？

焦　氏 你在哪儿？

白傻子　（笑嘻嘻地）这儿！

焦　氏　（照着那声音的来路一下打在傻子的脸上）这个傻王八蛋，带我去找那个瘸子去！

白傻子　（摸着自己的脸，没想到！）你打——打了我！

焦　氏　嗯，我打了你！（白傻子哇地哭起来）你去不去？

白傻子　我——我去！

焦　氏　走！（把拐杖举起一端，交给白傻子，他拿起，于是他在前，瞎婆子在后走向右面去）

〔一阵野风，刮得电线又呜呜的，巨树矗立在原野，叶子哗哗地响，青蛙又在塘边咕噪[1]起来。

〔焦花氏倚着巨树，凝望天际，这时天边的红云逐渐幻成乌云，四周景色翳翳，渐暗下去。大地更黑了。她走到轨道上，蹲坐着，拿起一块石头轻轻敲着铁轨。

〔由左面基道背后，蹑手蹑脚爬出来仇虎。他手里拿着那副敲断的铁镣，缓缓走到焦花氏的身后。

焦花氏　（察觉身旁有人，忽然站起）谁？

仇　虎　我！

焦花氏　（吓住）你是谁？

仇　虎　（搓弄铁镣，阴沉地）我！——（慢慢地）你不认识我？

焦花氏　（惊愕）不，我不认识。

仇　虎　（低哑地）金子，你连我都忘了？

---

1 “咕噪”川版作“鼓噪”。

焦花氏　（迫近，注视他，倒吸一口气）啊！

仇　虎　（悻悻地）金子，我可没忘了你。

焦花氏　什么，你——你是仇虎。

仇　虎　嗯，（恫吓地）仇虎回来了。

焦花氏　（四面望望）你回来干什么？

仇　虎　（诱惑地）我回来看你。

焦花氏　你看我？（不安地笑一下）你看我干什么——我早嫁人了。

仇　虎　（低沉地）我知道，你嫁给焦大，我的好朋友。

焦花氏　嗯。（忽然）你（半晌）从哪儿来？

仇　虎　（指着天际）远，远，老远的地方。

焦花氏　你坐火车来的？

仇　虎　嗯，（苍凉地）"吐兔图吐"。一会儿就到。

焦花氏　你怎么出来的！这儿又没有个站。

仇　虎　我从火车窗户跳出来，（指铁镣）戴着这个。（锒铛一声，把铁镣扔出，落在野塘水边上[1]）

焦花氏　（有些惧怕）怎么，你——你吃了官司了。

仇　虎　嗯！你看看！（退一步）我这副神[2]，好不好？

焦花氏　（才注意到）你——你瘸了。

仇　虎　嗯，瘸了。（忽然）你心疼不心疼？

焦花氏　心疼怎么样，不心疼怎么样？

1　"锒铛一声"以下原刊无。

2　"我这副神"川版作"我这副样儿"。

仇　虎　（狞笑）心疼你带我回家，不心疼我抢你走。

焦花氏　（忽然来了勇气，泼野地）丑八怪，回去撒泡尿自己照照，小心叫火车压死。

仇　虎　你叫我什么？

焦花氏　丑八怪，又瘸又驼的短命鬼。

仇　虎　（甜言蜜语，却说得诚恳）可金子你不知道我想你，这些年我没有死，我就为了你。

焦花氏　（不在意，笑嘻嘻）那你为什么不早回来？

仇　虎　现在回来也不晚呀。（迫近想拉她的手）

焦花氏　（甩开）滚！滚！滚！你少跟我说好听的，丑八怪。我不爱听。

仇　虎　（狡黠地）我知道你不爱听，你人规矩，可你管不着我爱说真心话。

焦花氏　（瞟他一眼）你说你的，谁管你呢？

仇　虎　（低沉地）金子，这次回来，我要带你走。

焦花氏　（睨视，叉住腰）你带我到哪儿？

仇　虎　远，远，老远的地方。

焦花氏　老远的地方？

仇　虎　嗯，坐火车还得七天七夜。那边金子铺的地，房子都会飞，张口就有人往嘴里送饭，睁眼坐着路会往后飞，那地方天天过年，吃好的，穿好的，喝好的。

焦花氏　（眼里闪着妒羡）你不用说，你不用说，我知道，我早知道，可是，虎子，就凭你——

仇　虎　（捺住她）你别往下讲，我知道。你先看看这是什么！（由怀里掏出一个金光灿烂的戒子，上面镶着宝石，举得高高的）这是什么？

焦花氏　什么，（大惊异）金子！

仇　虎　对了，这是真金子，你看，我口袋还有。

焦花氏　（翻翻眼）你有，是你的。我不稀罕这个。

仇　虎　（故意地）我知道你不稀罕这个，你是个规矩人。好，去吧！（一下扔在塘里）

焦花氏　（惋惜）你——你丢了它干什么？

仇　虎　你既然不稀罕这个，我还要它有什么用。

焦花氏　（笑起来）丑八怪！你真——

仇　虎　（忙接）我真想你，金子，我心里就有你这么一个人！你还要不要，我怀里还有的是。

焦花氏　（骄傲地）我不要。

仇　虎　你不要，我就都扔了它。

焦花氏　（忙阻止他）虎子，你别！

仇　虎　那么，你心疼我不心疼我？

焦花氏　怎么？

仇　虎　心疼就带我回家。

焦花氏　不呢？

仇　虎　我就跳这坑里淹死！

焦花氏　你——你去吧！

仇　虎　（故意相反解释）好，我就去！（跑到花氏后面，要往下跳）

焦花氏　（一把拉住仇）你要做什么？

仇　虎　（回头）你不是要我往下跳？

焦花氏　谁说的？

仇　虎　哦，你不！——那么，什么时候？

焦花氏　（翻了脸，敛住笑容）干什么？

仇　虎　（没想到）干什么？

焦花氏　嗯？

仇　虎　到——到你家去，我，我好跟你——

焦花氏　（又翻了脸[1]）你说怎么？

仇　虎　（看出不是颜色[2]）我说好跟你讲讲[3]，我来的那个好，好地方啊！

焦花氏　（忽然忍不住，笑起来）哦，就这样啊！好，那么，就今天晚上。

仇　虎　今天晚上？

焦花氏　嗯，今天晚上。

仇　虎　（大笑）我知道，金子，你一小就是个规矩人。

焦花氏　（忽然听见右面有拐杖探路的声音，回过头看，惊慌地）我妈来了！丑八怪，快点跟我走。

仇　虎　不，让我先看看她，现在成了什么样。

焦花氏　不！（一把拉住仇虎）你跟我走。

1　“又翻了脸”原刊作“嗯，怎么？”。

2　原刊无“看出不是颜色”。

3　“我说好跟你讲讲”原刊作“我好跟你讲讲”。

〔仇虎慌慌张张地随着花氏下。

〔天大黑了，由右面走进焦氏，一手拿着斧子，一手是拐杖，后面跟随白傻子。

焦　氏　金子！金子！

白傻子　（有了理，兴高采烈地）我就知道那斧子不会拿走，用完了，一定把斧子放在那儿。你看，可不是！

焦　氏　狗蛋，你少废话！（严厉地）金子，你记着，大星头一天不在家，今天晚上，门户要特别小心。今天就进了贼，掉了东西，（酷毒地）我就拿针戳烂你的眼，叫你跟我一样地瞎，听见了没有？

白傻子　唏！唏！唏！

焦　氏　狗蛋，你笑什么？

白傻子　你……你家新媳妇早……早走了。

焦　氏　（立在铁轨后巨树前，森森然）啊？早走了？[1]

〔忽然远处一列火车驶来，轮声轧轧，响着汽笛。机车前的探路灯，像个怪物的眼，光芒万丈，由右面射入，渐行渐近。

白傻子　（跑在道旁，跳跃欢呼）火车！火车！火车来了。

〔机声更响，机车的探路灯由右面渐射满焦氏的侧面。

焦　氏　（立在巨树下面像一个死尸，喃喃的）哼！死不了的狐狸

1　此句原刊作“哼，死不了的狐狸精。”。

精[1]，叫火车压死她！

〔原野里一列急行火车如飞地奔驰[2]。好大的野风！探路灯正照着巨树下的焦氏，看见她的白发和衣裾在疾风里乱抖。

——幕急落

1 “死不了的狐狸精”原刊作“狐狸精”。

2 “如飞地奔驰”川版作“奔驰如飞”。

第一幕

序幕后十天的傍晚，在焦大星的家里。

天色不早了，地上拖着阳光惨黄的影子。窗帘拉起来，望出去，展开一片莽莽苍苍的草原，有密云低低压着天边，黑森森的。屋内不见人，暮风吹着远处的电线杆，激出连续的凄厉的呜呜声音。外面有成群的乌鸦在天空盘旋，……盘旋，……不断地呼啸，………风声略息，甚至于听得见鸟的翅翼在空气里急促地振激。渐渐风息了，一线阳光也隐匿下去，外面升起秋天的雾；草原上灰沉沉的。厚雾里不知隐藏着些什么，暗寂无声。偶尔有一二只乌鸦在天空飞鸣，浓雾漫没了昏黑的原野。

是一间正房，两厢都有一扇门，正中的门通着外面，开门看见近的是篱墙，远的是草原，低云和铁道附近的黑烟。中门两旁各立一窗，窗向外开，都支起来，低低地可以望见远处的天色和巨树。正中右窗上悬一帧巨阔、油渍的焦阎王半身像，穿着连长的武装，浓眉，凶恶的眼，鹰钩鼻，整齐的髭须，仿佛和善地微笑着，而满脸杀气。旁边挂着一把锈损的军刀。左门旁立一张黑香案，上面供着狰狞可怖、三首六臂金眼的菩萨，趺坐在红色的绸帘里。旁边立一焦氏祖先牌位。桌前有木鱼，有乌黑的香炉、蜡台和红拜垫，有一座巨大的铜磬，下面垫起褪色的红棉托，焦氏跪拜时，敲下去，发出阴沉沉的空洞的声音，仿佛就是从那菩萨的口里响了出来的。现在香炉里燃着半股将尽的香，火熊熊然，黑脸的菩萨照得油亮油亮的。烛台的蜡早灭了，剩下一段残骸，只有那像前的神灯放出微弱的火焰。左墙巍巍然竖立一只暗红的旧式立柜，柜顶几乎触到天花板[1]，上下共两层，每层镶着巨大的圆铜片，上面有老旧的黄锁[2]。门上贴着残破的钟馗捉妖图，右窗前有一架纺线机，左面是摇篮，里面的孩子已经睡着了。暗黑的墙上挂着些零星物事。在后立一张方桌，围着几张椅子和长凳。

开幕时，远处有急促的车笛声，仿佛有一列车隐隐驶过，风在吹，乌鸦在天空成群地呼唤，屋里没有一个人。

渐渐由右屋传出一个男人粗哑的声音，低低唱着："正月里探妹正月正，我与那小妹妹去逛花灯。花灯是假的哟，妹子，我试试你的心哪，咦哈呀呼嘿！"中间夹着粗野低沉的笑声。

〔里面男人的声音：（沉郁地）金子！金子！你过来！

〔里面女人的声音：（低低地）我不！我不呢！

〔里面男人的声音：（粗哑地）金子！你坐这儿！（仿佛一把拉住她）

〔里面女人的声音：（挣开）你放开我！你放下手，有人来！（忽然挣脱了）有人来！

〔花氏由右屋走出来，前额的黑发一绺一绺地垂着，盖住半边脸，眉眼里更魅惑。她穿一件红绸袄，黑缎裤，发髻扎

---

1 "柜顶几乎触到天花板"川版作"立柜高得几乎触到屋顶"。

2 "黄锁"川版作"铜锁"。

着红丝线，腕上的金色手镯铿铿地摆动着。

焦花氏 （回过头笑）讨厌！丑八怪！（整理自己的衣服！前额的黑发理上去又垂下来）出来！（顺便用墙上的镜子照一下，怪动人的！脸上浮满了笑容，她走向左面支起的窗前，屏住气息，望望。里面的男人又唱起小调。她伶俐地走到右门口，低声地）别唱啦！外面没有人，还不滚！出来！

〔由右面走出仇虎。仇虎改了打扮，黑缎袍，血红的里子，腰扎蓝线带，敞开领，扣子只系了几个，一手提着旧的绒帽，一手拈着一朵红花，一跛一跛地走进来。

焦花氏 走吧，天快黑了。

仇　虎 （抬头望望远处的密云）天黑得真早啊！

焦花氏 立了秋快一个月了，快滚！滚到你那拜把子兄弟找窝去吧，省得冬天来了冻死你这强盗。

仇　虎 找窝？这儿就是我的窝。（盯住花氏）你在哪儿，哪儿就是我的窝。

焦花氏 （低声地）我要走了呢？

仇　虎 （扔下帽子）跟着你走。

焦花氏 （狠狠地）死了呢？

仇　虎 （抓着花氏的手）陪着你死！

焦花氏 （故意呼痛）哟！（预备甩开手）

仇　虎 你怎么啦？

焦花氏 （意在言外）你抓得我好紧哪！

仇　虎 （手没有放松）你痛么？

焦花氏 （闪出魅惑，低声）痛！

仇 虎 （微笑）痛——？你看，我更——（用力握住她的手）

焦花氏 （痛得真大叫起来）你干什么，死鬼！

仇 虎 （从牙缝里迸出）叫你痛，叫你一辈子也忘不了我！（更重了些）

焦花氏 （痛得眼泪几乎流出）死鬼，你放开手。

仇 虎 （反而更紧了些，咬着牙，一字一字地）我就这么抓紧了你，你一辈子也跑不了。你魂在哪儿，我也跟你哪儿。

焦花氏 （脸都发了青）你放开我，我要死了。丑八怪。

〔仇虎脸上冒着汗珠，苦痛地望着花氏脸上的筋肉痉挛地抽动，他慢慢地放开手。

焦花氏 （眼神冒着火。人一丝也不动）死鬼，你……

仇 虎 （慢转过身，正脸凝望着花氏，苦痛地）你现在疼我不疼我？

焦花氏 （咬住嘴唇。点点头）嗯！疼！（恶狠狠地望着他，慢而低地）我——就——这——么——（忽然向——仇虎的脸上——）疼你！（重重打下去）滚出去！[1]

〔半晌。

仇 虎 （一转不动[2]，眼盯住她，渐低下头。走到方桌旁坐下，沉思地）哼，娘儿们的心变——变得真快！

---

1 “（忽然向”以下川版作“（忽然向——仇虎的脸上重重打下去）疼你！滚出去！”。

2 “一转不动”川版作“纹丝不动”。

焦花氏　（立在那里，揉抚自己的手，一声不响）

仇　虎　（站起来，眼也不眨）金子？

焦花氏　（望望地，不回头）干什么？

仇　虎　（举起手上的花，斜眼望着她）这是你要的那朵花，十五里地替你找来的。（递给她）

焦花氏　（看了仇一眼，又回过头，不睬他）

仇　虎　拾去！（把花扔在花氏面前）我走了。（走向中门）

焦花氏　（忽然）回来，把花替我捡起来。

仇　虎　没有工夫，你自己捡。

焦花氏　（命令地）你替我捡！

仇　虎　不愿意。

焦花氏　（笑眯眯地）虎子，你真不捡？

仇　虎　嗯，不捡，你还吃了我？

焦花氏　（走到仇的面前，瞟着他）谁敢吃你！我问你，你要不要我？

仇　虎　我！（望花氏，不得已摇了摇头）我要不起你。

焦花氏　（没想到）什么？

仇　虎　（索性逼逼她）我不要你！

焦花氏　（蓦然变了脸）什么？你不要我？你不要我？可你为什么不要我？你这丑八怪，活妖精，一条腿，罗锅腰，大头鬼，[1]短命的猴崽子，骂不死的强盗。野地里找不出第二个“ㄕㄨ

1　川版无“罗锅腰，大头鬼，”。

ㄋ”鸟[1]，外国鸡……（拳头雨似的[2]打在仇虎铁似的胸膛上）

仇　虎　（用手支开她，然而[3]依然乱鼓一般地捶下来）金子，金子，你放下手！不要喊，你听，外边有人！

焦花氏　我不管！我不怕！（迅疾地，头发几乎散下来）你这丑八怪，活妖精，你不要我，你敢由你说不要我！你不要我，你为什么不要我，我打你！我打你！我跟你闹！我不管！有人我也不怕！

〔外面有人不清楚地喊："大星媳妇！大星媳妇！"

仇　虎　（摔开她，跑到窗前眺望）你看，有人，有人在篱笆门那儿叫！

焦花氏　（突停）谁？（蹑足，迅疾地沿着墙走到窗前）这会儿会是谁？

仇　虎　别嚷，你听！

〔有一个仿佛喝醉了的人，用他的破锣嗓子含糊地唱着："送情郎送至在大门外，问一声我的郎，你多咱回来？回来不回给奴家一个信，免的是叫奴家挂在心怀！"

〔唱到最末一句，戛然停止，那人敲着篱笆门，喊："大星媳妇，大星媳妇！开门哪。"

1　"ㄕㄨㄋ"鸟，北平土话，丑人的意思。——底本注。"ㄕㄨㄋ"底本作"ㄕㄨㄣ"，当作"ㄕㄨㄋ"；"ㄕㄨㄋ"系注音字母，转写拼音即"shun"。"'ㄕㄨㄋ'鸟"川版作"SHUN鸟"。

2　"雨似的"川版作"骤雨似的"。

3　此处川版有"她"。

仇　虎　你听，他在喊你！

焦花氏　（看不清楚，纳闷）谁呢？（外面的人又在喊，“大星的媳妇！开门！”）哦，是他！这个老东西又喝多了。

仇　虎　谁？

焦花氏　常五！

仇　虎　（诧异）什么，这个老家伙还没有死。

焦花氏　就是他，（厌恶地）不知又来这儿探听什么来了。

仇　虎　探听？

焦花氏　这两天他没事就到这儿来，说不定我婆婆托他来偷偷看我一个人在家做什么啦！[1]

仇　虎　好，金子，我进去，你先把他打发走。

焦花氏　（一把抓住他）不要紧，你先别走！（睨视）哼，就这么走了？

仇　虎　（猜出，故意地）干什么？

焦花氏　（指着地上的花）你跟我把花捡起来！

仇　虎　我，我不捡。

〔外面叫门叫得紧。

焦花氏　（不动声色）你听！

〔外面的常五：（急躁地）大星媳妇，大星媳妇，焦大妈，开门！开门！我就要进来了！

仇　虎　（谛听，睨望着金子）他要进来！

焦花氏　（乖张地）你不捡，开门就让他进来抓你。

---

1 “做什么啦！”川版作“做什么哪！”。

仇　虎　（猛然）你这娘儿们心好狠。

焦花氏　狠？哼，狠的还在后头啦！

仇　虎　（吃一惊）“狠的在后头！”好！这句话倒像是学着我说的。（打量她一眼）

〔外面又在叫喊。

焦花氏　（叉住腰）仇虎，你捡不捡？

仇　虎　你看，（弯下腰）我这不是……（拾起那朵花，递给花氏）其实，你叫我捡，我就捡又算个什么？

焦花氏　（一手抢过那朵花）我知道这不算什么。可我就是这点脾气，我说哪儿，就要做哪儿，（招手）你过来！

仇　虎　（走近）干什么？

焦花氏　跟我插上。（仇虎替她插好花，她忽然抱住仇虎怪异地）野鬼？我的丑八怪，这十天你可害苦了我，害苦了我了！[1]疼死了我的活冤家，你这坏了心的种，（一面说一面昏迷似的亲着仇的颈脖，面颊）到今天你说你怎么能不要我，不要我，现在我才知道我是活着，你怎么能不要我，我的活冤家，（长长地亲着仇虎，含糊地）嗯——

〔外面的常五：（长悠悠地）大星的媳妇哟，你在干什么啦？快开门喽！

焦花氏　（还抱着仇虎，闭着眼，慢慢推开他。蓦地回头向中门，放开嗓音，一句一句地，也长悠悠地）别忙噢！常五伯，我

1　“这十天你可害苦了我，害苦了我了！”川版作“这十天我又活了，活了！”。

在念经呢，等等，我就念完喽。

〔外面的常五：（叹一口长气）

仇　虎　（翻翻眼）念经？你念的是什么经？

焦花氏　（推他）你别管，你进去，我来对付。这两天我婆婆常找他，瞎婆子不知存了什么心，说不定从他嘴里，探听出什么来，回头你好好在门口听，你看我怎么套他说话，你听着！（一面说，一面四处寻觅东西，找到绣成一半的孩子的鞋，摺好大半的锡箔管箩，摆好了经卷，放正了椅子，都做好，一手数点东西，一面念）小黑子的鞋，——锡箔，管箩，——往神钱[1]，——椅子摆正，……（没有弄错，向仇虎）怎么样？

仇　虎　（赞美地，举起拇指）第一！我当了皇上，你就是军师。

焦花氏　好，我开门。你进屋子当皇上去。（一溜烟由中门跑出）

〔半晌。

仇　虎　（四周望望，满腔积恨，凝视正中右窗上的焦阎王半身像。阴沉沉地牙缝里挤出来）哼，你看，你看我做什么？仇虎够交情，说回来，准回来，没有忘记你待我一件一件的好处，十年哪！仇虎等得眼睛都哭出血来，就等的是今天！阎王，你睁大了眼睛再看看我，（捶着自己的胸口）仇虎又回来了。（指像）你别斜着眼看我，我仇虎对得起你，老鬼，我一进你焦家的门，就叫你的儿媳妇在你这老脸上打了一

1　“往神钱”川版作“黄钱”。

把掌，哼，阎王，你还觍着脸，好意思对我笑？（狠毒地）你瞧着吧，这是头一下！"狠的还在后头呢。"老鬼，把眼睁得大大地看吧，仇虎不说二句瞎话[1]，今天我就要报答你的恩典。[2]——（忽然听到外面有人说话，回头望一下，又抬头对着焦阎王恶笑）现在我先到你儿媳妇屋里当皇上去了。嗯！

〔仇虎走进右屋。立时由中门现出花氏，后面随着常五伯。常五年约有六十岁上下，一个矮胖子，从前有过好日子，现在虽不如往日了，却也乐天知命，整日有说有笑，嘴里安闲不住。好吹嘘，记性又不好，时常自己都不知扯到哪里，心里倒是爽快老实。喜欢喝两盅酒，从前的放荡行为也并不隐瞒乱说出来，他是个过了时的乡下公子哥，老了还是那副不在乎的调调儿。他的须发，很别致，头已经露了顶，手里提着一只精细的鸟笼，天色晚，用绸罩盖起来。他穿一件古铜色的破旧的缎袍[3]，套上个肥坎肩。兴致高，性情也极随和，他待着自己的鸟儿狗儿如同自己的子女一样。

〔他喝了点晚酒，兴高采烈，迈进中门。

焦花氏 常五伯您进来！（指着方桌旁椅子）请坐吧。

常　五 不，我说说话，就走。

焦花氏 那么，您先放下您的鸟笼，歇歇。

---

1 "二句瞎话"原刊作"一句瞎话"。

2 此处原刊有"现在"。

3 "破旧的缎袍"川版作"破缎袍"。

常　五　（呵呵地）也好，先让我的鸟坐一会，叫它歇歇腿，我倒不累。（鸟笼放在桌上）

焦花氏　我跟您倒一杯茶。（倒茶）

常　五　不，不用了，不用了。（忽然想了一下）可也好就来杯白水吧，喂喂我的鸟，这鸟跟我一天，也该喝点水。（焦花氏把水递给他。他接下添到鸟笼的水盂里。一面说）你们的门真不好叫，其实一个篱门还用上什么锁，这都是你的婆婆，事儿多，没事找事。我足足叫了好半天……大星媳妇，你在干什么？你刚才说你——（忽然一个喷嚏，几乎把水弄洒，杯子放在桌上，自己笑嘻嘻地）呵，百岁！呵（又一个喷嚏）呵，千岁！（又一个！）啊，万岁！你看，这三个喷嚏叫我在这儿当了皇上了。

焦花氏　（变了颜色，镇静一下，也笑嘻嘻地）您当皇上，我做您军师。

常　五　（倚老卖老）好，好，我封你为御前军师，管我的三宫六院。

焦花氏　常五伯，您冻着了，我跟您拿点烧酒，驱驱寒。

常　五　不，用不着了，我刚喝了几盅晚酒。秋天到了，早晚气候凉。人老了，就有点挡不住这点寒气，不要紧，在屋里待一会就好。多喝了，我话多还不要紧，说不定就走不动，回不了家。

焦花氏　那怕什么？喝两盅，有了错，我叫狗蛋送您回家。

常　五　（望着花氏，想喝又有些犹疑，不好意思的样子）那么，你叫我喝两盅？

焦花氏　（引逗他）家里有的是好汾酒，办喜事剩下来的。常五伯，我请您喝两盅。

常　五　（很慷慨地）好，那我就喝两盅！

焦花氏　好，（预备酒杯和酒）您坐呀！

常　五　（坐在方桌旁）大星媳妇，你刚才说你……你念什么？

焦花氏　哦，刚才？我念经呢。（放下杯子）

常　五　念经？

焦花氏　嗯！（倒酒）

常　五　（由腰包掏出一把花生）巧啦，我刚买了一包大花生。（啜一口酒，剥花生）

焦花氏　（低首敛眉）常五伯，对不起您！（走到香案前，叩了一个头，跪在红垫上，喃喃祷告！敲一下磬，低低敲着木鱼，虔心唱诵）“南无阿弥多婆夜，哆他伽多夜，哆地夜他，阿弥利都婆毗。阿弥利多，悉耽婆毗，阿尔唎哆[1]，毗迦兰帝，阿弥唎哆，毗迦兰多，……”

常　五　（诧异地应了起来，走近花氏）你在念些什么？

焦花氏　（摇摇手，更虔诚地）“……伽弥腻，伽伽那，枳多伽利娑婆诃。”（又敲两下磬，深深拜三拜，肃穆地立起来）常五伯？

常　五　（肃然起敬）我没有来，你一个人，就念这个？

焦花氏　嗯。

常　五　这叫什么？

1　“阿尔唎哆”原刊作“阿弥唎哆”。

焦花氏 我念的是往生咒，替我们公公超度呢！

常　五 （咂咂嘴，摇头，赞叹地）好孝顺的媳妇，你想替阎王超度？

焦花氏 （祥光满面）公公在世的时候杀过人。

常　五 （爽直地笑起来）多多念吧，唉，我看不超度也罢，阎王倒也该进地狱下下油锅。

焦花氏 哟，菩萨！您这说的是什么话，我们做儿女的怎么听得下去？

常　五 得罪，得罪！大星媳妇，阎王跟我是二十年老朋友，我这倒也说的是老实话。（剥开颗花生）你婆婆还没有回来？

焦花氏 这两天下半晌就出去，到了煞黑才回来。

常　五 （有意义地）你知道她在干些什么？

焦花氏 （驯顺地）老人家的事，我们做小辈的哪敢问。（探听一下）不过我仿佛听见她老人家时常找那庙里的[1]会看香的老姑子[2]，就是那个能念咒害死人的老神仙[3]。

常　五 （喝口酒）我也在那庙里看见她，奇怪，一个瞎老婆子在那里跟老姑子[4]拜神念咒，闹些什么。唉，你们焦家人都有点猜不透，外面看着挺好，里面都不知玩的什么把戏。我就

---

1 “庙里的”川版作“庵子里”。

2 “会看香的老姑子”川版作“会看香头的老姑”。

3 “老神仙”川版作“道姑子”。

4 “老姑子”川版作“老道姑”。

不爱看这个，——自然，金子，你除外。你是个正派人，不过你也得小心，年纪轻轻，长得又花儿似的，一个不留神，就会叫——哦，大星还没有回家。

焦花氏　（严严警备，盯着他）大星刚出门不两天，哪能就回来。

常　五　（四周望望，低声）大星的媳妇，我问你，你婆婆待你怎么样？

焦花氏　哦，（翻翻眼，心里打算）您问，我婆婆待我呀？

常　五　嗯？

焦花氏　（忽然明快地）那自然不错，待我好着得呢？亲生亲养的妈待我也不过是这样。

常　五　（咳嗽一声）可我……我总觉得你们婆媳俩有点不对付。

焦花氏　谁说的？（拿起小黑子的鞋，一针一针做起来）过着好好的日子，这是谁说的？

常　五　（又咳嗽一声，摇摇头）怪，怪，你们家里的事没法明白。你说你婆婆好，你婆婆这两天当着人也说你不错，可背后，背后总——（忽然摇摇头）我不说了，我还是不说的好。

焦花氏　（放下针线，笑着）说呀，常五伯，（眼偷偷地盯着）家务事说说讲讲有什么怕的？

常　五　（醉意渐浓）不，不，不好。说了我就是搬弄是非，长舌头，我这个人顶不愿意管人家的家务事。

焦花氏　常五伯，（走到方桌旁）您不是外人，我年纪小，刚做儿媳妇，有什么错，您不来开导开导，还有谁肯管哪？来，（斟一杯酒）常五伯，您再喝一盅。

常　五　（笑眯眯地）好，好，我喝，我自己喝。（一口灌下）

焦花氏　嗯，（期盼地）常五伯，您说我婆婆背后怎么样？

常　五　（望着她）你婆婆背后叫我——嗯，我看还是不说的好，说了你婆婆又埋怨人。

焦花氏　（停，悻悻地）好，不说就不说吧。（又走回去拿起针线）

常　五　（搭讪着）你要我说？

焦花氏　（又笑眯眯地）随便您，常五伯。

常　五　（忍不住）好，好，我说，我说（啰唆地）这可是你叫我说的。

焦花氏　（挑她的花）常五伯，我可没有叫您说。

常　五　好，好，好，好，我自己愿意说。我告诉你，我不是搬弄是非，你婆婆背后叫我没事就看（读阴平）着你。

焦花氏　（咳嗽一声，慢慢地）哦，您看，（尖酸地）她老人家多疼我！

常　五　不是看你，你听错了，是看（读阴平）着你。她说现在你们家里忽然有点——有点不大安静。

焦花氏　哦！（领悟）不安静？

常　五　嗯，不大安静？她说她一个人，眼又瞎，看不见，很不放心。

焦花氏　家里有什么不安静？

常　五　说的是呀，我看，（四面望）怪好的，怪安静的。难道有你这贤慧媳妇，现在家里还会藏个野汉子。

焦花氏　（翻翻眼）嗯，可那也难说。

常　五　（吃了一惊）怎么？

焦花氏　（警吓）您不是第一个就信她老人家的话，跑到我们家里来搜查来了么？

常　五　（红了脸）唏[1]，这是怎么说的。谁说信她的话，（指点着）她的话我这耳朵进去[2]，这耳朵就出来。吓[3]，这是怎么说的！

焦花氏　（慢慢地）您不信就好了。您是年高有德的人，您公公道道地说一句胜过我们小人[4]说一万句。

常　五　（摸摸胡子）你说的不错，说的不错。我向来好说公道话，像你这样贤德媳妇，丈夫出了门，婆婆不在家，一个人，孤苦伶仃，在家里念经做活，真是千中不挑一，万中不挑一。

焦花氏　您多夸奖了。常五伯，您再喝一盅吧。

常　五　好，好，我自己来。

焦花氏　（故意吃了一惊）哟，酒还是凉的，您看我，真是！我跟您热热去。

常　五　（更愉快）不用，不用了。这样好，这样好。金子你，真是个好儿媳妇，又聪明又懂事，又孝顺，哼，我的儿子要娶了这么个儿媳妇，盖上棺材盖我都是乐呵呵的。（又半盅酒）

1　“唏”川版作“吓”。

2　“（指点着）她的话我这耳朵进去”原刊作“她的话我，（指点着）这耳朵进去”。

3　“吓”川版作“咳”。

4　“我们小人”川版作“我们小人儿”。

回头，金子，大星一会儿回来，我一定得在他面前为你说几句公道话。

焦花氏 （吃一惊）什么，您说什么？

常　五 （瞪瞪眼）我要说几句公道话呀？

焦花氏 （焦切地）您说大星一会儿就回家？

常　五 啊？你不知道？——（忽然想起）啊[1]，（敲敲自己的脑袋）这你婆婆叫我不要告诉你的。可我又说出来了。不过这也不怪我，（自解）喝点酒，话就多，那有什么法子？

焦花氏 （冷不防）谁叫他回来的？

常　五 （冒失）自然是我！不，是你婆婆！是她托我去叫大星回家，赶快回家，——

焦花氏 您就叫他去了？

常　五 （无可奈何的神气）嗯，我有什么法儿，谁叫我天生脾气好，好说话。你叫我去，我也不是一样地去，这……这也不能怪我。

焦花氏 （压制[2]笑）大星回家是个喜信，怎么提得上怪呢？哦，（仿佛不在意）大星没说准什么时候回来？

常　五 倒没说准，说不定是今天晚上？说不定是明天早上，也说不定就是这一会。

焦花氏 哦！（沉思）讨厌，这针真不好使！哦，我婆婆托您的时候，

1　“啊”原刊作“哦”。

2　“压制”川版作“抑制”。

没求您带个什么话?

常　五　也……也没说些什么！她就说家里乱哄哄的，仿佛半夜里直进人。

焦花氏　（大惊失色）哦，进来人?（一针戳了拇指呼痛）哟!（放下针线）

常　五　怎么啦?

焦花氏　针扎了手，不要紧的！哦,（沉静地）那会是谁呢?

常　五　说的是呀！她可说要大星赶快回来，说家里要有一双眼睛，才看得明白。

焦花氏　（又拿起针线，笑笑）这不是一双眼睛?

常　五　说的是呀！你看,（指她）这不是眼?（指自己）这不是眼?反正，她说的是乱七八糟，胡说一大泡。你这个婆婆瞎了眼，疑心病就重，没有法子。

焦花氏　您看,（抬头）我婆婆是不是犯了点疯病!

常　五　（很肯定地）嗯，有！有！有点!

焦花氏　半……半夜里家里会进人，这不是疯话!

常　五　嗯，疯话！谁相信，可金子，你也得小心，年纪轻轻，长得挺俊，这里又四面不靠人家，——（忽然，咳嗽一下，四外望望，又重重咳嗽一声）

焦花氏　您干什么?

常　五　（秘密低语）你——你们这屋子有人没有?

焦花氏　（惊愕）人?

常　五　怪，这屋子怪不对的。我问你，家里藏着什么人没有?

焦花氏　（翻了脸）藏谁？青天白日，我一个妇道会藏谁？

常　五　谁说你？大星媳妇，我说你一个人在屋里不小心，说不定就有强盗偷进来。

焦花氏　强盗？哪个强盗敢偷焦阎王的家？

常　五　金子，你不知道这个强盗专找你们家里来？

焦花氏　哦，那会是谁？

常　五　（指着花的活计）谁？我问你，你手里绣的是什么？

焦花氏　小黑子的鞋。

常　五　不，我说你绣的花？

焦花氏　哦，这个？——虎！

常　五　（低声）就是他——虎回来了！

焦花氏　虎？谁呀？

常　五　你不明白，虎！仇虎回来了！

焦花氏　（佯作不知）仇虎？仇虎是干什么的？

常　五　（诧异）你不知道？仇虎？你差一点都要嫁给他，你会不知道？

焦花氏　常五伯，您喝酒就喝酒，别胡说八道的。

常　五　真的！你爸爸十来年前就把你许给仇虎！

焦花氏　哦。

常　五　后来，仇虎家倒了，吃了官司，他才改了主意，把你又许给阎王当儿媳妇，这么要紧的事，你就会不知道。

焦花氏　我爹妈活着的时候就没有提过。

常　五　我告诉你，仇虎这次回来是要跟你们焦家大小算账的。你可少惹他，你公公害得人家不轻，阎王结下的仇可得由你们解了。

焦花氏 不是大星就要回来么?

常　五 (提起鸟笼)嗯，嗯，大星回来不也是白搭，窝囊废，他哪对付得了仇虎?(忽然回过头)你见过仇虎么?

焦花氏 没，没有。您从前见过?

常　五 那还用说。我告诉你，要多丑就有多丑，罗锅腰，[1]灶王脸，粗大个，满身黑毛。你见着他告诉我，送到侦缉队就是大洋钱，你听见了没有?

焦花氏 知道，知道。您要走了!

常　五 (走到门口，又想起，低声)你知道仇虎回来的事是谁告诉我的?

焦花氏 谁?

常　五 你婆婆。

焦花氏 (惧骇)什么，她!她怎么会知道?

常　五 她说铁路上的人告诉她的。她说仇虎就躲在这一带，侦缉队正在搜着呢?

焦花氏 哦!(小孩啼哭)常五伯，小黑子快醒了，我要看孩子，不送您老人家了。(走到摇篮那里轻轻推摇)

常　五 哦，小黑子!(也走到摇篮旁边)哼，这孩子真像他死了的妈，怪可怜相的。(打了个呵欠)我走了，啊!(走到门口)哦，金子，乘你婆婆没回来，把那酒瓶里添足了凉水，别

1　川版无“罗锅腰,”。

说我在你这儿喝不花钱的酒来了。我在这儿什么话也没有说，听见了没有？唏，唏，（打开门，外面笼满秋雾）呵，这是什么天气，好好地又下起雾来了。

〔常五提着鸟笼，兴高采烈地走出中门。出了门又听见他唱起“送情郎送至大门外……”。

〔孩子又不哭了，花氏忙走到窗前，向外望了望，立刻走到右门旁。

焦花氏 仇虎！仇虎！

〔仇虎由右门走出。

仇　虎 （愤恨地）他走了？

焦花氏 走了。（望望仇虎的脸）哦，你都听见了。

仇　虎 嗯，（阴沉地）他们知道我回来更好，（望着阎王的像）阎王你害了我一次，你还能害我两次，来吧！仇虎等死呢！

焦花氏 等死？等死？（徘徊，低声喃喃）为什么等死！为什么要等死？（摇头）不！不！不！我们，我们要——（慢慢抬头上望，忽然——）仇虎，仇虎！你看，你看……

仇　虎 什么？

焦花氏 （跑到仇虎身旁）你看！（恐怖地叫起来！）你看，往上看。

仇　虎 什么？

〔外面天更暗了。

焦花氏 相片！相片！（失了颜色）他看着我，他看着我。

仇　虎 谁？

焦花氏 （低头，缩成一团）阎王，阎王的眼动起来，——他，——

他活了，活了！

仇　虎　（抱着花氏，眼盯着昏暗里的焦阎王的相片）胡说！胡说！还不是张相片，你别瞎见鬼。

焦花氏　真的！真的！（渐渐恢复自己的意识）虎子你没看见？真的，我方才真看见他对我笑，叫我！

仇　虎　呸！（向上啐了一口）阎王，你要真活了，你走下来，仇虎倒等着你呢。（推着花氏）你看，他还动不动？

焦花氏　（偷偷抬起头望望）他……他不动了。

仇　虎　（警告）金子，你以后别这样胡喊。

焦花氏　我向来不的，不过，刚才我实在是看见——

仇　虎　金子，不要再说了。

焦花氏　虎子，我……我有点怕。虎子，你到窗户那里看看去。

仇　虎　有什么？（走到窗前望望）外面什么也看不见，雾下大了。

焦花氏　下了雾？

仇　虎　嗯，大雾。

焦花氏　（失神地）我怕得很！[1]

仇　虎　怕什么？

焦花氏　（沉思地）我怕我婆婆叫大星回来！

仇　虎　嗯？

焦花氏　（一直沉思地）我不知道她要跟大星说些什么？

仇　虎　哼，大星还有什么说的，他从我手里把你抢过来。

1　“我怕得很！”川版作“我害怕！”。

焦花氏 （低头）不，不是他，这怪他爸爸，他原来并不肯要我。

仇　虎 哼！

焦花氏 虎子，你先走，你快走吧。省得他回来碰见你。

仇　虎 好，我走。可是金子你没有忘记你刚才对我说的话[1]。

焦花氏 （抬头）什么？

仇　虎 你说你要离开这儿？

焦花氏 嗯，我要走。这儿到了秋天就下着大雾。只有我那瞎子婆婆跟我在一块，她恨我，我恨她。大星是个窝囊废，没有一点本事。他是他妈的孝顺儿子，不是我的爷儿们。

〔雾里远远有火车汽笛声，急行火车由远渐近。

仇　虎 金子，你要上哪儿？

焦花氏 远，（长长地）远远的——（托着腮）就是你说那有黄金子[2]铺地的地方。

仇　虎 （惨笑）黄金？哪里有黄金铺地的地方，我是骗你的。

焦花氏 （摇头）不，你不知道，有的。人家告诉过我说。有！我梦见过。

仇　虎 金子，大星回来——

〔雾里的火车渐行渐远，远远有一声悠长的尖锐的车笛。

焦花氏 （假想）你别说话，你听，到那个地方，就坐这个。"吐兔图吐，吐兔图吐"坐着火车，一直开出去，开，开，开到天

---

1 "你没有忘记你刚才对我说的话"川版作"你别忘记你刚才跟我说的话"。

2 "黄金子"川版作"黄金"。

边外。哼，我死也不在这儿待下去了。

仇　虎　金子，你知道，大星回来——

焦花氏　（忽然）你记得我们小的时候么：有一天我梳着油亮亮两个小辫，在我家里小窗户下面纺着线等你？

仇　虎　（眼睛发着有光[1]）嗯，那时，我爸爸还活着，我天天跟着爸爸在田里看地放牛。

焦花氏　我还记得那时我纺线时唱的歌呢："大麦绿油油，红高粱漫过山头了，我从窗口还望不见你，我的心更愁了，更——"[2]

仇　虎　（忽然硬起来）别说了，你忘了大星要回来啦么？

焦花氏　（从回忆中唤醒）哦，是，是。虎子，你快走吧！

仇　虎　金子，你是真想走么？

焦花氏　（又恢复她平时硬朗朗的态度）谁骗你？[3]

仇　虎　那我回头还要来。[4]

---

1 "眼睛发着有光"川版作"眼睛亮起来"。

2 "更——"川版作"更愁了，——"。

3 此处另起一行原刊有：

仇　虎　你记得我刚才对你说的药么？

焦花氏　嗯，你说给他那——那——不好。

仇　虎　金子，不要紧。吃下去，也就在床上糊涂一两天，叫他顾不了我们，不会死，你放心。

焦花氏　可是叫我婆婆知道呢？

仇　虎　她知道了我们早已不在这儿了。

焦花氏　可……可是——

仇　虎　（眼里冒出火）你就听我的，别胡思乱想。回头我就跟你送药来。

4 原刊无此句。

焦花氏　回头？不，那你千万别！大星就许回了家？

仇　虎　哦？

焦花氏　瞎子一定在屋里。

仇　虎　她敢怎么样？

焦花氏　敢怎么样？送你到侦缉队，怎么跑出来的再怎么送回去。

仇　虎　哼,（沉思地）瞎婆子！瞎婆子!（索性坐下）那我不走了！看她怎么样？

焦花氏　（抓着仇的臂膊）你干什么？

仇　虎　（忽然立起）好，我们索性回屋里坐一会，我们俩再叙叙。（拉着花氏的手）

焦花氏　不，你走，你别作死！

仇　虎　（回头向中门）哼，我跟瞎婆子是一尺的蝎子碰上十寸的蜈蚣，今天我们谁也不含糊谁，我得先告诉她，我仇虎就在这儿。哼，明地来了不黑地里走。跟她先说个明白，叫她也吃一服开窍顺气丸，先有个底。

焦花氏　不，不，虎子，你得听我的话，听我的话，听——听——听我的——

〔中门慢慢开了，花氏惧怕地回过头去。焦母扶着拐杖走进来，脸上罩上一层严霜，一声不响地立在门口。她手里抱着一个小红包袱，耳朵仿佛代替了眼睛四下搜查。

焦花氏　（叹一口长气）哦，妈妈。

〔仇虎呆在那里。

焦　氏　（冷酷地）哼，你在念叨些什么？

〔半晌。仇虎正想大模大样地走近焦氏，焦花氏忙以手示意，求他快进右门。

〔仇虎望望焦氏，望望金子，蹑足向右门走去。

焦　氏　（忽然）站着！（仇虎又愣在那里）谁？

焦花氏　谁？（不安地笑着）还不是我！（忽然做出抱着孩子的样子，一面走，一面唱着催眠歌）嗯——嗯——嗯！听……听话呀，嗯——嗯——嗯！（恳求地望着仇虎，仇虎又想走近焦氏）小宝贝要听话呀，（一面又望焦氏）听话睡觉觉啊，嗯——嗯——嗯！（望仇虎）听话的宝贝有人疼啊，嗯——嗯——嗯！（望焦氏）小宝贝睡觉啊，嗯——嗯——嗯！（回头看仇虎慢慢迈入右门，紧张的脸显出一丝微笑[1]，对着仇虎的背影）好孩子真听话呀，嗯——嗯——嗯！（望着焦氏）好宝贝睡着了啊，嗯——嗯——嗯。

焦　氏　（谛听一刻，忽然）金子，你在干什么？

焦花氏　我在哄孩子呢！（低声，孩子渐渐睡熟了）嗯——嗯。

焦　氏　哄孩子？

焦花氏　妈，声音小点。孩子刚睡着！（更低柔）嗯——嗯——嗯。

焦　氏　（明白她的谎[2]，指窗前的摇篮）哼，孩子在这边，我知道，我的祖奶奶！（正要向摇篮走去）

焦花氏　（掩饰）我刚把孩子抱过来的，您没有看见。

1　“一丝微笑”底本作“一转微笑”，据川版改。

2　“她的谎”川版作“她在说谎”。

焦　氏　（没有办法，严厉地）扯你娘的臊，你靠在桌子旁边干什么？

焦花氏　（硬朗朗地）我渴，我先喝口水。

焦　氏　你渴什么，桌上没有水！

焦花氏　（没想到她知道这样清楚）哦，没——没有——可是——

焦　氏　（头歪过去）满嘴瞎话的狐狸精！（冷酷地）你过来。

焦花氏　（慢吞吞地）嗯！（偏慢条斯理地把头上的花插正了）

焦　氏　（走到香案前，把红包袱放在上面）过来！

焦花氏　（恶狠狠地望着焦母，低柔地）就来。

焦　氏　快过来，（拐杖在地上捣得山响）过来！（坐在香案旁的椅子）

焦花氏　（冷冷地）您要吓着孩子！（走过去）

焦　氏　假慈悲。（指摇篮）他不是你的儿子。

焦花氏　嗯，妈。（拖到焦母身旁）妈，我过来了。

焦　氏　（一把拉住她的手）我摸摸你。

焦花氏　（吃了一惊，但是——）您摸吧！

焦　氏　你穿的什么？

焦花氏　（眼望前面）大红袄，黑缎裤，（故意说出）过节大星做的。

焦　氏　（恨恶地）哦，手上是什么？

焦花氏　（斜眼）包金镯子！白银戒子，过节大星买的。

焦　氏　（厌恶地）哼！（探到头上，摸着仇虎的花，忽然）哦，这是什么？

焦花氏　（不由得惊一下）哦，这个？——花，妈。

焦　氏　（逼得紧）花？谁给你的？谁给你的？

焦花氏　（眼神一转）谁给的？（故意反问）哼，天上掉下来的？地里头钻出来的？（斜视）我自个儿在门口买的。

焦　氏　（被她冲撞回去，却莫明其妙来了一股火）买？买这个做什么？

焦花氏　（望着她）昨儿格，我梦着大星回了家，——

焦　氏　谁告诉你大星要回家？

焦花氏　谁也没告诉我，我不是说做梦做梦么？

焦　氏　做梦，做什么梦？

焦花氏　大星到家门口，就跌一大跤，我才想戴个红花破破，取个吉利。

焦　氏　哼，做个梦，也要戴个花！丢了它[1]，等我死了你再戴，大星娶了你这个狐狸精，魂都没有还[2]，要你戴上花儿叶儿地来迷他。丢了它！[3]

焦花氏　（缓缓地）嗯！（望着焦母森然的面孔，不觉取下花来）

焦　氏　（严峻地）扔在哪儿？

焦花氏　（没有办法，把花扔在脚下，狠毒地看了焦母一眼）在您脚底下。（用脚点了点）这儿！

焦　氏　（倏地立起，朝着那红花狠狠地踹了又踹）你戴！你戴！（弯下腰拾起花）拿去戴去！（把踢成纷乱了的花向花氏掷去，不想正打在花氏的脸上）死不要脸的贱货，叫你戴！叫你

1 “丢了它”川版作“扔了它”。

2 “魂都没有还”川版作“魂都没有了”。

3 “丢了它！”川版作“扔了它！”。

戴！戴到阴曹地府嫁阎王去。

焦花氏　（气得脸发了青，躲在一旁，咬着牙。喃喃地）我当了阎王奶奶，第一个就叫大头鬼来拘你个老不死的。

焦　氏　（听不清楚）你又叨叨些什么？

焦花氏　我念叨着婆婆好，阎王爷一辈子也不请您吃上席去。

焦　氏　（猜得明白）嗯，我死不了，妖精，你等着，天有多长的命，我就有多长的命。你咒不死我，我送你们进棺材。

〔远远又有火车在原野里的铁道上轰轰地驰过，不断地响着嘹亮的汽笛。

焦花氏　妈，您听！您听！（盯住焦氏）

〔远远火车汽笛声。

焦　氏　听什么？金子，你的心又飞了，想坐火车飞到天边死去。

焦花氏　谁说啦？（急于想支使她出去）您不想出去坐坐，看看火车，火车在雾里飞，好看得着呢？

焦　氏　（用杖捣着地）我怎么看？我问你，我怎么看？

焦花氏　（想起，支吾着）您——您不是说您没有眼比有眼还看得准。

焦　氏　（暗示地）嗯，我看得准，我看准了你是我们焦家的祸害。你的心一天变上十八个样，我告诉你，火车是一条龙，冒着毒火，早晚有一天它会吃了你，带你上西天朝佛爷去。

焦花氏　嗯，（厌恶地）您不喝口水，我跟您倒碗茶？

焦　氏　不用，我自己来。你少跟我装模装样，我不用你这么对我假门假事的。

焦花氏　那么，我回到我屋里去了。

焦　氏　滚吧。（花氏忙忙走了一半[1]）你站着[2]，金子，我问你一句话。

焦花氏　嗯，妈。

焦　氏　（慢慢地）你这两天晚上打的什么呓怔？

焦花氏　谁，谁打呓怔啦？

焦　氏　半夜里，你一个人在房里叽里呱啦地干什么？

焦花氏　我，我没有。

焦　氏　（疑惑地）没有？屋里面乱哄哄的，我走到门口又没有了，那是干什么？

焦花氏　哦，（似乎恍然）您说那个呀！（笑）那是耗子，半夜我起来捉耗子呢。

焦　氏　（低沉地）再以后要有耗子，你告诉我，你看见这个么？（指香案前的铁拐杖）我就用这条铁拐杖打死他。

焦花氏　嗯，妈。（要向右屋走）

焦　氏　别走。你坐下。

焦花氏　嗯。（立在那里）

焦　氏　（冷酷地）坐下。

焦花氏　我坐下了。（还立在那里）

焦　氏　（严峻地）你没有，我知道。（用拐杖捣着地厉声）坐下。

焦花氏　（恶恶生生地望着焦氏，不得已地坐下去）嗯，妈妈。

焦　氏　（露出一丝狞笑，暗示地）我告诉你一件事。

1　“花氏忙忙走了一半”川版作“花金子忙走，刚走了一半”。

2　“你站着”川版作“你站住”。

焦花氏 嗯，妈。

焦　氏 昨天晚上我做了一个噩梦——

焦花氏 哦，您也做了个噩梦？

焦　氏 （摸起锡箔，慢慢叠成元宝，一句一句地）我梦见你公公又活了，——

焦花氏 公公——活了？

焦　氏 （不慌不忙地）嗯，仿佛是他从远道回来，可是穿一件白孝衣，从上到下，满身都是血，——

焦花氏 （不安地）血？

焦　氏 嗯，血！他看见小黑子，一句话也不说，抱起来就不放手，眼泪不住地往下流。

焦花氏 哦。

焦　氏 我向前去劝，刚一叫他，忽然他变了个老虎，野老虎——

焦花氏 （吃了一惊）老虎？

焦　氏 嗯，野老虎，那仿佛见了仇人似的就把小黑子叼走了。

焦花氏 哦，这个梦凶——凶得很。

焦　氏 谁说不是，“猛虎临门，家有凶神”。我看这两天家里要出事，金子，你说？

焦花氏 坐家里好好的，哪会出什么事？

焦　氏 （立起来，在香案上拿起一炷高香，对金子，仿佛不在意地）金子，你知道仇虎在哪儿？

焦花氏 仇虎？

焦　氏 你别装不知道，我的干儿虎子回来了，你会不知道？过来，金子,（举起香）点上。

焦花氏 （不安地，就桌上的长命灯颤巍巍地点起香，婆媳二人对着面）我倒是听说虎子回来了，可是谁晓得他躲在哪个窝里死去了！（香火熊熊然照在[1]焦氏死尸一样的脸上）

焦　氏 金子！（一把抓住金子的腕）

焦花氏 （吓住）妈，干什么？

焦　氏 （凶神一般）你的手发抖。

焦花氏 （声音有些颤）香火烫的，妈。

焦　氏 他没有到我们家里来？

焦花氏 谁？妈？

焦　氏 仇虎！

焦花氏 他怎敢来？（转动香火，火焰更旺）

焦　氏 没有来望望你。说近些，差一点你们也是一对好夫妻。（指香炉）把香插上。

焦花氏 （一面插香，一面说）妈，您别冤枉人！丑八怪，谁要他？他来了，我就报侦缉队把他抓去。

焦　氏 你说了。

焦花氏 嗯。

焦　氏 你公公（指右窗前的像）在上面可听见了的。

焦花氏 嗯。

焦　氏 去吧。（花氏走到右门口，焦氏仿佛忽然想起一件事）金子，

---

1 “香火熊熊然照在”川版作“香光熊熊，燃照在”。

你的生日是五月初九，是不？

焦花氏 是。（不觉疑惑起来）干什么？

焦　氏 （温和地）你生下的时辰可是半夜子时？

焦花氏 嗯，您问这个干什么？

焦　氏 （不理她）我问你，是不是？

焦花氏 是，妈。

焦　氏 （恶狠地）我问问，算算你命里还有儿子不？

焦花氏 （利嘴）没有，不用算。

焦　氏 （忽然柔和地）好，到屋里去吧，你去吧。

焦花氏 嗯。（怪异地盯焦氏一眼，转身入右门）

焦　氏 （听着花氏走出门，狠狠叹一口气）哼，死不了的败家精。

〔外面雾里的乌鸦在天空盘旋，盘旋，凄惨地呼噪。远远电线杆呜呜地响着。

〔焦氏轻轻地走到右门口，聆听一刻，听不见什么，废然地走到[1]香桌前。她忽然回头，朝右门愣一愣，没有人进来，她解开香案上的红包袱，里面裹着一个木刻的女人形，大眼睛，梳着盘髻，脸上涂着红胭脂，刻工粗拙，但还看得出来是金子的模样。木人肚上贴着素黄纸的咒文，写有金子的生辰八字，心口有朱红的鬼符，上面已扎进七口钢针。她用手摸摸木人的面庞，嘴里很神秘地不知数落些什么。

焦　氏 （摸着木人的轮廓，喃喃地）也许刻得不像她，（慢慢地）哼，

---

1 “废然地走到”川版作“废然踅到”。

反正上面的生辰八字是对的。（用手掐算）五——月——初九。（点点头）半夜里——子时生的。嗯，对的，上面没有写错。[1]（她把木人高高托在手里，举了三举，头点三下，供在香案上。磬重重响了三下，她跪在案前，叩了三下，神色森厉，依然跪着，嘴里念念有词，又叩了一个头，朝着木像，低声）金子，香是你自己点的，生辰八字是你自己说的。你金子要是一旦心痛归天，可不能怪我老婆子焦氏。（又深深一拜，立起，又敲了一声磬，走到香案前，举起木人，从头上拔下一根钢针，对着心口，低声狠恶地呼唤）金子金子，（第三声"哼！"地一声将针扎进）哼，金子！（叹一口气，她仿佛非常疲乏，慢慢数着针头，扬起头）已经八针，（胜利地）就剩一针了，金子。（把木人又端端正正放在香案前面，用红包袱盖上）

〔外面电线杆呜呜地响，隐约有人赶着羊群走近的声音，她不言不语走进左门。

〔立刻花氏由右门蹑足走进来。

焦花氏　（低声对右门内）你先别来，听我咳嗽。

〔花氏走到中门，开门望望，外面一片大雾，看不见人。她回转身，望见桌前的红包袱，忽忙跑近掀开视。举起木人细看，立刻明白，厌恶地又放在案上。

焦花氏　（向着左门，毒恶地）哼。（把木人盖上，忽然想起右门的仇

1　"上面没有写错。"川版作"对的！"。

虎，轻轻咳嗽一声。仇虎随着现在右门口，正要举足向中门走，——）

〔焦母森严地由左门急出。

焦　氏　（怕花氏走进来）站住！

焦花氏　（又轻咳一声，仇虎愕然，立在右门前，以手示意，叫他再进去）

焦　氏　（慢慢走至中门）谁？是谁？

焦花氏　是我，妈。

焦　氏　（厉声）还有谁？

焦花氏　还有？（以目示仇虎，令其毋作声）还有——（对仇虎扑哧一笑）有鬼！

焦　氏　哦！

〔花令仇虎进门，他眈眈地望着焦氏，恨恨走出。

焦　氏　（没有办法，半晌）我当是老虎真来了呢。

焦花氏　妈，您不进屋去歇歇么！

焦　氏　不，你不用管，我要在堂屋里坐坐。

焦花氏　好，您坐吧。（不甘心地走入右门）

〔焦母候她出去，走到香案前，摸摸红包袱下面的木像，放了心，口里又不知数落些什么。

〔这时摇篮里忽而恐怖地哭起来了，她走到摇篮旁边，把孩子抱起来，悲哀地抚摩着孩子的头。

焦　氏　（又轻轻拍着孩子的背）小宝贝做了梦了！嗯——嗯！梦见了老虎来咬你呀，嗯——嗯？老虎不吃小黑子的，嗯——

嗯！不要怕呀，嗯——嗯，奶奶一辈子守着你啊，嗯——嗯！不要怕呀，嗯——嗯。（抱着孩子进了左屋）

〔外面仿佛羊群乱哄哄地奔踏过来，咩咩地哀叫。随着羊的乱窜声，有一个很愉快的喉咙在："达，达，打——低——！达低达低达，达打达达，达低达！低打打打打打达！达——达——低达，低打打打打打达！（更高兴）达，达，打——低——。达低达低达，打达达，达低达！低打打打打达！"随着这抑扬顿挫的洋号，白傻子嘴里又打起威武的军鼓，舌头卷起嘟噜！"得——儿锵，锵，锵！得——儿锵锵锵！得——儿锵锵——得——儿锵！（拼了命！）得——儿锵锵锵！得——儿锵锵锵！锵——儿锵锵——得——儿锵！"他不可一世，耀武扬威地由中门操进来。"得——锵锵，得——儿锵！"两只手抡起想象的鼓槌向下打，头上流着热汗。好忙！——进门并没有看见"焦大妈"！由左门又走进来——嘴里还得吹洋号："达，达，打——低——！"

〔忽而由身右面叫一声！

焦　氏　谁？

白傻子　（大吃一惊，鼓号俱停。看见焦氏。伸伸舌头，立刻转身就跑）——

焦　氏　（立起）站住！谁？

白傻子　（只好愣在那里）是，是——（咽下吐沫）是我！

焦　氏　我？（猜出多半是他）"我"是谁？

白傻子　（结结巴巴，急得直眨眼）狗——狗蛋！焦大妈。（说完了又要跑）

焦　氏　别跑！你！你不放你的羊，你来这儿干什么！

白傻子　不，不干什么。我！（瞪着大眼）我看你家新媳妇来了。

焦　氏　新媳妇有你的什么？

白傻子　（笑嘻嘻地，顺口一数落）“新媳妇好看，傻——傻子看了直打转；新媳妇丑，傻——傻子抹头往外走。”

焦　氏　你也爱看好看的媳妇？

白傻子　（翻翻眼看着焦大妈）嗯！（鼻孔顿时一吸，两条青龙呼地又缩进去）

焦　氏　狗蛋，你别看她，我家媳妇是个婊子，她是老虎，会吃人的。

白傻子　老虎？（不信地）嗯！我看过她！

焦　氏　你看过老虎，你还来干什么？

白傻子　（鼻涕又流下来，舌尖不觉翻上去舐）那——那我来看看，她会吃我不？（又抹一下鼻涕）

焦　氏　（可怜他）唉，狗蛋，你日后也要个老虎来吃你么？

白傻子　（老实地）老……虎要都是这样，我看还……还是老虎好。

焦　氏　（酸辛地）傻子，别娶好看的媳妇。“好看的媳妇败了家，娶了个美人丢了妈。”

白傻子　不……不要紧，我妈早死了。

焦　氏　（看看白，叹一口长气）嗯，孩子们长大了，都这样，心就变了。

白傻子　嗯？

焦　氏　（低声喃喃，辛痛地）忘记妈。什么辛苦都不记得了。（低头）

白傻子　（莫明其妙）你……你说什么？

焦　氏　（低头，以杖叩地，忽然）没说什么。嗯，傻子！你听屋里有人说话没有。

白傻子　（伸长脖子，听了一刻，糊里糊涂地摇摇头）没……没有。

焦　氏　（指右屋）不！我说西屋里。

白傻子　（肯定地）嗯，我知道啊！（还是摇头）没……没有。

焦　氏　（不信地）你到那屋里去瞧瞧。

白傻子　（点点头）嗯，我知道。（走了一步）

焦　氏　（一把抓住他，低声）轻轻地走，懂不懂？

白傻子　（嫌她啰唆，不耐烦的神气）我知道啊！

焦　氏　（不放心）狗蛋，你去看什么？

白傻子　嗯？——（才想起来）谁！谁知道你要我看什么？

焦　氏　（低声）哼，你去看看屋里有什么旁的人没有？

白傻子　嗯，嗯，（仿佛非常明白，点头）我知道。（走到右门前，由上看到下，回转身，走两步，摇着脑袋）门……门关上了。推……推不动。

焦　氏　（立起，惊愕，促急地）什么？门关上了？推不动？推开门，打进去！

白傻子　（逡巡）我怕——我——

焦　氏　怕什么！出了事，有我。

白傻子　我怕老虎吃——吃了我。

〔焦立刻抽出香案旁边通条似的铁拐杖。

焦　氏　（对白傻子）你跟我来。除了金子，有旁人，你跟我抓着他。

〔白点头，小心翼翼地随着焦氏，走到右门前，焦举起拐杖，正要向门上捣去。

〔花氏由右门跑出。

焦花氏　（叫喊）妈，您在干什么？（以手抵住焦氏的手）妈，您放下！您要打谁？（咳嗽）

焦　氏　（察觉她有点蹊跷）贱婊子，（用力推开花氏）你放开手！（花氏摔倒墙根）

焦花氏　（喊）妈！

焦　氏　傻子，你跟我来！（走进右门）

焦花氏　（咳嗽，大叫）妈！妈！

〔右屋里有焦母铁棍落地，一个人在闪避的声音。

〔焦氏的声音：（咻咻然。咬牙，举起铁杖向下击）妈的！妈的！妈的！

〔右屋里有人似乎狠狠推了焦氏，焦氏大叫一声，踣倒。跟着那人打破窗户，由窗户口跳出去。

〔白傻子吓得只看花氏发愣[1]，似乎在地上生了根。

〔焦氏[2]的声音：（叫喊）我摔着了！傻子，有人打破了窗户跑了，快追呀，傻子！抓着他，傻子！傻子……

1　“发愣”川版作“发楞”。

2　“焦氏”底本作“白”，据川版改。

白傻子[1]　（不知怎么好，颤抖）嗯，嗯，我知道，我知道。（然而依然没有动）

〔花氏听见里面的人跑了，立刻跑近中门，仇虎已由外面跑进来。

焦花氏　（抓着仇的手，低声）怎么样？你摔着了没有？

仇　虎　妈的，窗户太小，打破了窗户，腿还挤破了一块。

焦花氏　她呢？

仇　虎　我推了她一把。她摔在地下。

〔里面焦氏的声音：金子！金子！

焦花氏　（答应了一声，立刻要到右屋去）�——妈！

仇　虎　（抓着她）别去！（指着白）你看！他！

白傻子　（摸着头顶，望仇虎，很低的声音，不觉喃喃地）"漆——叉——卡——叉，（更低微）吐——兔——图——吐。"

焦花氏　（与仇[2]同时说）这是狗——狗蛋！

仇　虎　他认识我，你小心他。

焦花氏　我明白。

〔焦母由右门走出，脸上流着血。

焦花氏　妈！

焦　氏　（不理她）傻子！傻子！傻子！

〔白不敢答应。仇虎立刻由中门轻轻跑出。

1 "白傻子"底本作"焦"，据川版改。

2 "仇"底本作"白"，据川版改。

焦花氏　妈！妈！

焦　氏　（切齿地）贱婊子！

焦花氏　（不安地）妈，您摔破哪儿没有？

焦　氏　（急躁地）傻子！傻子在这儿没有？

白傻子　（正看着花氏，不得已地）在——在这儿。干什么？（又望着花氏）

焦　氏　（恨极了，切齿）狗蛋！你瞧见什么没有？

白傻子　我瞧见，瞧见（食指放在嘴里）老虎在这儿。

焦花氏　（大惊）谁说的？

焦　氏　（明白白[1]的话）死婊子，你别插嘴。还有谁？傻子，你说！

白傻子　（惧怯地，看着花氏）还有——还有——还有一个——（花氏忽然跑到傻子面前，神情异外诱惑，在他的面颊上非常温柔地亲了一下，傻子仿佛失神落魄，立在那里）

焦　氏　（厉声）还有一个什么？

白傻子　（从来没有被人这样痛爱过[2]，抚摸吻着的面颊）还有——老虎——老虎！

焦　氏　狐狸精，你在干什么？

焦花氏　我没有干什么？

〔左屋孩子很低微地哭啼起来。

焦　氏　告诉我，狗蛋！（杖捣地）你们在干些什么？

1　“白”川版作“傻子”。

2　“痛爱过”川版作“疼爱我”。

〔花又亲热地吻他一下。

焦　氏　狗蛋，你死了？

白傻子　（不知所云）没——没有！老虎要吃——吃我。

〔左门孩子大哭起来。

焦花氏　妈，您听，孩子醒了。

焦　氏　你别管，狗蛋，你说，还有谁？

〔门里孩子更恐怖地哭，嚎，半晌，三人静听。

焦花氏　（惊愕地）妈，孩子别有了病，（故意地）妈，您问他吧，我去瞅瞅。（就要走）

焦　氏　（厉声）不要你去！毒手！你别害死了我的小黑子。（向左屋走了两步）我就来，狗蛋！别走，回头我还问你。

〔焦母由左屋下，听见她哄孩子的声音。

焦花氏　（看见焦母进了门，走到方桌的长凳旁坐下，向白招手，魅惑地）狗蛋！你过来！

白傻子　（莫明其妙）干——干什么？

焦花氏　你过来，（低声）我跟你说一句话。

白傻子　（食指放在口里，本能地害羞起来）干——干什么呀？（不大好意思地走过去）

焦花氏　（腾出身旁一块地方，拉着他的手）你坐在我旁边。你先把手指头放下。

白傻子　（手放下来，羞赧地瞟她一眼。呵呵地傻笑）干——干什么？（不觉手又放到了嘴里）

焦花氏　（瞪了他一眼）把手指头放下！好好地听着！我跟你说一句

正经话。

白傻子 （又将食指放下）嗯，好，你说吧！（舌尖又不觉伸到鼻子下面卷舐）

焦花氏 （低柔地）狗蛋，你听着，回头大妈再问你的时候，问你看见什么人没有了，你呀，你就说——

白傻子 （眨眨眼，仿佛在研究什么，舌端在鼻下舐过来，卷过去。忽然，一个大发现，跳起来）新——新媳妇！（非常愉快地）你猜，你猜，鼻涕是什么味儿？

焦花氏 （没想到）什么？鼻涕？

白傻子 （紧张地）嗯，你说！是甜的，还是咸的？

焦花氏 （气了）不知道。

白傻子 （快乐得直打屁股）是咸的！咸的！你没有猜着吧，（又用舌头舐一下）咸丝丝儿的。

焦花氏 （站起来）妈的，这傻王八蛋。

白傻子 （笑唏唏地[1]）唏，唏，你——你你叫我干什么？

〔焦大星背着包袱，提着点心，手里支着一根木棍，满脸风尘，很疲倦地迈过中门的门槛。

焦大星 （脸上露出微笑）金子！（放下包袱）

焦花氏 （平淡地）哦，是你。

焦大星 （放下点心）妈呢？（掸掸身上的土）

焦花氏 （望着他）不知道。（白傻子躲在一旁，稀奇地望着）

1 “笑唏唏地”川版作“笑嘻嘻地”。

焦大星　（搁下木棍，用手绢把脸擦一擦）又到了家了！（抬头看花氏）家里怎么样？（关心地）还好么？

焦花氏　（冷峻地）大星，谁叫你回来的？

焦大星　（不自然地笑笑）没——没有谁。我自己想回来瞅瞅。

焦花氏　（忽然）说什么？[1]家里难道还会有人跑了？

焦大星　（猜出婆媳二人又在斗气，歉然地）我不懂，金子，你又怎么？

焦花氏　不怎么，我在家里偷人养汉，美得难受。

焦大星　（避开）谁说这个啦！你说话别这样！这是咱们家，要叫妈听见——

焦花氏　叫妈听见，算什么！我都做给妈瞧啦。

焦大星　（软弱地）金子，你进了我家的门，自然不像从前当闺女那样地舒服。可我从来也没埋怨过你，我事事替你想，买东买西，你为什么一见我，尽说这些难听的话呢？

焦花氏　哼，话难听？事才难听呢！我偷人养汉又不是一天的事，你不是不明白。我嫁你那天晚上就偷人。你出了门，我就天天找汉子，轧姘头，打野食，靠男人，我——

焦大星　（痛苦地）金子，你这说的是什么？

焦花氏　我这说的是“一本正经”，我这个人你又不是不知道的。在娘家就关不住，名声就坏，可我没有要到你家里来，是你那阎王爸爸要的。我过了你家的门，我一个不够，两个；两个不够，三个；三个不够——

1　“说什么？”原刊作“瞅什么？”。

焦大星　（苦恼地）金子，唉，你这犯的是什么病！（颓然坐下）

焦花氏　我没有犯病，是那个一出门就想回来的人犯了病了；是那个回家就瞎疑心的人犯了病了；是那耳朵根子软，听什么话就相信的人犯了病了；是那个“瞎眉糊眼”，瞧见了什么就瞎猜的人犯了病了。我告诉你，我没有犯病，我没有犯病！

焦大星　真！奇怪！我疑心了什么？我瞧见了什么！我一进门，你就这样疯疯痴痴地[1]乱说一大“泡”。你说，是我瞎疑心，还是你瞎疑心。

焦花氏　是我疑心，是我犯疑心病；我疑心我媳妇在家里偷人养汉，整天背着自己的男人不老实。

焦大星　可是谁提这个啦？是我听见什么啦？还是刚才瞧见什么啦！

焦花氏　你瞧不见，你还听不见。

焦大星　（想不出办法）那么，白傻子，你听见什么，你刚才瞧见了什么啦？

白傻子　（指自己）我——我——

焦大星　（敷衍着花氏）好，我刚才不在家。你说，你瞧见了什么？

白傻子　（结结巴巴）我——我刚才——瞧——瞧见——瞧见一个——

焦花氏　（忙追到白的身旁）去！去！去！活人的话都闹不清，还听死人的话？

白傻子　（卖功）可我刚才——是——是瞧见一个——

---

1 “疯疯痴痴地”川版作“疯疯癫癫地”。

焦大星　（不信地）你说吧，什么呀？

白傻子　我……我瞧见一个——

焦花氏　（蓦地在白脸上掴了一掌）去！去！你这傻王八蛋。

白傻子　（莫明其妙）你打我？（抚摸自己的面颊）

焦花氏　嗯，打了你，你怎么样？

白傻子　（咧开大嘴，哇一声）哦，妈呀！（哭啼啼地）你——你到底是个老虎。（抽咽，向中门走）

焦大星　（看着花氏，只好哄着白傻子，同情地）去吧，狗蛋，快走吧，赶明儿别到这儿来了。

〔狗蛋手背抹着眼泪，由中门走下，一时又听见羊群咩咩奔踏过去的声音。

焦花氏　（发野地）好，大星，你好！你好！你好！你不疑心！你不疑心！你回家以后，你东也问，西也问，你想从狗蛋这傻子的身上都察出来我的短。好，你们一家人都来疑心我吧，你们母子二人都来逼我，逼死我吧。（大星几次想插进嘴去，但是她不由分辩地一句一句数落）我跟你讲，姓焦的，我嫁给你，我没有享过你一天福，你妈整天折磨我，不给我好气受。现在你也来，你也信你妈的话，也来逼我。（眼泪流下，抽咽）我们今天也算算账，我前辈子欠了你家的什么？我没有还清，今生要我卖了命来还。（抹着鼻涕）哼，我又偷人，又养汉，我整天地打野食，姘人，我没有脸。我是婊子，我这还有什么活头，哦，我的天哪！（扑在桌上，捶胸顿足，恸哭起来）

焦大星 （不知怎么安慰好）可是，金子，谁说啦？谁这么说啦？不是你要问去？不是你自己要这么讲？喂，你看，我给你带来多少好东西，别哭了，好吧？

焦花氏 （还是抽咽）我不稀罕，我不看。

焦大星 可你要这么说，你要在自己身上洒血，你自己要说你偷人，养汉的——

焦花氏 （还是抽咽）我没有说，我没有说。是你妈说，你妈说的。

焦大星 （不信地）妈？妈哪对你说这么难听的话？

焦花氏 你妈看我是“眼中钉”，你妈恨不得我就死，你妈硬说我半……半夜里留汉子，你妈把什么不要脸的话都骂到我头上。“婊子！贱货！败家精！偷汉婆！”这都是你妈说的，你妈说的。

焦大星 （解释）我不信，我不信我妈她会——

〔焦母由左门走出。

焦　氏 （拐杖重重捣在地上，森严地）哦！（他们二人回过头）嗯！是我说的。金子，你跟你丈夫讲吧，我就是这么说的。

〔半晌。

焦大星 （惶恐地）妈！（走过去扶她）

焦花氏 （突然感到孤独，不觉立起）大星！

焦　氏 （严酷地）你说吧！你痛痛快快地说吧。你在你丈夫面前狠狠地告我一状吧！金子，你说呀！你说呀！你长得好看，你又能说会道的。你丈夫今儿跟你买花，明儿为你买粉；你是你丈夫的命根子，你说呀，你告我吧。我老了，没家没业的；儿子是我的家私，现在都归了你了。

焦大星 （哀诉地）妈。

焦　氏 （辛酸地）我就有这么一个儿子，他就是我的家当，现在都叫你霸占了。我现在是个老婆子，瞎了眼，看不见，又好唠叨，我是你们的累赘。我知道我该死，我早就该叫你们活埋了，金子，你说吧，你告我吧，我等你开刀呢！

焦花氏 （怯惧地）妈，可我并没有说您什么？大星，你听见了，我刚才说什么，大星，你——

焦　氏 （爆发，厉声）婊子！贱货！狐狸精！你迷人迷不够，你还当着我面迷他么？不要脸，脸蛋子是屁股，满嘴瞎话的败家精。当着我，妈长妈短，你灌你丈夫迷魂汤；背着我，恨不得叫大星把我害死，你当我不知道，活妖精！你别欺负你丈夫老实，你放正良心说，你昨儿夜里干什么？你刚才是干什么？你说，你为什么白天关着房门？关了门嘁嘁嚓嚓地是谁跟你说话？我打进房去，是哪个野王八蛋跳了窗户跑了？你说，当着你的丈夫，你跟我们也讲明白，我是怎么逼了你，欺负你？

焦花氏 谁听见我屋里有人说话？谁说我把门关上了？谁又从窗户跑了？妈，您别血口喷人，您可——

焦　氏 （气得浑身发抖）这个死娘儿们，该雷劈的！（回头）狗蛋，狗蛋，你看见了，你说！

焦大星 妈，他刚走。

焦　氏 他走了？（忽然）狗蛋，狗蛋！（急速地走出中门）

〔外面听见焦氏连喊傻子。

焦大星 金子！

焦花氏 你去信你妈的话吧！

焦大星 （低沉）你先到西屋去。

焦花氏 干什么？我不去！

焦大星 金子，你先别惹她。听我说，你先走。

焦花氏 （瞪大星一眼）好，你们说。你们母子两个商量吧。叫你们算计我吧！好，我走！我就走！（由右门下）

焦大星 喂，金子！——

〔焦母由中门上。

焦　氏 （颤巍巍地）这个傻王八蛋，又不见了，跑了。（复归正题，严峻地）好，你们夫妻俩商量好了，你们有良心就来算计我吧。（猜到方才在她背后金子会叽咕些什么，尖酸地）嗯，金子，你是个正派人，刚才都是我瞎说，看你是眼中钉，故意造你的谣言。现在你丈夫来了，你可以逞逞你的威风啦！（爆发，狠恶地）金子，你个下流种！我早就跟大星说过，要小心点，你别听你爸爸的话娶金子回家来，"好看的媳妇败了家，娶了个美人就丢了妈"——

焦大星 妈，金子不在这儿。

焦　氏 走了，她到哪儿去了？

焦大星 她回自己的屋子去了。

焦　氏 哦，你怕她受我的气，你叫她走了。

焦大星 不是的，妈，我怕您看着她不舒服，气大，省得她在您眼前厌气。

焦　氏　我问你，我怎么看？我怎么看？大星！现在你们两个都会故意气我没有眼！叫我听了好难过。——

焦大星　（忍不住）我没有这么想，您别瞎疑心。

焦　氏　（勃然）我没有瞎疑心，我没有瞎疑心。哼，耳朵根子软，你媳妇的毒都传给你了。

焦大星　妈，您歇歇，别生气！她不好，她尽叫您生气。回头我就打她。

焦　氏　我不生气，我替那怕老婆的男人生气呢。

焦大星　（没有办法）好，妈，我给您带来几样点心，都是您爱吃的！

焦　氏　（冷笑）不用，拿去孝敬屋里那个人吧。我不稀罕。

焦大星　（叹一口气）妈，您要是处处都光存这个心，我怎么还说得了话？您想，我们家里也不算容易，老有老，小有小，丈夫成天地不在家，四外也没有什么邻舍亲戚。家里拢总不到三个半人，大家再还免不了小心眼，那——

焦　氏　大星，你跟谁说话？你对谁？

焦大星　妈？（赔笑）我不敢劝您。

焦　氏　哼，我小心眼？我看你也太大气了吧？

焦大星　好，好。妈，她究竟是怎么回事？您说明白呀！

焦　氏　问你呀。

焦大星　（惧怕地）妈，她真……真会有什么……我不在家。

焦　氏　这两天晚上，半夜，我听见门外大树底下有人说话。

焦大星　有金子？

焦　氏　嗯，半夜，金子跟一个人。

焦大星　她怎么啦？

焦　氏　她怎么？说着[1]，她把那个人就拉进来了。

焦大星　拉进来？

焦　氏　拉到屋里去，两个人嘁嘁嚓嚓了半夜。

焦大星　一直到半夜？

焦　氏　半夜？一直到天亮。

焦大星　（疑信参半）那您为什么不抓着他们。

焦　氏　我？（故意歪曲地讲）你把我真当作瞎子，我不知道你们这一对东西？那半夜的人不是你这个不值钱的丈夫，还是谁？

焦大星　是我？

焦　氏　（反而问起他，威吓地）你为什么又瞒着我回了家。我是怎么虐待你们，要你们这样偷偷摸摸的。

焦大星　（恐怖地）那个人不是我。

焦　氏　什么，（觉出他渐渐相信了，露出一丝微笑）不是你。

焦大星　嗯，不是。

焦　氏　那么方才那个人——

焦大星　怎么方才还有一个人？

焦　氏　方才那个人也不是你？

焦大星　（苦痛地）不！不！

焦　氏　哦？

1　“说着”川版作“说着说着”。

焦大星 （忽然）妈，您说的话是真的？

焦　氏 （冷静地）真的，你当真受你的媳妇的毒[1]了么？

焦大星 （内心如焚）她怎么会？金子怎么能这样？我为她费了多少心，生了多大气。她跟我起过誓，她以后要好好地过日子，……她……她……

焦　氏 （残酷地）她起誓不是放屁！刚才我就知道那个人在里面，我打进了门，他正从窗户逃走，我一手抓着他的大襟，叫那个狗娘养的一下子把我推在地下，跳出去走了。白傻子看见他，金子还跟他在门口说话，满不在意。你看，这是我脸上摔的伤，你进屋去看，窗户都破了。你看，你不在家，家里成了野汉子窝。大星，你说我怎么能不叫你回来。我告诉你，你这个小傻子,（狠狠地）你的媳妇偷了人了，你的媳妇跟人家睡了，现在没有一个不骂你，不笑话你，不说你是个——

焦大星 （疯狂一般捶击桌子）妈！妈！您别说了，别说了。我够了，我听够了。

焦　氏 （也翻了脸，拐杖重重在地上捣，粗野地）那你还不把她叫出来问，逼她来问，打她来问，要她亲口招出来，招出来！（星扑在桌上，全身颤抖）

〔花氏由右门出。

焦花氏 （厉色）你们不用叫！（立刻冷冷地）用不着你们母子喊，我

1 “受你的媳妇的毒”川版作“中你的媳妇的毒”。

自己出来了[1]。

焦　氏　好！你来得好！你来得好！大星，门后有你爸爸打人的皮鞭子。大星！你要是再心发软，我不认你是我的儿子。（走到后门，摸出皮鞭）

焦花氏　（横了心）哼！

焦　氏　好，你哼哼！大星，这是鞭子。我给你锁上门。你问她！问她！问她！（把中门锁好）

焦大星　（接下皮鞭，手发抖）金子——

焦　氏　你快问她！快问！

焦大星　妈，我问！我问！

焦　氏　叫她跪下！对着祖宗牌位！[2]

焦花氏　怎么？

焦　氏　（雷霆）跪下！

〔花氏跪下。

焦大星　（拿着皮鞭，脸上冒汗）我不在家，你是做……做了那……那样的事情么？

焦　氏　你说，叫你说，败家精。

焦大星　（用鞭指着她，狠了心）你——你说。

焦　氏　（厉声）说呀！

焦花氏　（两面望望，恨恶地）哼，（冷笑）你们逼我吧，逼我吧！（忽

1　“我自己出来了”川版作“我来了”。

2　“对着祖宗牌位！”川版作“对着你爹！”。

然高声）我做了！我做了，我偷了人！养了汉！我不愿在你们焦家吃这碗厌气饭，我要找死，你们把我怎么样吧？

焦大星　（失色）怎么，你——你承认你，——

焦花氏　嗯！我认了。你妈说的，句句对，没冤枉我，我是偷了人，我进了你们家的门，我就没想好好过。你爸爸把我押来做儿媳妇，你妈从我一进门就恨上我，骂我，羞我，糟蹋我，没有把我当作人看。我告诉你，大星，你是个没有用的好人，可是，为着你这个妈，我死也不跟这样的好人过。我是偷了人，你待我再好，早晚我也要跟你散。我跟你讲吧，我不喜欢你，你是个“窝囊废”“受气包”，你是叫你妈妈哄[1]，你还不配要金子这样的媳妇。你们打我吧，你们打死我吧！我认了。可是要说到你妈呀，天底下没有比你妈再毒的妇人，再不是人的婆婆，你看她——

焦大星　（同时[2]）金子，别说了！

焦　氏　（[3]气急败坏地）败家精，你还说！

焦花氏　（跑到香案前，掀开红包袱，拿起扎穿钢针的木人）大星，你看！这是她做的事。你看，她要害死我！想出这么个绝子绝孙的法子来害我。你看，你们看吧！（把木人扔在地上）

焦　氏　你……你……你！大星，你还不跟我打死这个淫妇，死婊

1　“你是叫你妈妈哄”川版作“你只配叫你妈妈哄”。

2　川版无“同时”。

3　此处川版有“与星同时，”。

子养的！打——打——打！

焦大星　（迷乱地）妈！

焦　氏　（暴雷一般）打死她！打死她！

焦大星　嗯（麻痹）嗯，打！打！（举起皮鞭，想用力向金子身上——但是人仿佛凝成了冰，手举在空中，泪水盈眶，呆望着花氏冷酷无情的眼。静默。忽然扔下鞭子，扑在母亲足下恸哭起来）哦，妈呀！

焦　氏　（推开她的儿子，骂）你还是人！死种[1]！（抡起拐杖向花氏所在方向打去，花氏一手截住）

焦花氏　（拼命）你……你敢——

焦　氏　（不顾死活）我先打死你——

〔外面有人叩门甚急，大叫："开门！开门！"

焦大星　（在两个女人当中）谁？谁？

〔外面的声音：是我，我呀！

焦　氏　（放下拐棍，听出声音蹊跷，停住）你？你是谁？

〔外面的声音：（狞笑）仇——虎！我是仇——虎。

焦　氏　什么？虎子？

〔外面的声音：是我，干妈。

焦大星　（惊愕）怪，虎子来了？（打开中门）

〔仇虎走进，大家恐惧地互视，半晌。

焦大星　（阴沉地）虎子，你来干什么？

---

1 "死种"川版作"孬种"。

仇　虎　（狠毒地）跟干妈请安来了。

焦　氏　（低幽地）请安？——

仇　虎　（点点）嗯。

焦大星　（走到虎[1]面前，喜悦地）虎子，你怎么出来的？

焦　氏　（阴郁地）大星，来！跟我到这屋里来。

焦大星　（不大明白）妈？

焦　氏　（厉声）来。

〔焦氏拄起拐杖向左屋走，后随大星，母子进了左屋。

〔半晌，花氏恐怖地呆望着仇虎。

焦花氏　（低声）谁叫你回来的。

仇　虎　（望外，[2]阴沉地）外面有人跟着我。[3]

焦花氏　谁？

仇　虎　雾太大。看不出来。（忽然）你把蜡吹了。

焦花氏　（惊）怎么？（把香桌前的烛火吹灭）

〔屋内黑下来，从两面窗望出，外面一片灰沉沉的雾。远远听见火车驰过，一声孤寂的汽笛。仇虎蹑足走到窗前探望。

焦花氏　（低声）怎么？你——

仇　虎　别说话，门外仿佛就有人走。你听！

1　“虎”川版作“仇虎”。

2　原刊无“望外，”。

3　此句原刊作“我赶来正是时候（群出一个小包）拿去！

焦花氏　什么？

仇　虎　（狠毒地）　药！”。

焦花氏　（谛听）不，这是风。

仇　虎　哦。

焦花氏　风吹着野草。

仇　虎　（回头，望着左屋）奇怪，这半天他们在屋里做什么。

焦花氏　谁知道?

仇　虎　嗯,（阴沉地暗示）我想今天晚上要出事。

焦花氏　（点头）我觉得[1]。

仇　虎　金子，你怕么?

焦花氏　（回首）怕?（转头望前面）不！[2]

——幕急落

1 “我觉得”川版作“我也觉得”。

2 “**焦花氏**　谁?”以下原刊无。

第二幕

同日，夜晚九点钟，依然在焦家那间正屋里。方桌上燃着一盏昏惨惨的煤油灯，黑影幢幢，庞杂地在窗棂上簇动着，在四周灰暗的墙壁上，移爬着。窗户深深掩下来，庞大的乌红柜[1]，是一座巨无霸，森森然矗立墙边，隐隐做了这座阴暗屋宇神秘的主宰。香案前熄灭了烛火，三首六臂的菩萨藏匿在黑暗里，只有神灯一丝荧荧的火光照在油亮的黑脸上，显得狰狞可怖。

焦氏立在香案旁，神色阴沉。盲人睁大一双不见眸子的眼眶，凝望前面，瞑然不知思念什么。她默默地敲撞铜磬，声翁翁然，仿佛发自神像的巨口里。桌前立一只肥大的泥缸；里面熊熊地烧起“黄钱”，那贿赂神灵，请求他除灾降福的“鬼币”。纸灰随着火星飞扬，跳跃的火焰向上翻。红光一闪一闪，射在焦氏严峻的脸上，像走马灯。影子穿梭似的在焦阎王狞恶的像上浮动，一阵黑，一阵亮，时而瞥见阎王的眼眈眈地探视下面，如同一幅煞神。

在这里，恐惧是一条不显形的花蛇，沿着幻想的边缘，蠕进人的血管，僵凝了里面的流质。

瞎子卷起黄的纸[2]填入土缸的肚子，火焰更凶猛地飞舞起来。她

1 “乌红柜”原刊作“黑柜”。

2 “黄的纸”川版作“黄钱”。

喃喃念着《往生咒》文，仿佛又在祈祷，朝向着菩萨。

静了半晌，忽然黑暗的角落里有一稚弱的哭声，惊恐地抽咽，是小黑子在摇篮里由噩梦中吓醒，又看见一墙的黑影，更惧怕地哭嚎起来。瞎祖母走到摇篮边，抱起受了惊的孩子低声抚慰。

焦　氏　（轻轻拍抚孩子）不要怕呀，嗯——嗯——嗯——宝宝梦见了什么呀，嗯——嗯——嗯——。黑子，快回家呀，嗯——嗯。回家睡觉觉呀，嗯——嗯。不要怕呀，嗯——嗯。奶奶一辈子守着小孙孙呀，嗯——嗯。你就是奶奶的小命根呀，嗯——嗯——嗯——。谁也不敢来惹你呀，我的小孙孙，不要怕呀，嗯——嗯——嗯——。（孩子先还哽咽，渐渐睡着。焦氏正要放下孙儿，焦大星由左屋上。他的脸颊微红，神色不安，关上左门，又回顾一下，忽然咳嗽起来）

焦　氏　（低声）谁？

焦大星　（喑哑）我，妈。（向焦氏走去）

焦　氏　（放下孩子）慢点走。孩子刚睡着。

焦大星　（走到摇篮旁边，望望自己的儿子）黑子好一点了么？

焦　氏　（摸摸瘦小的头，关心地）小脑袋还是热烘烘的。刚才黑子又不知叫什么东西吓醒了，又嚎了半天。

焦大星　（烦恶地）哭！哭！哭！今天这孩子是怎么回事，简直像是哭我的丧[1]。

1　“像是哭我的丧”川版作“像是哭丧”。

焦　氏　（又拈起一张黄纸，引起快熄的火）“猛虎临门，家有凶神。”哼，右屋里藏着个狐狸精，左屋躲着个野老虎，童男子眼最灵气，看见了这一对妖魔，魂都吓得离了壳，他怎么不哭？

〔这时左屋有男人学着女人的喉咙，忽而尖锐，忽而粗哑，惨厉地唱着《妓女告状》，一句一句，非常清晰。——

〔……“初一十五庙门开，牛头马面哪两边排。……殿前的判官呀掌着生死的簿，……青脸的小鬼哟，手拿拘魂的牌。……”

〔焦母不安地谛听着。大星坐在方桌旁，凝视土缸里的火焰。

焦　氏　你听他又在唱。（低微）你听，他在我们家唱这个。你听！（里面幽幽地唱着：“……阎王老爷哟当中坐，一阵哪阴风啊，吹了个女鬼来。……”）大星，他这是咒我们？[1]

焦大星　（替仇虎辩白）他高兴，他多年没见我，今天见着了，多喝两盅，他爱唱什么，就唱什么，您管他这个做什么。

焦　氏　哼，他硬说[2]你父亲害了他一家，（低沉地）你还看不出来，他这次回来没有安着好心。

焦大星　妈，您又来了，您先别疑神疑鬼。刚才他跟我说，他住两夜就走。

焦　氏　（不信地）就走？

1　“？”川版作“！”。

2　“他硬说”川版作“他非说”。

焦大星 他是您的干儿，跟我又是从小的朋友，这次特来看看我们。我们跟人无仇无冤，疑心人家要害我们干什么？

焦　氏 你不懂，不用管我。大星，你听。（里面又幽幽然唱着："……阎王老爷当中坐，一阵哪阴风啊吹了个女鬼来。……"）他老唱这两句，他老唱这两句。

焦大星 虎子现在无家无业，心里别扭，让他唱去。

焦　氏 可是他为什么——

〔里面又从头重唱："初一十五庙门开，牛头马面两边排，——"

焦　氏 你听，他这不是有意地——

〔小黑子又突然大嚎起来。焦氏忙走到摇篮边，抚拍着孩子，里面也停止了唱声。

焦　氏 （恨恶地）你听，他这是存的什么心，孩子醒了，他也不唱了。（孩子继续地哭嚎）大星，你这做爸爸的也为你的孩子烧点纸，驱驱邪，我再跟孩子叫叫[1]。

〔星不得已立起，走到香桌旁，烧黄钱。焦氏在摇篮旁，轻抚哽咽着的孙子。

焦　氏 （非常悠远地，似从旷野里传送来的凄厉的声音）回家来——，黑子！黑子的魂回家来——，黑子！魂快回家——，黑子！奶奶等着你睡——，黑子！魂回家来——，黑子。（孩子又不响，四周静寂，只有盲目的焦氏低声呼唤，催眠一般，大星的眼盯着泥缸的火。焦氏忽然——）大星，

1 "叫叫"川版作"叫魂"。

你看看黑子的眼，孩子真睡着了么？

焦大星　（抬起头，望黑子）眼阖上了。（奇怪地）这孩子的睡相怎么这样——怕人——

焦　氏　怎么？

焦大星　（低声）——他仿佛死了似的。

焦　氏　（贸然）放你的屁！好好的孩子，你咒他什么？（又抚黑子）黑子，你不要怕，你爸爸跟你说着玩呢。你好好在我们家里住着，供你吃，供你住。我们的家就是你的家，黑子，你住着，不要走。

焦大星　可是，妈，您看不见那小脸，眉毛狠命地皱，小嘴向下瘪。（低微）阖上了眼，真像他是——

焦　氏　（恐惧地）少胡说，你今天喝多了。（想起来）也怪，刚才吃饭的时候，为什么孩子忽然地大嚎起来？

焦大星　（无神地）不知道。我直望着孩子的眼，孩子仿佛看见了什么东西似的，那么死命地干嚎。

焦　氏　（忽然）我看我们赶快送他走。送他走，越早越好。

焦大星　让她就走？

焦　氏　嗯。

焦大星　（哀诉地）不，妈！再等一等，您让我想一想。

焦　氏　想什么？这个祸害不是早走了早好。

焦大星　可是，她现在家里什么人都没有，您要她立刻走，这……这不是——

焦　氏　那我哪管得了，我只求我家里安静。今天是晚了，明天一大清早，就送他上路。

焦大星　妈，我们不能这么办。

焦　氏　（冷冷地）大星，那么你要怎么办？

焦大星　妈，您不能这么赶她出去。这次是她做错了，她丢——丢了我——我们的脸，可是您要现在就送她走，那不是逼着她走那一条路，叫她找她的那——那个人么？（苦痛地）妈，我知道她这次是真心地不——不要脸，不要脸，做了这么一件对——对不起我的事，可是，妈，难道我们就没有一点错么？难道我们——

焦　氏　（厉色）混蛋！你想的是什么？你说谁？

焦大星　（犹疑）您说的不是金子？

焦　氏　金子！金子！（叹一口气）这个昏虫哟！死都临到头上，这个时候你还是金子金子地想着么！大星，我告诉你，老虎都进了门了，我说的是这屋里的老虎。老虎在你屋里吃饭，老虎在你房里都跟你的——（忽然止住）大星，你今天晚上偏要喝许多酒做什么？

焦大星　（没有力气地）嗯，我喝了，妈。

焦　氏　叫你不喝你偏要喝，今天是什么鬼催着你，脾气都变了。

焦大星　嗯，我要变变。（把拳头重重地捶在桌上）

焦　氏　（温慈地）大星，我的儿子，你过来。

焦大星　（走过去）干什么，妈？

焦　氏　大星，你心里难过么？

焦大星　（望望焦母，咬住唇）不，妈。

焦　氏　（执星的手）你是舍不下金子么？

焦大星　（想抽出自己的手，烦恶地）谁说的？妈。（似乎恐怕为人发现了自己的短处，更烦躁）谁说的？谁告诉您的？

焦　氏　（明白她的儿子，暗暗激刺[1]他的羞耻心）是，是的，像她这样一个烂货，淫妇，见着男人就要，（觉得大星在一旁神情苦恼，要截断她的话，然而她轻轻拍抚他的手，又慢慢地——）我要是个汉子，她走就走了，不一刀了啦她是便宜！

焦大星　（忽然抽开自己的手，警戒地）妈！

焦　氏　（惊愕）大星，你——

焦大星　妈，您告诉我，那个人是谁？那个男人是谁，我得知道，我要知道。自小到大，您什么事都瞒着我，可是现在我是金子的丈夫，那个野种是谁，（迭连在桌上打）是谁？是谁？妈，您连这个都忍心瞒着我么？

焦　氏　（半晌，立起，沉重地）大星，你的手发抖。

焦大星　我……我心里有火。（捶胸部）我这里满……满是火！烧得难受。

焦　氏　（闭上眼，可怜）孩子[2]，你是一根细草，你简直经不得风霜[3]。

焦大星　可……可（喃喃地）我总应该知道他是谁，他是谁？

---

1 “激刺”川版作“刺激”。

2 “（闭上眼，可怜）孩子”川版作“（闭上眼）可怜孩子”。

3 “你简直经不得风霜”川版作“你经不得一点吹打”。

焦　氏　（真看见了什么）孩子，你的脸怎么惨白惨白的？

焦大星　（恨恶地）妈，您要是疼我，您该告诉我。

焦　氏　你的眼睛为什么发直？

焦大星　（回首）怎么，妈，您怎么知道？

焦　氏　（摇头）妈瞎了眼，总看得见自己的儿子。可是（回首对大星）大星，你为什么直看着我？又像是怕看着我？

焦大星　（惊怯）妈，没有，没有。

焦　氏　（肯定）你是！你是！大星，你现在想着什么？

焦大星　我……我没有想什么！

焦　氏　不，大星，你又在瞒着我。我看得见你，我看见你的心，你的心是不是老早就恨我？恨着你的妈？

焦大星　不，妈。

焦　氏　（阴沉地）恨着我夹在你们当中，恨我偏把这件事说穿了，叫你不能闭上眼做瞎子。

焦大星　不，妈。我恨，我就恨那一个人。可是您不肯告诉我。

焦　氏　你为什么不问金子去？

焦大星　金子着了那个人的迷，她不肯说。

焦　氏　她还没有说？

焦大星　（恳切地）那么，妈，您看见了，还是您告诉我！

焦　氏　大星，你忘了，我是瞎子。

焦大星　（忽然立起）那么，妈，我要出去。

焦　氏　（不安地）快半夜了，你上哪儿去？

焦大星　这屋子我待不下去。待不下去。

焦　氏　为什么？

焦大星　（对着墙上焦阎王的像）妈，您来，您快来看！

焦　氏　我看？

焦大星　嗯，您看！您看墙上的爸爸都在笑话我。

〔大星由中门跑出。

焦　氏　（追着喊）大星！大星！（出中门）大星！

〔左屋里又以男人的粗嗓音低哑地唱起："初一十五庙门开，牛头马面两边排，……阎王老爷哟当中的坐，一阵哪阴风吹了个女鬼来。"

〔老远有火车轰轰地驶过去。

〔从右屋里，走出花氏。花氏神色镇静，一绺头发由鬓角边垂下来，眼神提防着人。她提住脚跟，向左屋走。

焦花氏　（低声）虎子！虎子！

〔焦母由中门上。

焦　氏　（严厉地）金子！

焦花氏　（极力做不在意的样子）干什么？

焦　氏　你上哪儿去？

焦花氏　（退回来）我不上哪儿去。

焦　氏　金子，（慢慢地）你们预备怎么样？

焦花氏　（吃了一惊）我们？

焦　氏　（索性说穿）你跟虎子。

焦花氏　（狠狠地）不知道。

焦　氏　你不用装，我知道是仇虎。

焦花氏　我没有装，事做得出来也就不怕知道。

焦　氏　金子，他为什么一个人在屋里，不说话也不出来？

焦花氏　（翻翻眼）您问我？

焦　氏　虎子心里现在打的是什么主意？他要干点什么？

焦花氏　不知道。

焦　氏　（咬住牙）你不知道？你是他肚里的蛔虫，心上的——

焦花氏　（警告地）您说话留点神，撕破了脸我也会跟您说点好听的。

焦　氏　（仿佛明白花氏为什么忽然强硬，故意地）哦，你大概知道大星刚出门。

焦花氏　嗯。

焦　氏　那屋里有虎子。家里就是我一个瞎婆婆，你现在可以——

焦花氏　您别强说反话吓唬人！我知道，我们的命在您手里。

焦　氏　金子，（叹一口气）你为什么不现在就走？

焦花氏　这大夜晚？

焦　氏　嗯。

焦花氏　您逼我投奔哪儿去？

焦　氏　（有意义地）我随便你！

焦花氏　（觉出来一些）随便我？

焦　氏　嗯，（低沉地）你走不走？

焦花氏　不！

焦　氏　哼，金子，你，你难道一点人心也没有？

焦花氏　（憎恨地）婆婆，这话要问您呢！

焦　氏　（被冲撞，忍下去）好，我现在不跟你斗气，我认头，这次算你胜了。可是，金子，我是个有家有业，有过儿子的人，你没有养过孩子，你猜不透一个做妈的心里黑里白日地转些什么念头。（低声下气）好了，金子，你就看看我的岁数，我这半头的白头发，你说话也就不应该让给我三分？以前就譬若我错了，我待你不好，就照你说的吧，磨你，逼你，叫你在家里不得过。可到了现在，你，你做了这样的事，闹到这步，我们焦家人并没有把你怎么样。难道，到了现在，我们焦家（头不觉转向左屋）有——有了难，你还想趁火打一次劫么？

焦花氏　（盯着焦氏）妈，您别绕弯子跟我说话，我金子也不是不明白。“国有国法，家有家规。”这次我做事不体面，可我既然做了，我也想到以后我会怎么样。

焦　氏　（暗示地）你知道？

焦花氏　我不是傻子。

焦　氏　那么，你说说，你们以后要怎么样？

焦花氏　我们？

焦　氏　嗯，你同仇虎，虎子这孩子不能白找我们一趟。

焦花氏　自然，“猛虎临门，家有凶神”。可我怎么一定就知道他要干什么？

焦　氏　（劝导地）金子！你虽然现在不愿再做焦家的人，可你总也算姓过焦家的姓。现在仇虎回来，要毁我们，你难道忍心瞪眼看着，不来帮我们一把手。

焦花氏　（冷笑）您要我想法子？

焦　氏　嗯，金子，你一向是有主意的。

焦花氏　大路就在眼前，为什么不走？

焦　氏　（关切地）什么！你说！

焦花氏　报告侦缉队，把他枪毙。

焦　氏　（明白花氏的反话，故作不知地）你知道我不肯这么办，虎子到底是我的干儿。

焦花氏　（尖酸地）您的干儿？哦，我忘了，您念了九年《大悲咒》，烧了十年的往生钱。真，大慈大悲观世音，我们焦家的人哪能做这样的事？

焦　氏　（忍下去）嗯，这一条路我不肯。

焦花氏　那么，（很正经地）我看，我还是跟您问问仇虎的生庚八字好。

焦　氏　干什么？

焦花氏　（狠恶地）跟您再做个木头人，叫您来扎死啊！

焦　氏　（勃然）贱货，死东西，（支起自己）你——（婆媳二人对视一刻，焦压抑下去）哦，我不发火，我还是不该发火。金子，我要跟你静下气来谈谈。

焦花氏　谈什么？您的儿子还是您的，焦家的天下原来是您的，还是归了您。您还要跟我谈什么？

焦　氏　金子，你心里看我是眼中钉，我知道；我心里看你是怎么，你也明白。金子，你恨我恨得毒，可你总忘了我们两个疼的是一个。（花氏正要辩一句）你不用说，我知道。你说，你现在跟大星也完了，是不是？可是，金子，你跟大星总算有过夫妻的情分，他待你不错。

焦花氏 我知道。

焦　氏 那么，你待他呢？

焦花氏 就可怜他一辈子没有长大，总是个在妈怀里吃喳儿[1]的孩子。

焦　氏 好，这些事过去了，我们不谈。现在我求你一件事，你帮帮我，就算是帮帮他，也就算是帮帮你自个儿。

焦花氏 什么，您说吧。

焦　氏 一会儿大星回来怎么问你，你也别说虎子就是那个人。

焦花氏 哼，我怎么会告诉他。

焦　氏 可是大星见了你必定问，他怎么唬虎你[2]，你也别说。

焦花氏 怎么？

焦　氏 （恐惧地）说不定他刚才跑出去借家伙。

焦花氏 什么？（不信地）他敢借家伙想杀人？他？

焦　氏 哼！你？他到底还是我的种。

焦花氏 （半信半疑）哦，您说大星，他回来要找——

焦　氏 金子，你别装！虎子早就告诉你——

焦花氏 他告诉我什么？

焦　氏 哼，我猜透了他的心，他的心毒，他会叫你告诉大星就是他。

焦花氏 您想得怪。

焦　氏 怪？他想叫大星先动手找他拼。他可以狠下心肠害——害

---

1 “吃喳儿”川版作“吃嗻儿”。

2 “唬虎你”川版作“吓唬你”。

了他的老把弟，哼，好弟兄！

焦花氏 对了！好弟兄！（森严地）好弟兄强占了人家的地——

焦　氏 （低得听不见。同时）什么？

焦花氏 （紧接自己以前的话）——打断人家的腿，卖绝人家的姊妹[1]，杀死人家的老的[2]？

焦　氏 （惊恐）什么，谁告诉你这个？

焦花氏 他都说出来了！

焦　氏 （颤栗）可是，这并不是大星做的，这是阎王，阎王……[3]（指着墙上的像，忽然改了口）阎王的坏朋友，坏朋友，造出来的谣……谣言。不，不是真的。

焦花氏 （不信地）不是真的？

焦　氏 （忽然一口咬定，森厉地）嗯！不是真的。（又软下去）那么，金子，你答应了我！

焦花氏 什么？

焦　氏 大星怎么逼你，你也不告诉他是谁。你帮我们也就帮了你自个儿。

焦花氏 帮我自个儿？

焦　氏 嗯，你劝仇虎明天天亮走路。你可以跟他走，过去的事情我们谁也不再提。

---

1 “卖绝人家的姊妹”川版作“卖绝人家的妹妹当窑姐”。

2 “老的”原刊作“父亲”，川版作“老爹爹”。

3 此处川版有“你公公……”。

焦花氏　你让我跟虎子走？

焦　氏　嗯，我焦氏让你走。没有钱，我来帮你。

焦花氏　（翻翻眼）您还帮我？

焦　氏　嗯，帮你！明天早上帮你偷偷同虎子一块走。

焦花氏　嗯，（斜眼看着她）您再偷偷报侦缉队来跟着我们。

焦　氏　怎么？

焦花氏　仇虎离开了焦家的门，碰不着你的孙，害不着你的儿，你再一下子抓着两个，仇虎拐带，我是私奔，那个时候，还是天作保，地作保，还是找您婆婆来作保？

焦　氏　（狞笑一声）金子，你真毒，你要做婆婆，比瞎子心眼还想得狠。

焦花氏　（鼻子哧出声音）说句您不爱听的话，跟您住长了，什么事就不想，也得多担份心。

焦　氏　可是，小奶奶，这次你可猜错了。我倒也是想报官，不过看见了大星，我又改了主意。我不想我的儿孙再受阎王的累，我不愿小黑子再叫仇家下代人恨。仇易结不易解，我为什么要下辈人过不了太平日子。仇虎除非死了，虎子一天不死，我们焦家一天也没有安稳日子。

焦花氏　所以您才要他死。

焦　氏　没有，王法既然不能叫他死，我为什么要虎子一次比一次恨我们呢。所以[1]你金子爱信就信，不爱信也只得信，你现

1　川版无“所以”。

在[1]替我叫虎子来，我自己跟他说话。

焦花氏 可是，您——

焦　氏 （改了主意）哦，你别去，我自己来。（向左屋叫）虎子！虎子！

焦花氏 （向左屋，低声）虎子！

焦　氏 他不答应。金子，你先回你屋，我一个人叫他。（走到左门前）虎子！虎子！

〔里面虎子的声音：（慢慢地）嗯。

〔仇虎由左门上，出门就望见花氏，愣一下。金子指指她的婆婆，叫他小心。他敌对地望了焦氏一眼，挥手令金子出门。

焦　氏 （觉出虎子已经出来）金子，你进去吧。

焦花氏 嗯。（花由右门下）

仇　虎 （狠恶地）干妈，您的干儿子来了。

焦　氏 （沉静地）虎子，（指身旁一条凳）你坐下，咱们娘儿俩谈谈。

仇　虎 （知道下面严重）好，谈谈！（坐在远处一条凳上）

焦　氏 （半晌，突然）刚才你吃饱了？

仇　虎 （摸摸下巴，探视着她）吃饱了！见着干妈怎么不吃饱？

焦　氏 虎子！（又指身旁一条凳）你坐下啊！

仇　虎 坐下了。（又望望她）

〔外面有辽远的火车笛声。

焦　氏 不早了。

1　川版无“现在”。

仇　虎　嗯，不早了，您怎么还不睡？

焦　氏　人老了，到了夜里，人就睡不着。（极力想提起兴会）虎子，你这一向好？

仇　虎　还没有死，干妈。

焦　氏　（缓和他的语气）话怎么说得不吉利。

仇　虎　哼，出门在外的人哪儿来的这么些讲究？（眼又偷看过去）

焦　氏　你来！

仇　虎　怎么？（不安地走过去）

焦　氏　你把手伸过来。

仇　虎　（疑惑地）干什么？

焦　氏　好谈话，瞎子摸着手谈天，才放心。

仇　虎　哦，（想起从前她的习惯）您的那个老脾气还没有改。（伸手，焦氏握住。仇虎顺身坐下，与焦母并肩坐在一条凳上，面对着观众）

焦　氏　没改。（凝望前面）

仇　虎　您的手冰凉。

焦　氏　（神秘地）干儿子，你闭上眼。

仇　虎　（望着她，猜疑地）我闭上了，干妈。

焦　氏　（摇头）你没有。

仇　虎　（睁着眼，故意地）这次您猜错了，我是闭上了。

焦　氏　（点点头）瞎子跟瞎子谈心才明白。（忽然）虎子，你觉得眼前豁亮么？

仇　虎　（疑惧地盯着她）嗯。

焦　氏　（幽沉地）你瞧见了什么？

仇　虎　（不觉四面望望）我看不见，您呢？

焦　氏　（慢慢地）嗯，我瞧见，我瞧见。干儿子，（森厉地，指前指后）我瞧见你身旁站着有两三个屈死鬼，黑腾腾。你满脸都是杀气。

仇　虎　（察觉她在说鬼话）你老人家好眼力。

焦　氏　可是你猜我还瞧见你什么？

仇　虎　您还瞅见[1]什么？

焦　氏　（放下手）我还瞅见你爹的魂就在你身边。

仇　虎　哦，我爹[2]的魂[3]？（嘲弄地）那一定是阎王爷今天放了他的假，他对着他亲家干妈直乐。（“发笑”的意思）[4]

焦　氏　不，不。他满脸的眼泪。我看见他（立起）在你身边，（指着）就在这儿，对着你跪着，叩头，叩头，叩头。[5]

仇　虎　干什么？

焦　氏　他求你保下你们仇家后代根，千万不要任性发昏[6]，害人害了

---

1 “瞅见”原刊作“瞧见”。

2 “我爹”原刊作“我父亲”。

3 “魂”底本作“鬼”，据川版改。

4 “他对着他亲家干妈直乐。”以下原刊作“他对着亲家干妈直发乐（笑的意思）。”。“他亲家”川版作“虎子的”。

5 “叩头，叩头，叩头”川版作“磕头，磕头，磕头”。

6 “任性发昏”川版作“死心眼”。

自己[1]。可是你不听！（仇虎仰望着焦氏捣鬼）你满脸都是杀气。哦，我看见，雾腾腾，好黑的天，啊，我看见你的头滚下去，鲜血从脖颈里喷出来。

仇　虎　（恨憎地）干妈，您这段话比我说得还吉利。

焦　氏　虎子！（又拿起仇虎的手，警告地）你看，你的手发烫，你现在心里中了邪，你的血热，干儿，我看你得小心。

仇　虎　（蓦地立起）干妈，您的手可发凉。（狞笑）我怕不是我血热，是您血冷，我看您也得小心[2]。

焦　氏　虎子，（极力拉拢）你现在学得真不错，居然学会了记挂着我。

仇　虎　（警戒地）八年的工夫，干妈，我仇虎没有一天忘记您。

焦　氏　（强硬地笑了一下）好儿子！可是虎子，（着重地）我从前待你总算好。

仇　虎　我也没有说您现在待我坏。

焦　氏　虎子，你看看墙上挂的是谁？

仇　虎　（咬住牙）阎王，我干爹。

焦　氏　你干爹怎么看你？

仇　虎　他看着我笑。

焦　氏　你看你干爹呢？

仇　虎　（攒着拳头）我想哭。

焦　氏　怎么？

1　“害人害了自己”川版作“害了人又害了自个儿”。

2　“我看您也得小心”原刊作“我看您也得多穿点衣服”。

仇　虎　没有赶上活着跟干爹见个面[1]，尽尽我八年心里这点孝心。

焦　氏　（又不自然地笑笑）好儿子！你猜我现在心里盘算着什么？

仇　虎　自然盘算着您干儿。

焦　氏　盘算你？

仇　虎　嗯！盘算！（佯笑）说不定您看干儿打着光棍，单身苦，——

焦　氏　嗯？

仇　虎　（嘲弄地）您要跟您干儿娶个好媳妇。

焦　氏　（以为他认真说，得意地笑）虎子，你现在是心眼机灵，没有猜错，（有意义地）我是想送给你一个好媳妇。

仇　虎　（乖觉地）一个好媳妇？

焦　氏　（含蓄地）那么，你走不走？

仇　虎　上哪儿？

焦　氏　要车有车。

仇　虎　车不用。

焦　氏　要钱有钱。

仇　虎　（斩钉截铁）钱我有。

焦　氏　（觉得空气紧张）哦，（短促地）那么，你要干妈的命，干妈的命就在这儿。

仇　虎　（佯为恭谨）我不敢，干妈。您长命百岁，都死了，您不能死。

焦　氏　（忍不住，沉郁地）虎子，你来个痛快。上刀山，下油锅，

1　此句原刊作“没有赶上跟干爹见个活面”；川版作“没有赶上干爹活着跟他见个面”。

你要怎么样，就怎么样。干妈的老命都陪着你。

仇　虎　（眈眈探视，声音温和）干儿没有那样的心。虎子只想趁大星回家，在这儿也住两天，多孝敬孝敬您。

焦　氏　（渐渐被他的森严慑住）“孝敬”？[1]虎子，你可听明白，干妈没有亏待你。（怯惧地）你这一套话要提也只该对死了的人提，活着的人都对得起你。

仇　虎　（低幽幽）我也没说焦家有人亏待我。

焦　氏　虎子，大星是你从小的好朋友。

仇　虎　大星是个傻好人，我知道。

焦　氏　他为着你的官司，自己到衙门东托人，西送礼，钱同衣服不断地跟你送。

仇　虎　他对得起我，我知道。

焦　氏　就说你干妈，我为你哭得死去活来多少次。

仇　虎　是，我明白。

焦　氏　你干爹也是整天托衙门的人好好照应你，叫他们把你当作自己亲生的儿子看。

仇　虎　是，我记得。

焦　氏　你说话口气不大对，虎子，你这是——

仇　虎　干妈，虎子傻，说话愣头愣脑，没分寸。

焦　氏　嗯，（又接下去）就说你的爸爸，死得苦——

仇　虎　（怨恨逼出来的嘲讽）哼，那老头死得可俭省，活埋了，省

1　原刊无“‘孝敬’？”。

了一副棺材。

焦　氏　（急辩）可是这不怪，大星的爹，他跟洪老拼死拼活说价钱，说不妥，过了期，洪老就把你爸爸撕了票。

仇　虎　（强行抑制）我爸爸交朋友瞎了眼，那怪他自己[1]。

焦　氏　你说谁？

仇　虎　（改话）我说那洪老狗杂种[2]。

焦　氏　真是！干儿！就说你妹妹，她死得屈：十五岁的姑娘，就卖进了那种地方，活活叫人折磨死。

仇　虎　（握着拳）那也是她“命该如此”。

焦　氏　可怜那孩子，就说她，怎么能怪大星的爹。大星的爹为你妹妹把那人贩子打个半死，人找不着，十五岁的姑娘活活在那种地方糟蹋了，那可有什么法子。

仇　虎　（颤栗）干妈，您别再提了。

焦　氏　怕什么？

仇　虎　多提了，（阴沉地）小心您干儿的心[3]会中邪。

焦　氏　（执拗地）不，虎子，白是白，黑是黑，里外话得说明白。我不能叫你干儿心里受委屈。你说你的官司打得多冤枉，无缘无故，叫人诬赖你是土匪。

仇　虎　八年的工夫，我瘸了腿，丢了地。

---

1 “他自己”川版作“他自个儿”。

2 “洪老狗杂种”川版作“洪老六狗杂种”。

3 “小心您干儿的心”原刊作“您小心干儿的心”。

焦　氏　是，这八年，你干爹东托人，西打听，无奈天高地远，一个在东，一个在西，花钱托人也弄不出你这宝贝心肝儿子，不也是白费了干爹这一番心。

仇　虎　（狠狠地）是，我夜夜忘不了干爹待我的好处。

焦　氏　（尽最后的力气来搬山，吃力地）虎子，就把你家的地做比，你也不能说你干爹心眼坏。是你爸爸好吃好赌，耍得一干二净，找到你干爹门上，你干爹拿出三倍价钱[1]来买你们的地，你爸爸还占了两倍的[2]便宜。

仇　虎　是我爸爸占了干爹的便宜。

焦　氏　嗯！（口焦舌干，期望得着效果，说服虎子，关心地）怎么样？

仇　虎　（点点头，不在意下）嗯，怎么样？

焦　氏　（疑虑地）虎子！[3]

仇　虎　（斜视）嗯，干吗？[4]

焦　氏　（忽然不豫）虎子，我费心用力说了半天[5]，你是口服心不服。

仇　虎　谁说我心不服。（神色更阴沉）

焦　氏　那么，你到这儿来干什么？

1　“三倍价钱”川版作“三份儿价钱”。

2　“两倍的”川版作“两份儿”。

3　原刊无此句。

4　原刊无此句。

5　“我费心用力说了半天”川版作“我说破了嘴讲了半天”。

仇　虎　我说过，（着重地）跟您报恩来啦。

焦　氏　（绝了望）哦！报恩？（忽然）虎子，我听说你早回来了，为什么你单等大星回来，你才来？

仇　虎　小哥俩好久没见面，等他回来再看您也是图个齐全——

焦　氏　（疑惧）齐全？

仇　虎　（忙改口）嗯，热闹！热闹！

焦　氏　（仿佛忽然想起）哦，这么说你是想长住在这儿？

仇　虎　嗯，侍奉您老人家到西天。（恶毒地）您什么时候归天，我什么时候走。

焦　氏　（呆了半天）好孝顺！我前生修来的。

〔半晌，风吹电线呜呜的声响，像是妇人在哀怨地哭那样幽长。

〔一个老青蛙粗哑地叫了几声。

仇　虎　（仿佛无聊，逼尖了喉咙，声音幽涩，森森然地唱起）"初一十五庙门开，牛头马面哪两边排，……"

焦　氏　（怕听）别唱了，（立起）你也该睡了。

仇　虎　（望望她，又继续唱）"……判官掌着哟生死的簿，……"

焦　氏　（有些惶惶然）不用唱了，虎子！

仇　虎　（当作没听见）嗯，"……青面的小鬼哟拿着拘魂的牌。……"（仇虎走开）

焦　氏　（四周静寂如死，忽然无名恐惧起来）虎子！（高声）虎子！你在哪儿？（四处摸索）你在哪儿？

仇　虎　（冷冷地望着她）这儿，干妈。（更幽长地）"……阎王老爷哟当中坐，一阵哪阴风……"

焦　氏　（恐怖和愤怒，低声）虎子，别唱了！别唱了！

仇　虎　“……吹了个女鬼来！”

焦　氏　（颤抖，恨极）虎子，谁教给你唱这些东西？

仇　虎　（故意说，低沉地）我那屈死的妹子，干妈。

焦　氏　哦！（不觉忽然拿起桌角边那支铁拐杖）

仇　虎　（狞笑）您还愿意听么？

焦　氏　（勃然）不用了。（扶着铁杖）

仇　虎　（看见那铁家伙）哦，干妈，您现在还是那么结实。

焦　氏　怎么？

仇　虎　您这支拐杖（想顺手抓来）都还用的是铁的。

焦　氏　嗯！（觉得仇虎的手在抓，又轻轻夺过来）铁的！（不动声色）我好用来打野狗的。

仇　虎　（明白）野狗？

焦　氏　（重申一句）打野狗的。（摸索自己的铁杖，忽然）虎子，可怜，你瘦多了。

仇　虎　（莫明其妙）我瘦？

焦　氏　可你现在也还是那么结实。

仇　虎　您怎么知道？

焦　氏　（慢慢拿紧拐杖，怪异地）你忘了你在金子屋里踢的我那一脚啦？

仇　虎　（警惕）哦，没有忘，干妈。您的拐杖可也不含糊。（大声狞笑起来）

焦　氏　（也大声跟着笑，脸上的筋肉不自然地痉拘着，似乎很随意地）你这淘气的孩子，你过来，干儿，你还不看你干妈脸上这一块伤，——

仇　虎　（防戒着）是，我来——（正向前走——）

焦　氏　（忽然立起，抓起铁杖，厉声）虎子，你在哪儿？（就要举起铁杖——）

仇　虎　（几乎同时掏出手枪对她，立刻应声）这儿，干妈。（眈眈望着焦氏，二人对立不动。仇虎低哑地，一字一字由齿间迸出来）虎——子——在——这儿，干妈。

〔静默。

焦　氏　（敏感地觉得对方有了准备，慢慢放下铁杖）哦！（长嘘一口气，坐下镇静地）虎子，你真想在此地住下去么？

仇　虎　（也慢慢放好枪）嗯，自然。咱们娘儿俩也该团圆团圆。

焦　氏　（蓦地又立起，森厉地）虎子，不成！（恨极）你明天早上跟我滚蛋。

仇　虎　（嘲弄地）这么说，干妈，您不喜欢我？

焦　氏　（也嘲弄地）不喜欢你？我跟你娶一房媳妇，叫你称心。

仇　虎　娶一房媳妇。

焦　氏　嗯，金子，我们焦家不要了，你可以带着她走。

仇　虎　我带她走？

焦　氏　嗯。

仇　虎　（疑虑，藐笑）您好大方？[1]

1　“您好大方？”川版作“您好大方！”。

焦　氏　你放心，虎子，你干妈决不追究。

仇　虎　可我要不走呢？

焦　氏　（暴恶地）你从哪儿来的，你还回哪儿去。我报告侦缉队来抓你。

仇　虎　抓我？

焦　氏　怎么样。

仇　虎　我怕——

焦　氏　你怕什么？

仇　虎　（威吓）我怕您——不——敢。

焦　氏　不敢？

仇　虎　"光着脚不怕穿鞋的汉。"你忘了我身后跟着多少冤屈的鬼。我虎子是从死口逃出来的，并没打算活着[1]回去。干妈，"狗急还会跳墙"，人急，就——。我想不用说您心里也不会不明白。

焦　氏　哦，（沉吟）那么，我的干儿，你已经打算进死口。

仇　虎　（坚决）我打算——（忽然止住，改了语气）好，您先让我想想。

焦　氏　（聆听）那么，有商量？

仇　虎　（斜眼望着她）嗯，有——商——量。

焦　氏　好，我叫金子出来，趁大星没回，你们俩再合计合计。（走到右边）

---

1 "活着"原刊作"活的"。

仇　虎　（嘲讽地）还是您疼我，您连大星的老婆都舍得。

焦　氏　金子！金子！（忽然回头，对仇虎）有一件事，你自然明白，你不会叫大星猜出来你们偷偷地一块儿走。

仇　虎　那我怎么会，我的干妈。

焦　氏　虎子，你真是我的明白孩子。（回头）金子！金子！金子！

〔金子由右门出。

焦花氏　干什么？

焦　氏　金子，你跟我烧一炷香，敬敬菩萨。我到那屋子替虎子收拾收拾铺盖。我还一个人念念经，谁也不许进来，听见了没有？

焦花氏　知道。

焦　氏　（走到左门前慢慢移向仇虎所在地）虎子，我进去了，你跟她说吧。

〔焦氏由左门下。仇花二人望一望，半晌。

仇　虎　你知道了？

焦花氏　我知道。

仇　虎　她让我们走。

焦花氏　（不信地）你想有那么便宜的事么？

仇　虎　（神秘地）也许就有。

焦花氏　（低声）虎子，我怕我们现在已经掉在她的网里了。

仇　虎　不会。哼，她送了我一次，还能送我第二次？

焦花氏　（关心地）你——你不该露面的。

仇　虎　（沉痛地）不，我该露面的。这次我明地来不暗地里走。我仇虎憋在肚里上十年的仇，我可怜的爸爸，屈死的妹妹，我这打瘸了的腿。[1]金子，你看我现在干的是什么事。今天我再偷偷摸摸，我死了也不甘心的。

焦花氏　可是（低声）阎王死了。

仇　虎　（狠毒地）阎王死了，他有后代。

焦花氏　可阎王后代没有害你。

仇　虎　（恶狠地望着墙上的像）阎王害了我。（忽然低声，慢慢地）金子，今天夜里，你可得帮我。

焦花氏　（掩住他的嘴）虎子！

仇　虎　怎么？

焦花氏　（由眼角偷望）小心他会听见。

仇　虎　她关了门。

焦花氏　不，他还在这儿。

仇　虎　谁？

焦花氏　（悸声）阎王。（二人回头望，阎王的眼森森射在他们身上，金子惧怖地）哦，虎子，（投在他怀里）你到底想我不想。

仇　虎　（热情地）金子，你——你是我的命。金子！

焦花氏　那么，我们快快地走吧，我不能再待这儿，虎子，我……我现在有点担心，我怕迟了，再迟了要出事情的[2]。

仇　虎　（预言地）事情是要出的。

1　此处川版有“还硬叫焦阎王强占了我的地！”。

2　“我怕迟了，再迟了要出事情的”川版作“我怕晚了，再晚了，要出事情的”。

焦花氏 我知道。可是……也……许，也许要应在我们身上。（忽然，恳切地请求他）虎子，我们什么时候走？虎子，你说，你说！

仇　虎 （沉静）今天半夜。

焦花氏 那么走吧，我们走吧。

仇　虎 （眼闪着恶恨，对前面）不，办完事着！！

焦花氏 可——可是晚了呢？

仇　虎 现在跑出去也没有火车。

焦花氏 火车？

仇　虎 嗯，我们办完事就走。外面下大雾，跑出去，谁也看不见，穿过了黑林子[1]，……

焦花氏 （有些怯）那黑树林？

仇　虎 嗯，黑树林，也就十来里地，天没亮，赶到车站，再见了铁道，就是活路，活路！

焦花氏 （半燃希望）活路！

仇　虎 嗯，活路，那边有弟兄来接济我。

焦花氏 那么，我们走了，（盼想燃着了真希望）我们到了那老远的地方，坐着火车，（低微地，但是非常亲切，而轻快地）“吐——兔——图——吐——兔——兔——图——吐——”（心已经被火车载走，她的眼望着前面）我们到了那黄金子铺的地，——

---

1 “穿过了黑林子”原刊作“穿过黑林”。

仇　虎　嗯，（只好随声）那黄金子铺的地。

焦花氏　（憧憬）房子会走，人会飞……

仇　虎　嗯，嗯。

焦花氏　大人孩子天天在过年！

仇　虎　嗯，（惨然）天天过年！

焦花氏　（抓着虎子的手）虎子！

仇　虎　（忽然）不，你别动！

焦花氏　干什么？

仇　虎　你听！

焦花氏　什么？

仇　虎　有人。（低声）有人！

〔二人急跑至窗前。

焦花氏　谁？谁？（谛听，无人应）没有！没——有。（望仇虎）今天你怎么？

〔这时窗外的草原上有"布谷"低声酣快地叫。

仇　虎　（不安地望望）奇怪，我总觉得窗户外面有人，外面有人跟着我。

焦花氏　（安慰他）哪里会？哪——里——（渐为"布谷"叫声吸住）你听！你听！

仇　虎　（抓起手枪）什么？

焦花氏　不，不，不是这个。你听，这是什么！（模仿"布谷"的叫声）"咕姑，咕姑！""咕姑，咕姑！"

仇　虎　哦,(笑了笑)这个! 它说[1]:“光棍好苦,快娶媳妇。”

焦花氏　(露出笑容,忘记了目前的苦难,模仿他)不,他说:[2]“娶了媳妇,更苦更苦。”

〔二人对笑起来。

焦花氏　(愉快后的不满足)以后我怕听不见“咕姑,咕姑”啦。

仇　虎　(诧异)为什么?

焦花氏　(愉快地)我们不是要走了么?

仇　虎　(忽然想起)嗯,走,对了。(阴郁地)可是今天半夜——

焦花氏　(脸上又罩上一层阴影,恐怖地)今——天——半夜——?(叹一口气)

仇　虎　怎么?

焦花氏　(哀诉地)天,黄金子铺的地方这么[3]难到么?

仇　虎　你说——

焦花氏　(痛苦地)为什么我们必得杀了人,犯了罪,才到得了呢?

仇　虎　(疑心)金子! 你——你已经怕了么?

焦花氏　(悲哀地)怕什么?(忽然坚硬地)事情做到哪儿,就是哪儿!

仇　虎　好!(伸出拇指)汉子!

焦花氏　还有多久?

---

1 “它说”原刊作“他说”。

2 原刊无“不,他说:”。

3 “这么”底本作“怎么”,据川版改。

仇　虎　（仰天想）我想也就只有两个钟头。

焦花氏　（低微地）两个钟头——时候是容易过的。

仇　虎　（疑虑，想试探她）可万一不容易过呢？

焦花氏　（抓着仇的手）虎子，我的命已经交给你了！

仇　虎　（被感动）金子，你——（眼里泛满了泪水）我觉得我的爸爸就在我身边，我的死了的妹妹也在这儿，她——他们会保佑你。

焦花氏　可是（吁一口气）为什么今天呢？

仇　虎　怎么？

焦花氏　（同情地）可怜，大星刚回来。

仇　虎　（阴沉地）嗯，等的是今天，因为他刚回来！

焦花氏　（嗫嚅）可是，虎子，为——为什么偏偏是大星呢？难道一个瞎子不就够了。

仇　虎　不，不！死了倒便宜她，（狠狠地）我要她活着，一个人活着！

焦花氏　（委婉地）不过大星是个好人。

仇　虎　（点头）是的，他连一个蚂蚁都不肯踩。可——（内心争战着[1]）可是，哼，他是阎王的儿子！

焦花氏　（再婉转些）大，大星待你不错，你在外边，他总是跟我提你，虎子，他是你从小的好朋友，虎子！

仇　虎　（点头）是，他从前看我像他的亲哥哥。（咬住嘴唇，忽然迸

1　“内心争战着”川版作“内心争斗着”。

出）可是现在，哼，他是阎王的儿子。

焦花氏　（耐不下）不，仇虎！不成，你不能这样对大星，他待我也不错。

仇　虎　（贸然）那我更要宰他！因为他——（低沉，苦痛地）他是阎王的儿子。

焦花氏　（忽然）那你现在为什么不动手？为什么不！

仇　虎　（挣扎，慢慢地）嗯，动手的，我要动手的。（点头）嗯，我要杀他，我一定杀了他。

焦花氏　（逼进一层）可是你没有，你没有，你的手下不去，虎子。

仇　虎　（极力否认）不，不，金子！

焦花氏　虎子，你说实话，你的心软了。

仇　虎　（望着空际）不，不，我的爸爸，（哀痛地）我的心没有软，不能软的。（低下头）

焦花氏　（哀恳地）虎子！你是个好人！我知道你心里是个好人，你放了他吧！

仇　虎　（慢慢望着前面，幽沉地）金子，这不成，这——不——成。我起过誓，我对我爸爸起过誓，（举拳向天）两代呀，两代的冤仇！我是不能饶他们的。

焦花氏　（最后的哀求）那么，虎子，你看在我的分上，你把他放过吧！

仇　虎　（疑心）看在你的分上？

焦花氏　嗯，（不顾地）就看在我的分上吧！

仇　虎　（忽然狞笑，慢慢地）哦，你现在要帮他说话啦？

焦花氏 （惊愕，看出仇虎眼里的妒恨）你——你为什么这么看我？你——

仇　虎 （蓦地抓住她的臂膊，死命握紧，前额皱起苦痛的纹）你原来为——为着他，你才——

焦花氏 （闭目咬牙，万分痛楚）你放开，虎子，你要掐死我。

仇　虎 （放下手，气喘，望得见胸间起伏，他抹去额上的汗，盯着她）你原来为着他，你才待我这样。现在你的真心才——才露出来。

焦花氏 （望着他）你怎么这样不懂人心？

仇　虎 不懂？

焦花氏 （忽然，真挚地）难道我不是人么？掐了我，我会喊痛；抠了我，我会说痒；骂了我，我会生气；难道待我好的人，我就对他没有一点人心？在他面前，我跟你说，不知为什么我真是打心窝里见着他厌气，看不上他，不喜欢他，可是背着他替他想想，就不由得可怜他，（轻微而迅快）唉，没法办他，（怜悯地笑）有时还盼着我走后还有个人来，真疼他。（看仇）哼，跟他做白头夫妻，现在说什么我也不干，可是像你说的，眼睁睁地要他——，你想，我怎么忍心！你——虎子，你难道忍心？

仇　虎 （叹一口气）是，金子，你的话不错。大星看我是他的好朋友，什么事都不瞒。我就是现在，他对我也还是——（停止，忽然）哼，不是为着他那副忠厚的脸，哦，前两个钟头，我就——

焦花氏　（拉住仇的手）那么，我们先走吧，还是把他——

仇　虎　不不，那——我仇虎怎么有脸见我这死去的老小。不，不成！那，那太便宜阎王了。

焦花氏　（废然）虎子，那你怎么办呢？

仇　虎　（沉思着）我现在想，想着怎么先叫大星动了手，他先动了手，那就怪不得我了。

焦花氏　（惊愕）什么？你叫他先——先来害——害你？[1]

仇　虎　嗯。我知道我一手就可以把他像小羊似地[2]宰了。可是（叹一口气）我的手就——就下不去。

焦花氏　（想着仇虎说的话，惧怕地）可是，虎子，万一你不成，你叫他先就——

仇　虎　（摇头）那不会的，你放心，那不会的。

焦花氏　（忽然大怖，抱着仇虎，躲在他的怀里）不，那不成，虎子，万一，我的虎子，你——，那我就太可怜了。

仇　虎　（一面安慰，一面推开她）别，别，别。金子，别这样。（忽然）金子，你听。

焦花氏　什么？（倏地推开他）

仇　虎　有人！

焦花氏　（惧怕地）不会是大星！

仇　虎　我们看！

1　此句原刊作“你叫他先——先来害你？”。

2　“小羊似地”川版作“小鸡子似的”。

〔中门开启，焦大星上。大星有些张皇，左右探望，妒恨在胸里燃烧，眼睛布满红丝，头发散乱，声音有些哑，现在总觉得人背后讪笑他，似乎事情已经由金子报复似地乱说出来。他望着金子，是恨恶，是爱慕不得的痛苦，两种心情在他心里搅动着，使他举动神色都有些失常。他望着屋内两个人一丝不动，他沉郁地立在门口，胸前藏着一把刀，见着金子不自主地手摸上去。自己又仿佛觉出自己在做着怪异的举动，他又把手垂下来，望着这两个口悸目呆的人，自己似乎笑，又像哭的样子。仇虎望见他，本能地把手又放在那搁放枪的口袋里。

焦大星　（对仇虎）哦，原来你们两个在这儿。

仇　虎　（望金子，不语）

焦大星　（望着金子）妈呢？

焦花氏　在她屋里。（低下头）

焦大星　（疑惑）你跟虎子谈些什么？

焦花氏　不谈什么。

焦大星　（跌坐在方桌旁，长呼出一口气）唉！（望着仇虎一肚子的苦痛）虎子，（觉得金子在旁望着她）拿酒来！

焦花氏　（劝诫地）大星！

焦大星　拿酒来！

〔花由香案后取出酒瓶，放在桌上。

焦花氏　（不安地）仇大哥，（暗告他）大星喝多了，您多照应着他一点。

仇　虎　（点点头，眼睛关照她）不要紧，弟妹！

焦花氏　（盯着大星）大星，我走了。

焦大星　（望望花氏，没有答声）

仇　虎　您——您去吧，弟妹。

〔花氏由右门下。

焦大星　（待她出去）虎子，你先坐下。（还没有待仇虎坐好，忽然）虎子，你刚才那么看我做什么？

仇　虎　（镇静）我没有。

焦大星　（以为花氏对仇虎诉委屈，把方才的丑事漏露出一些。疑忌地）那么，你看她做什么？

仇　虎　（吃了一惊）我看她？（沉重）你说弟妹？怎么？

焦大星　（苦痛地抓着自己的前额）哦，我的头，头里面乱哄哄的。（倒酒）虎子，刚才，我走了，我的妈跟你没谈什么？

仇　虎　（望望阎王的像，决然）嗯，谈谈，谈你，谈我，还谈到金子！

焦大星　（触了电）哦，金子！（立起）她说什么？她告诉你什么？

仇　虎　（不得已）什么事？

焦大星　（手在空中苦痛地乱绕，嗫嚅）金子，金子，她——她——（看见仇虎的脸没有反应）那么，她没有跟你提——提到金子今天在她屋里，在她屋里，她——。（忍不住，扑在桌上低叫）虎子，你说她……她……她会对我这样，做……做出来这样的事！你说，（敲着自己的头）我怎么办？我怎么办？

仇　虎　（慢慢地）什么，你说什么？

焦大星　（望着仇虎，挥挥手，羞惭地）没有什么，没有什么，我喝多了。（又喝一杯）

仇　虎　大星！喝酒挡不了事情。

焦大星　我知道。可是你不明白，我刚才一看见她，我心里难过[1]发冷，仿佛是死就在我头上似的[2]。

仇　虎　（惊异）为什么？

焦大星　（嘘出一口的酒气）也——也说不上为什么。（忽而，偷偷地）喂，你看见刚才金子看我的那个神气么？

仇　虎　（低下头）没有看见。

焦大星　她——（低声）她看着我厌气，我知道。

仇　虎　为什么？

焦大星　娶了她三天，她忽然地跟我冷了，我就觉出来[3]是怎么回事，我不敢说。我总待她好[4]，我跟她弄这个，买那个，为她吃了许多苦。今天她，她居然当——当面跟我说，说她现在另外有一个人……她要走！（拍着桌子，辛酸地）这太——太难了，太难了。（倒酒）

仇　虎　（激动地）大星，该动手就动手，男子汉，要有种！

1　原刊无“难过”。

2　“仿佛是死就在我头上似的”原刊作“仿佛难过得像是死就在我头上似的”。

3　“我就觉出来”川版作“我就觉出来了”。

4　“我总待她好”原刊作“我说待她好”。

焦大星　没有种?（放下酒瓶，望仇虎，七分酒意）你看看我是谁!

仇　虎　（低沉地）你是谁?

焦大星　（指着墙上的相[1]）阎王的儿子。

仇　虎　那么，你预备怎么样?

焦大星　我要把那个人找出来。

仇　虎　找出来你怎么样?

焦大星　我要（倏地取出尖刀，低沉地）杀了他!（插在桌上，举起酒杯）

仇　虎　大星，你放下酒杯!

焦大星　（不懂）干什么?

仇　虎　（大声）你放下!（阴沉地）你看看我看看我是谁。[2]

焦大星　（放下酒杯，打量仇虎）你是谁?

仇　虎　（点头[3]）嗯。

焦大星　（坦白地）你是我的——好朋友。（看了半天，恍然明白）哦，虎子，你要帮我；你想帮我来抓他，是不?你怕我动不下手，你怕我还是从前那个（嘲弄自己）"窝囊废"，（更痛恨地）还是那个连蚂蚁都怕踩的"受气包"?哼，这次我要给金子看看，我不是，我不是!我要一刀——，你看，我要叫她瞧瞧阎王的种。

---

1 "相"川版作"像"。

2 此句原刊作"你看看我是谁"。

3 原刊无"点头"。

仇　虎　可是，大星，你没有明白——

焦大星　（感激地）我明白，我明白。虎子，我们是（用手比高矮）这么大的朋友，你是个血性汉子，我知道。吃了官司，瘸了腿，哼都不哼，现在你自己的事都没有完，又想把人家的事当作自己的管。

仇　虎　（不忍再往下说）我，我，大星——

焦大星　你吃了官司，我爸爸只让我看了你两次[1]，再找你，你就解走了。上十年找不着你。今天见了你，你还是我的热诚哥儿们。可是虎子，许你待你老弟好[2]，就不许你老弟也有点心么，虎子，这是我的一件丢——丢人的事，我不愿意别人替我了。（“了”作“了结”解[3]）不过我找着他，万一对付不了他，我不成了，虎子，我死后你得替我——

仇　虎　嗯，——可是——

焦大星　那你不用说，我知道。万一我有了长短，虎子，我——

仇　虎　可你应该认认他是谁？你……你为什么不问问金子！

焦大星　（恨恨地）金子护着他，不肯说，不过我一会儿还要问她，她不说，一会儿白傻子会告诉我的。

仇　虎　什么？你刚才找了白傻子？

焦大星　我托人找了他，他就来。白傻子回头跟我一同去找，傻子

1　“我爸爸只让我看了你两次”川版作“我求我爸爸，我看了你两次”。

2　“许你待你老弟好”原刊作“许你待你老弟的”。

3　原刊无此句。

认识他。

仇　虎　哦，（沉吟）他什么时候来？

焦大星　就来。

仇　虎　来了呢？

焦大星　就走。

仇　虎　那么，你喝多了，糊涂了。

焦大星　糊涂了？

仇　虎　事情用不着那么费事，你不明白。

焦大星　（不信地）那么，你明白？

仇　虎　嗯。

焦大星　你说说。

仇　虎　（斜看桌上插着匕首）你先把这个要脑袋的家伙收起来，这么搁着我看着有点胆战，说不出话。

焦大星　（望着觉得仇虎开玩笑[1]，也笑出来）唏，笑话！（顺手把匕首放在腰里）

仇　虎　笑话？好，就当作笑话说吧[2]。可是这个笑话不一定叫你笑[3]。（忽然严肃地说[4]）这个笑话[5]，（长嘘出一口气）大星，咱哥儿

---

1 “望着觉得仇虎开玩笑”川版作“望着仇虎，觉得他是开玩笑”。

2 “就当作笑话说吧”原刊作“就把它当作笑话说吧”。

3 “不一定叫你笑”原刊作“并不一定叫你笑”。

4 “严肃地说”原刊作“严肃地”。

5 “这个笑话”原刊作“这个笑话以先”。

俩先得喝它一盅热烧酒。（拿起酒杯）这盅酒喝下去，你我的交情，（拍大星的肩）大星，……

焦大星　（莫明其妙，拿起酒杯）怎么？

仇　虎　好，也像这酒似的，（手势做出流入肚里，蒸发化成了乌有）变成什么就算什么吧。大星，干！

焦大星　（不知用意所指，低微）干！

仇　虎　大星，从前有一对好朋友，一小就在一处，就仿佛你我一样。

焦大星　哦，也一兄一弟？

仇　虎　嗯，一兄一弟！两个都是好汉子。偏偏那小兄弟的父亲是个恶霸，仗势欺人，压迫好百姓。他看上那老大哥的父亲有一片好田产，就串通土匪，硬把老大哥的父亲架走，活埋，强占那一大片好田地。

焦大星　你说的是谁？

仇　虎　你先听着！后来那小兄弟的父亲生怕那死人的后代有强人，就暗暗打通当地的官长，诬赖死人的儿子是土匪，抓到狱里，死人的女儿就由他变卖外县，流落为娼。

焦大星　可是那个朋友，小兄弟呢？

仇　虎　他不知道，他是个“傻子”，叫他父母瞒哄，满不知情，那老大哥自然也就不肯找他。

焦大星　你……你说的跟，跟我们现在的事有什么关系呢？

仇　虎　你慢慢地听啊！后来那个老大哥不要性命，逃回来了，瘸了一条腿，（星不觉望着仇的腿）嗯，就像我现在的腿一样。

焦大星　他怎么跑得回来？

仇　虎　唉！两代的冤仇在心里，劈天，天也得开。他要毁他仇人一家子。

焦大星　（猜不出用意）不要朋友了。

仇　虎　（低愤）朋友？世界上什么东西叫朋友？接二连三遭遇了[1]这样的事，在狱里活受快上十年，上十年的地狱呀！他什么心都死了。他回来心里就有一个字。

焦大星　（为仇虎的热情吸住）什么？

仇　虎　恨！他回到那个老地方，他忽然看见他从前下了定的姑娘也嫁给他仇人的儿子。

焦大星　就那个小兄弟？

仇　虎　嗯。

焦大星　（纯真地）你这笑话越说越不像真的。

仇　虎　（翻翻眼）谁说不是真的？

焦大星　那么，那个小兄弟怎么能要她？

仇　虎　（冷冷）他不知道！

焦大星　怎么，他又不知道？

仇　虎　是啊，（望着星）我也奇怪呢！可是他妈看他是个奶孩子，他爸当他是个姑娘。（望望大星耳上的环子，大星不自主地摸着那耳环）他媳妇也不肯把真事告诉他，因为他媳妇从那天嫁他起就看不上他，嫌他。

1　“遭遇了”原刊作“遭过了”。

焦大星 （同情地）什么，她也嫌他。

仇　虎 嗯，你听，那回来的人看见这小媳妇第一天，嗯，第一天，（狠心）就跟她睡了！

焦大星 什么？就……就那朋友？

仇　虎 （迸出）朋友？朋友早没有了！朋友就是仇人，我告诉你，（感情沸腾，激动得几乎说不成话）他的心只有恨，他专等着他那小兄弟等了十天，他想着一刀——（迅疾地）那家伙回来了，（望着星）两个人见了面，可是那家伙（疯狂地）是个糊涂虫！他朋友把他的媳妇都——都睡了，他还不明白，他还跟他讲朋友，论交情，他还——

焦大星 （立起，倚着桌角，愤急）什么，你——

仇　虎 （握紧拳头，狠毒地）大星，我跟你说，我仿佛就是那个老大哥，你仿佛就是——

〔花氏由右屋跑出来。

焦花氏 虎子，别说了，（指大星）他，他——

焦大星 （眩惑）怎么，你……是你！虎子！

仇　虎 （盯着他，阴沉地）你看明白了没有。

焦大星 不会的，不会的。金子，（抓着她的肩膀，摇撼）你说，你说，是他么？

焦花氏 （望着星，不说话）

〔外面狗蛋在喊“焦大妈！焦大妈！”，打着灯笼由中门跑上。

白傻子 大妈！大妈！有人找你！（直向左屋跑）

焦大星 （一把抓住白傻子）狗蛋，你为什么早不来？你看，（指仇虎，颤抖）是——是他么？

白傻子 （望见仇虎，奇怪又在此地碰见他，仿佛遇着了老朋友，先惊后喜，张着大嘴）哦，是漆叉卡叉呀，是，就是他！（说完回头向左屋）焦大妈，焦大妈！（由左屋下）

〔半晌。

焦大星 （忽然举出匕首）虎子，你——

仇　虎 （防备）大星，你先来吧。

焦花氏 （靠着仇虎）大星，你——你放下刀。

焦大星 （由牙齿间迸出）金子，你，你会喜欢他！

焦花氏 嗯，（横了心）我喜欢他，我就喜欢他这一个。（闭上眼，等星[1]动手）

焦大星 （中了创伤）哦，金子，[2]把刀给他吧。你这一句话比用刀刺了我[3]可还厉害。

仇　虎 （不由得）大星！

焦大星 （挥挥手，对仇虎）你——你先给我出去。（颓然坐在凳上）

〔白由左屋出。

白傻子 （摇着头，诧异地）焦大妈，不——不在屋。

仇　虎 咦，她刚才还在屋里。

白傻子 （摇头）没！没有。

---

1 “星”底本作“仇”，据川版改。

2 此处原刊有“你”。

3 “刺了我”川版作“捅了我”。

仇　虎　干什么?

白傻子　（怯惧地）不，不干什么。

仇　虎　你说!

白傻子　有！有人找她。

仇　虎　谁。

白傻子　他不叫我告诉你。

仇　虎　你跟我来。（拉着白，一同由中门下）

〔半晌。

焦大星　你——你现在还有什么说的。

焦花氏　（失望的神色）没有。

焦大星　金子，你现在想怎么样吧。

焦花氏　（呆若木石）想走。

焦大星　（忽然立起）怎么，你想走？金子。（拉她的手）

焦花氏　（一个人面向大星，他[1]更怨望，更厌恶，大星的手碰着她，有若生了癞疮一样，她喊起）你——你别碰我。

焦大星　（吃了一惊）你怎么?

焦花氏　我厌气!（忽然）你刚才为什么不动手!

焦大星　金子!

焦花氏　你这个“窝囊废”!

焦大星　哼，你不要装，你心里喜欢。

焦花氏　我不，我不。（低低地）那个时候，我横了心，你还不先动

---

1 “他”川版作“对他”。

手，先动手——

焦大星 （有一线希望便想汲起已失的爱恋）金子，那么方才你说的话是假的。

焦花氏 （憎恨地）假的，天是假的，地是假的，你的媳妇跟人家睡了觉会是假的？

焦大星 （痛苦万分）哦，你这不要脸的贼东西，狐狸精。（拿起匕首，向她来）

焦花氏 （昂头）你杀。你杀，你杀不下去，你不是你爸爸的种。

〔星走到她面前。

焦大星 （恶狠地举起匕首，睁圆了眼）金子，你看错了我。你看，（向下刺）我这一下子——

焦花氏 （觉得情形可怖，本能地用手挡着他的腕。但是已经破了手背，流出血，喊出）你真——（推开他的腕，跑）

焦大星 （脸上冒油）我真——（追去）

〔花氏围绕方桌躲，星在后面赶。

焦花氏 （一面跑，一面喊）虎子，虎子！

焦大星 （一面追，一面说）你跑不了，他走了，他不要你了！

〔星把花氏逼到墙角，抓着花氏。

焦花氏 （狂喊）虎子！虎子！

焦大星 （额上跳起青筋）你——你还喊他！你还喊——他！（举起匕首，向下——）

焦花氏 我，我的大星，你真忍心把我——（闭上眼）

焦大星 （俯视花氏的脸，下不了手，哀怜地摇头）哦，金子，是你真忍心。（慢慢把匕首平放在自己的胸前）你——你怎么这样[1]待我？你怎么忍心做出这样的事情。

焦花氏　（慢慢睁开眼）大星，你怎么了！

焦大星　（又举起匕首，花氏又闭上眼）我要把你的心一刀——（忽而颓然放下刀，花氏望着他。哀求地）哦，金子，我求求你，你不能这样没有良心。

焦花氏　（明白他到底是那么一个人）怎么？

焦大星　（乞求地望着她）你别走。

焦花氏　我是你的媳妇，我能上哪儿去？

焦大星　我说你的心别走。

焦花氏　哦，你要——

焦大星　金子，你说成不成？金子，你不应该做出这样的事，我待你不错。金子，我求求你，过去的我不提了，你答应我，你同那个，你同他从现在起就算完，完了。

焦花氏　完了？

焦大星　嗯，完了，我明天打发他走，就当没有这么一件事。金子，我什么都可以依着你。你要衣服，我跟你从城里买；要首饰！我可以托人带；你要钱，我的钱都交给你。

焦花氏　嗯，可是——

焦大星　你不知道我没有你，我没有你就是什么都没有。你不能跟我三心二意的。你说妈不好，我们想法，我们想法子。

1　“这样”原刊作“这么”。

我——我可以叫她不跟你找别扭。我，我可以跟她闹。哦，我可以不理她。哦，你再不成，我们就一块走。我跟她分！分开了过都可以的。

焦花氏 可是（绝望地）你要了我，你图什么呢？

焦大星 嗯，我……我要你，你不知道我多么——[1]。

焦花氏 可是你要我干什么，我在这儿苦，我苦你不也苦，你苦，我不是也苦么？

焦大星 那么，金子，你不肯听我的。

焦花氏 我不是不听你的。我是替你想。我知道，你丢不开你的妈，你妈也丢不开你。你妈跟我，你明白，是死对头。今天妈为着我跟你吵，明天我为着妈也跟你吵，这么，白日夜里，她恨我，我恨她，你在中间两边讨不着好[2]不也太苦了么？

焦大星 那么，你一定要走？

焦花氏 我没有说。

焦大星 （痛苦地）你一定要跟他走。

焦花氏 我……我没有。

焦大星 （怨望地）你骗我。

焦花氏 （没有办法）我没有。

焦大星 （坚执）你打心里说，我要你打心里说，你对我怎么样。你别再骗我。

---

1 “你不知道我多么——”原刊作“你不知道我多么喜欢你”。

2 “讨不着好”原刊作“没有法子”。

焦花氏 你要我从心里说。

焦大星 （烦絮地）告诉我你对我怎么样。你对我怎么样？对我怎么样？怎么样？怎么样？[1]

焦花氏 你要我说？

焦大星 （坚执地）嗯。

焦花氏 那么[2]，（望着大星）我爱你，我痛你。我恨不得整天搂着你，叫你；拍着你，喊你；亲你，舐你。我整夜把你放在怀里[3]抱着你，把你搁在嘴里含着你，一年三百六十天，天天从早到晚都忘不了你，梦你，想你，念你，望你，盼你，说你，讲你……

焦大星 （拍着桌子）别说了，别说了！金子！

焦花氏 你现在听着舒服了吧。

焦大星 （望着前面）哦，天哪！为什么一个男人偏偏非要个女人整天来苦他呢。

焦花氏 问你呢。可我要是你呀，……

焦大星 怎么，金子！

焦花氏 我一定把女人杀了。

焦大星 （绝望，摇头）那你不是男人。

焦花氏 那么就不理她，让她走。

---

1 “你对我怎么样？”以下原刊无。

2 “你要我说？”以下原刊作“你要我说？那么”。

3 “把你放在怀里”原刊作“放你在怀里”。

焦大星 让她走？不，不成，金子，你不能走。你还有个孩子，没了妈的孩子。

焦花氏 那孩子不是我生的。

焦大星 那么，金子，你还有我。我要你，我是你的（咽气）爷儿们[1]，你不能走。

焦花氏 爷儿们[2]不是我挑的。

焦大星 那么，你不怕人说你，骂你，日后官来抓你。

焦花氏 不用讲了，你要不让我走，你还是像刚才，你拿刀来，我人还可以不走。可你不能整天拿家伙来逼我，所以我早晚还是要走的[3]。大星，我是野地里生，野地里长，将来也许野地里死。大星，一个人活着就是一次。在焦家，我是死了的。

焦大星 那么，你什么都不顾，什么都不想了。可是金子，你总应该[4]想想我待你这一点恩情，我待你不错，你总知道。

焦花氏 （点头）我知道。

焦大星 那么，我再求你一次。（肃穆地）这次，金子，我跪着来求你。金子，你长得这么好，你的心里总该也不能坏[5]，你不能

---

1 “我是你的（咽气）爷儿们”原刊作“我是你的丈夫”。

2 “爷儿们”原刊作“丈夫”。

3 “我早晚还是要走的”原刊作“我必得还是要走的”。

4 “你总应该”原刊作“你说应该”。

5 “也不能坏”原刊作“也不坏的”。

一点心都没有。你看,([1]跪下，沉痛地）我这么大的人在你面前跪下，你再想想，你刚才做了什么事，你做了妇道万不应该做的事。可是，金子，我是前生欠了你的债，我今生来还，我还是求你，求你千万不要走。你做的，我都忘了，虎子对不起我，我也忘掉，我给他钱，让他走。现在就看你，就看你!

焦花氏 不，你起来。

焦大星 （立起）怎么样。

焦花氏 （坚决）不!

焦大星 （哀痛地求她）不过，金子，你怎么会看得上他。那个丑——丑八怪，活妖精，脑袋像个大冬瓜，人像个长癞的活蛤蟆，[2]腿又瘸，身子又——

焦花氏 那你不用说，我都知道，我喜欢他，我还是要跟他走的。

焦大星 什么，你还是跟他走。

焦花氏 嗯。

焦大星 为什么?

焦花氏 他待我好。

焦大星 （呆滞）哦！就十天？[3]

---

1 此处原刊有“沉痛地”。

2 川版无“脑袋像个大冬瓜，人像个长癞的活蛤蟆,”。

3 原刊无“就十天?”。

焦花氏 （横了心）十天我已经离不开他[1]。

焦大星 （机械地）离不开他？

焦花氏 嗯！

焦大星 （忽然疯狂地）那么，只要你在这儿，我可以叫他来，我情愿，我不在家的时候，你……你……可以跟他——[2]（说不下去）

焦花氏 （阴郁）什么？[3]

焦大星 为……为着你，我……情愿！[4]

焦花氏 （爆发[5]）你放屁！

焦大星 怎么！

焦花氏 （恨恶到了极点）你当我是个猪啦[6]，你这个天生的王八！

焦大星 什么？

焦花氏 你这个死乌龟！

〔星一掌掴在花氏的脸上。

焦大星 你！（望着花氏，满眼眶的泪。闭上眼，泪水流下来。痛恨自己）我太爱你了。你真不配。（睁开眼）好，金子，你想跟他走么？你走吧。

---

1 “十天我已经离不开他”原刊作“我离不开他”。

2 原刊无“可以跟他——”。

3 此句原刊作“什么？（阴郁）”。

4 “情愿！”原刊作“情”。

5 原刊无“爆发”。

6 原刊无“啦”。

焦花氏　（不动声色[1]）怎么样？

焦大星　我杀了他！

焦花氏　你不敢。

焦大星　我干不了，侦缉队会干了他的。

焦花氏　什么，你告了侦缉队。

焦大星　嗯，（故意咬定[2]）告了。

焦花氏　（恨恶地）可是我们总会离开这个门的。

焦大星　嗯，只有一个法子。

焦花氏　什么？

焦大星　你们先害死我！

〔焦氏由左门上。

焦　氏　你们在这儿又嘁喳什么？

焦花氏　（惊怪焦氏由左门出）咦，您不是不在屋里么？

焦　氏　谁说我不在屋里？屋里没有第二个门，我上哪儿去。

焦花氏　您没有瞅见狗蛋进去找您。

焦　氏　狗蛋，哦！

焦花氏　嗯？

焦　氏　虎子呢？

焦花氏　刚出去。

焦　氏　谁叫他出去啦？谁放他出去啦。

1　原刊无“不动声色”。

2　原刊无“故意咬定”。

〔仇虎由左门上，花、星吃了一惊。

仇　虎　（狡黠地）没有出去，干妈，我也在屋里呢。

焦　氏
焦花氏　（同时）怎么？

仇　虎　我刚才从外边回来，正看见干妈也在外边，正在爬着屋里的窗户进来，我想，老的都不嫌费事！小的怕什么麻烦，我也就爬着窗户进来了。

焦　氏　哦，那么，（不自然地[1]）也好，就让你在我屋里，我在外边，金子，你把被都弄好了么？

焦花氏　嗯。

焦　氏　那么，你们都进屋睡去吧。

〔白傻子由中门忙跑进。

白傻子　大妈，大妈。

焦　氏　怎么？

白傻子　常五，常五！

焦　氏　不用说了。

白傻子　（怯惧地）他——他又要找您出来。

仇　虎　（明白一半）常五？

〔孩子哇的一声又从梦里大嚎起来。

焦　氏　去！去！你们睡吧！睡吧！孩子又叫你们吓醒了。

〔花氏与焦大星入右屋，仇虎入左屋。

1　原刊无“不自然地”。

焦　氏　（对着狗蛋）滚！这傻王八蛋[1]！

〔光渐暗，舞台全黑。十秒钟后，舞台再亮，已经过了一小时，正是夜半。焦家的人都睡了，由左屋里传出仇虎的鼾声，右屋里大星睡着了，不断因为梦着噩梦，低低呻吟着。台上方桌的油灯捻下去，屋里更暗了，神前的灯放射昏惨惨的暗光[2]。在黑影里焦氏坐在一张凳上，拍抚着孩子。旁边搭好一张狭木板床，上面铺着被褥。焦氏心里有事，方才躺在床上，又起来。外面有低低唱着的"布谷"，清脆而愉快的，但是只叫了一刻又不叫了。空中轻微地振动起辽远的电线可怖的呜呜声响。

焦　氏　（谛听着左面的鼾声，一面拍着孩子）嗯！——嗯，小黑子睡觉觉。嗯——嗯——嗯。（声音更低）睡呀——睡觉觉，嗯——嗯——嗯。（立起，耳伸向左面仔细听，走两步，口里还在——）嗯——嗯——嗯。

〔中门外有人低低敲门。

焦　氏　（摸到中门前）谁？

外面人声　我——常五。

焦　氏　进来。

〔常五进，披着一件黑衣服，手提着红灯笼。

焦　氏　（低声）慢点。

---

1 "这傻王八蛋"原刊作"笨货"。

2 "暗光"原刊作"亮光"。

常　五　（怯惧地，指左边）怎么虎——虎子睡着了么？

焦　氏　你听？

常　五　（听见鼾声甚熟，快慰地）他睡死了。

焦　氏　（红灯反照着她的阴森森的脸）怎么样？

常　五　（回头望望）我已经报了队上。

焦　氏　这次你真去了？

常　五　自然是，他——他们说就来。

焦　氏　就来？

常　五　（讨好地）就来！（忽然贪鄙地）可是焦大嫂那悬——悬的赏，那一百五十块钱。

焦　氏　都归了你。

常　五　（想不到）您，您不要？

焦　氏　嗯，（阴沉地）赶快只要早除了[1]我心上这一块祸害。（忽然）怎么，怎么队上还不见人来呢。

常　五　快——快了。他们说人少，办不了他。他们说顶好是个死的。省得费事。

焦　氏　（忽然闪出一个主意）什么？死的他们也要？

常　五　队上说的，“死活一样！”打死他，不偿命。可是（吝啬地）死的就一——一百块。

焦　氏　（咬紧牙）哦，打死不偿命！

常　五　（不明白）怎么？

1 “赶快只要早除了”原刊作“要赶快除了”。

焦　氏　常五，你先跟我出去。

常　五　出去。

焦　氏　看看人来了没有？

〔常五与焦氏由中门下。花氏由右门持烛火进，她穿一身血红色的紧身，头发散乱，眼里闪出惧人的凶光，她把手里的小包袱放在案上。慢慢走到左门旁，忽然打了一战，她回首向中门望去。正在这时，仇虎由右门出来，上身没有衣服，胸前黑茸茸的，筋肉紧张地暴出来。宽大的“腰里硬”斜插着半裹了红布的手枪，他一手拿着蓝布褂，一手轻轻向花氏肩上拍去。

仇　虎　（低声）嗯！

焦花氏　（吓得几乎叫起来，回头）啊！是你，可吓死我。

仇　虎　（急迫地）把蜡烛吹灭。

焦花氏　怎么，瞎子看不见。

仇　虎　有人有眼睛的。

焦花氏　哦，常五！（赶紧把烛吹灭）

仇　虎　（严肃地）好黑！（二人屏息对立）

焦花氏　（在黑暗里，急促地）事情更紧了。

仇　虎　（森厉地）我知道。他们报了侦缉队。

焦花氏　哦！（痛恨地）那么，大星说的话是真的。

仇　虎　哦，大星他也在内？

焦花氏　他说过，他说过。

仇　虎　这么说，连他也完了。

焦花氏 我怕我们逃不了，他说他死也不肯放了我们。

仇　虎 （警悟地）那么时候到了。

焦花氏 （拉着仇的手，盼望地）你是说，应该走了？

仇　虎 不，（眼里闪出惧人的凶光）该动手了。

焦花氏 （恐怖地）虎子，你真地要——

仇　虎 （点头）一辈子有几回这样的假事。（指摇篮）你把孩子抱进屋里。

焦花氏 （走至摇篮前，望着仇）为——为什么？

仇　虎 这孩子闹得怪，万一醒了，哭起来害事。

焦花氏 （抱起小黑子）可是虎子——

仇　虎 （挥她去）先把孩子抱进屋里。

〔花抱孩子由左门下。仇虎四处搜寻，没有获得，正寻觅中，花氏由左门上。

焦花氏 你干什么？

仇　虎 （望着花氏，忽然想通。指着前面）你看见了么？

焦花氏 什么。

仇　虎 （森森然）我的父亲就在这儿。

焦花氏 （低声，急促地）虎子。

仇　虎 （仿佛在看见了什么）他叫我去，他告诉我屋里有一把攮子。

焦花氏 （故作不知[1]）一把攮子？

1　原刊无“故作不知”。

仇　虎　（望着花氏）他说就在我眼前[1]。

焦花氏　（不自主地由怀里掏出来那把匕首）虎子，我——

仇　虎　（伸手）拿给我。

焦花氏　（先不肯，望着仇的脸，忽然，悍野地）好，拿去吧。快快地了！（此地“了”作“完结”解。[2]）

仇　虎　（谛声）他睡着了？

焦花氏　（低头，微细睡）我——我哄他着（“睡熟了”的意思。[3]）了。

仇　虎　你给我看着外面。（向右门[4]蹑足走，低微地）大星！大星！（里面仿佛呻吟，说着呓语，对花氏）你听！

〔里面：（闷塞而急促地）……快！……快！金子（无力地）我的刀，我的刀。（痛苦地）金子！（模糊[5]下去）金子！……

焦花氏　（耳语）这是他——他在梦里发呓怔。

仇　虎　好可怕的梦话。（探向右门口[6]，低声）大星。

〔里面：（幽然长叹）好黑！好黑！（恐怖地呻吟）好黑的世界！[7]（又苦痛地叹一口长气，以后寂然）

焦花氏　（颤抖，低声）他——他像是为我们讲的。

1　“他说就在我眼前”原刊作“就在眼前”。

2　原刊无此句。

3　原刊无此句。

4　“右门”原刊作“左门”。

5　“模糊”底本作“糊模”，据川版改。

6　“右门口”原刊作“左门口”。

7　此处原刊有“花”。

仇　虎　大星！（内无应声）大星！（仍无应声，忽然转前向空）爹呵，你要帮我！（立刻走进左门）

〔花氏在外候着，惧怖地谛听里面的声音。悄然。

〔外面还有野犬狂嚎，如一群饿狼。花氏不安地向外望。里面突然听见[1]一个人窒息地喘气，继而，闷塞地跌在地上。

焦花氏　天！

〔仇虎由右屋[2]蹒跚走入，睁着大眼，人似中了魔。

仇　虎　（手里匕首涂满污血，声音几乎听不见）完了，连他也完了。

焦花氏　（喘不出气，指着虎子的血手）哦，你的手，你的手。

仇　虎　（举起一双颤抖的手，悔恨地）我的手，我的手。我杀过人，多少人我杀过，可是这一双手头一次是这么发抖。（由心腔内发出一声叹息）活着不算什么，死才是真的。（恐惧地）我刚才抓着他，他忽然地[3]醒了，眼睛那么望着我。他不是怕，他喝醉了，可是他看我，仿佛有一肚子的话，直着眼瞪着我，（慢慢点着头，同情地）我知道他心里有委屈，说不出的委屈。（突然用力）我举起攮子，他才明白他就有这么一会工夫，他忽然怕极了，看了我一眼，（低声，慢慢）可是他喉咙里面笑了，笑得那么怪，他指指心，对我点一点——（忽然横了心，厉声）我就这么一下子！哼，（声忽

1 “里面突然听见”川版作“突然听见里面有”。

2 “右屋”原刊作“左屋”。

3 “忽然地”川版作“猛地”。

然几乎听不见）他连哼都没有哼，闭上眼了。（匕首扔在地上）人原来就是这么一个不值钱的东西，一把土，一块肉，一堆烂血。早晚是这么一下子，就没有了，没有了。

焦花氏 你赶快把手洗洗。

仇　虎 不用洗，这上面的血洗也洗不干净的。

焦花氏 那么就走吧。

仇　虎 （抬起头）走，（望着花）好，走！（走了两步）

焦花氏 （忽然停下）你听！

仇　虎 什么？

焦花氏 有人！（跑到窗前，仇虎随在后面）红灯笼，红灯笼他——他们来了。

仇　虎 （在窗前）不，不，是瞎子，仿佛在她身边是，是狗蛋，他打着灯笼。

焦花氏 （点头）嗯！嗯！（忽然）瞎子，她——她走来了。

仇　虎 嗯，她要来找我。

焦花氏 （恐惧地）她一个人嘴里念叨什么？

仇　虎 （恨恶地，低声）我知道！（慢慢地）打死不偿命！打死不偿命！

焦花氏 别说话。

〔焦母由中门走进。仇花两人在窗前屏息伫立，望着她森严地踱到香桌旁，擎起沉重的铁杖；走到右门前。花氏几乎吓得喊出。瞎子听一下，倒锁右门。焦氏的脸忽然显出异常的凶恶，她轻轻拖着铁杖，向左门走。仇和花的眼随着焦氏，焦氏昂然走进了左门。

〔屋内无声，只远远听见野狗嗥嚎如鬼如狼。花氏望着仇虎，仇虎盯着左门。

焦花氏　（低声）怪，她进到里屋干什么？

仇　虎　（按住她的手）她要打死我。

焦花氏　（耳语）用——用什么？

仇　虎　（急促地）你没有看见她拿着那根铁拐。

焦花氏　怎么？

仇　虎　也是（两手作击下状）这么一下子。

焦花氏　（忽然想起，全身颤抖，低声急促地）那——那孩子就在你的床上。

仇　虎　（吓着）什么？那孩子——

焦花氏　（狂惧）孩子就在那——那床——

〔蓦地听见里面铁杖闷塞而沉重地捣在床上，仿佛有一个小动物轻嚎了一下，便没有声音。

仇　虎
焦花氏　（同时）啊，天！

〔左屋焦氏忽然尖锐地喊了一声。

焦　氏　（恐怖到了极点）哦——黑子，我的黑子！（又没有声音）

仇　虎　（怵惧）晚了！

焦花氏　（忽然地）走！快走。

仇　虎　（自己也怕起来）黑子死了。

焦花氏　快穿衣服，外面一定有人。你这样出去，准叫他们看出来。

〔她为仇虎套上小褂，便忙着拿包袱，拾匕首。仇虎的衣服没有扣了一半，焦氏由左门走出。她两手举起小黑子，上面盖上一层黑布褂。她的脸像一个悲哀的面具，锁住苦痛的眉头，口角垂下来，成两道深沟。她不哭，也不喊，像一座可怖的煞神站在左门门前。仇虎与焦花氏不觉怵然退后；紧紧挤在一角。

焦　氏　（不像人声）虎子！（停一下，不见人应）虎子！（仍无人应，森严地）我知道你在这儿，虎子。（忽然爆发地）你的心太狠了，虎子，天不容你呀！我们焦家是对不起你，可是你这一招可报得太损德了。（痛极欲狂）你猜对了，看！孩子我亲手打死的。可是这次我送到老神仙那里再救不活，虎子，（酷恨地）我会跟着你的，你到哪儿，我会跟你到哪儿的。（森严地）虎子，现在我要从你脸前过！（一面向中门走，一面说）你要打，就打死我吧！我告诉你，（刚走到中门前）侦缉队已经在外面把枪预备好，就要进来宰你的。

〔焦氏举着小黑子由中门出。二人僵立不动。外面听见焦氏低声叫："狗蛋！"继而听见一种粗哑的怪声唱"……初一十五庙门开，……牛头马面两面排……"二人回头谛听。

焦花氏　（怯惧地）谁？谁这时候唱这个？

仇　虎　（极力镇静）是狗——狗蛋。

〔外面的声音：（更形惨厉）"……阎王老爷哟，当中坐，一阵哪阴风……"

焦花氏　（向上望，忽然大叫，指着）阎王的眼又动，动，起来了。

仇　虎　（惊惧）什么？

焦花氏　（怕极）他要说话！

〔仇虎抽出手枪向墙上的阎王的像，连发四枪，相框立刻落在地下。

焦花氏　虎子！

〔外面以为仇虎攻出，枪向里面乱射。

仇　虎　他们真来了。

〔枪声中，常五在外大喊：“后面不要放！不要放，我在前面。”失了魂似地跌进中门。

常　五　（一见仇虎，吓得瘫在那里）天！（又想回身出门）

仇　虎　（一把抓着常五）你来得好！（枪对着他）来得好。（向中门喊）弟兄们，别放！（外面仍在放射。转向常五）你跟他们说，叫他们别放。

常　五　（斜对窗户，急喊）刘队长！刘队长！别放，是我，常五，常老五。

〔枪声突停。

仇　虎　告诉他你现在在我手里，叫他们别放枪，我要出去。

常　五　（不成声）刘队长！我，我叫仇虎抓着了。我在他手里，刘队长，他拿着我，他要出去，你们千万别放枪。

仇　虎　（高喊）弟兄们，我仇虎跟你们无冤无恨，到此地来也是报我两代似海的冤仇，讲交情，弟兄们，跟我让一条活路。要不卖面子，我先就拿你们的探子常五开刀。

常　五　刘队长！刘队长！

仇　虎　好，你们答应不答应？不说话？那么，你们要不答应，放一枪；答应放两枪。怎么样？

〔外面悄然无声。

仇　虎　好，你们不答声！我数十下，十下不答声[1]，（对常五）我就不客气了。

常　五　刘队长！刘队长！

仇　虎　（开始数）一下，两下，三下，四下……

常　五　（几乎同时喊）[2]刘队长！刘队长！我常五家里孩子大人一大堆。我要死了，我家里的人就找你抵偿[3]，刘队长！

〔四外悄寂。[4]

仇　虎　八下，九下——[5]

常　五　刘——[6]

〔外面发一枪。

仇　虎　一枪。

常　五　刘队长！刘——

〔外面又一枪。

仇　虎　两枪！

---

1 “不答声”川版作“不吭声”。

2 “仇　虎　好，你们不答声！”以下原刊无。

3 “抵偿”川版作“抵命”。

4 原刊无“〔四外悄寂。”。

5 原刊无此句。

6 原刊无此句。

常　五　（嘘出一口气）啊！

仇　虎　（枪抵住常五的背）走！（对花氏）我们走吧。

〔花氏拿着包袱跟着两个男人的后面，由中门走出。

〔屋内悄无一人，半晌。忽然听见远处两声枪响，又一声，接着枪声忽密，幕渐落，快闭时，枪声更密。

——幕[1]

1 “幕”川版作“幕落”。

第三幕

人　物

仇　虎——一个逃犯。

白傻子——小名狗蛋，在原野里牧羊的白痴。

焦大星——焦阎王的儿子。

焦花氏——焦大星的新媳妇。

焦　母——大星的母亲，一个瞎子。

常　五——焦家的老朋友。

各种幻象。（不说话的）

持伞提红灯的人。

焦氏的人形。（举着小黑子）

洪老。

大汉甲、乙、丙。

仇　荣——仇虎的父亲。

仇姑娘——十五岁，仇虎的妹妹。

焦阎王——连长，大星的父亲。

抬土囚犯火车头，老窝瓜，麻子爹，小寡妇，赛张飞，野驴……十数人。

抬水囚犯二人。

狱警。

牛头马面二人。

判官。

青面小鬼甲乙。

阎罗（地藏王）。[1]

1 “阎罗（地藏王）。”川版作“阎罗王”。

第一景

同日，夜半一时后，当仇虎跟花氏一同逃奔黑林子里。

林内岔路口，——森林黑幽幽，两丈外望见灰蒙蒙的细雾自野地升起，是一层阴暗的面纱，罩住森林里原始的残酷。森林是神秘的，在中间深邃的林丛中隐匿着乌黑的池沼，阴森森在林间透出一片粼粼的水光，怪异如夜半一个惨白女人的脸。森林充蓄原始的生命，森林向天冲，巨大的枝叶遮断天上的星辰。由池沼里反射来惨幽幽的水光，隐约看出眼前昏雾里是多少年前磨场的废墟，小圆场生满半人高的白蒿，笨重的磐磨衰颓地睡在草莽上，野草间突起小土堆，下面或是昔日磨场主人的白骨。这里盘踞着生命的恐怖，原始人想象的荒唐；于是森林里到处蹲伏着恐惧，无数的矮而胖的灌树似乎在草里伺藏着，像多少无头的战鬼，风来时，滚来滚去，如一堆一堆黑团团的肉球。右面树根下埋着一口死井，填满石块。井畔爬密了蔓草，奇形怪状的杈枝在灰雾里掩藏。举头望，不见天空，密匝匝的白杨树伸出巨大如龙鳞的树叶，风吹来时，满天响起那肃杀的“哗啦，哗啦！”幽昧可怖的声音，于是树叶的隙缝间渗下来天光，闪见树干上发亮的白皮，仿佛环立着多少白衣的幽灵。右面引进来一条荒芜的草径，直通左面，中间有一条较宽的废路，引入更深邃的黑暗。在舞台的前面，下边立起参差不齐的怪石屏挡着，上边吊下来狰狞的杈枝，看进去像一个巨兽张开血腥的口。

开幕时，风吹过来，满天响起白杨树叶的杀声，林里黑影到处闪动着。这时雾渐散开，待到风息，昏雾又沉沉地遮掩下远方的景物。

风声静下来，远远听见断续的枪声，近处有些动物在窜奔，低低地喘息。

花氏由右面荒径上踉跄走出，她背着小白包袱，树叶间漏下来的天光，闪见她满脸油亮，额上汗淋淋的。血红色的衣褂紧贴在身上，右襟扣脱开。她惊惶地喘息，像一只受伤的花豹，衣服有一处为荆棘撕裂，上面钩连着草梗和野刺。她立在当中，惶惑四顾，不知哪一条路可以引出黑林，她拿出一条大块花手绢擦抹眼前的汗珠。

焦花氏 （喘息，呼出一口长气）啊！好黑！（惊疑地）这是什么地方！（忽而看见重甸甸的黑影里闪出一条条白衣的东西，低声急促地）虎子！虎子！（等候答声，但是没有。远处发了一枪，流弹在空气里穿过，发出呜呜的啸声。她不敢再喊，她向后退，后背碰着了白皮的树干，她倏地回转身来探视。一阵疾风扫过来，满天响起那肃杀可怖，惨厉的声音，她仰头上望，身旁环立着白衣的树干，闪着光亮，四面乱抖森林野草的黑影，她惊恐地呼喊起来）虎子！虎——子！虎——子！（这阵风吹过去，树林忽而静下来，又低低而急促地）虎子！虎子！

〔静默。

〔右面的声音[1]:(疲倦地叹出一口气)嗯!干什么?

焦花氏 (向前进一步)虎子!你在哪儿?

〔右面的声音:(低哑地)就在这儿。金子,你先回来。

焦花氏 (镇静自己)我看不见路,眼前没有一点亮。(却向右走)

〔右面的声音:(听是足步声,警告)你站好不用动[2]。

焦花氏 (低声)干什么?

〔右面的声音:(低声)像是我们后边跟着人。

焦花氏 人?(大惧)跟了人!

〔右面的声音:(低沉)你看!灯!红灯!

焦花氏 (向右望)红灯?(右面忽然有人狂叫)

〔右面的声音:(连接打着那狂叫人的嘴巴)你叫,你还叫!

〔顿时寂静若死。

焦花氏 (急促地)怎么?怎么啦?

〔右面的声音:(镇静地)不要紧!是常五,常五想作死!(忽然对常五,低声,狺狺地)常五你叫,你再叫!妈的,(又一巴掌)你只要重重喘一口气,我一枪就干了你!

焦花氏 怎么,你还没有把他放走?

〔右面的声音:快出林子了!出林子就放他。(对常五)走!走!

1 "右面的声音"原刊作"右面传来的声音"。

2 "不用动"川版作"别动"。

〔仇虎由右面背着身走进来，右手托着枪，左手时而向后摸着那插在“腰里硬”的匕首，头[1]不时向后瞥，仇虎到了林中，忽然显得异常和调，衣服背面有个裂口，露出黑色的肌肉。长袖撕成散条，破布束着受伤的腕，粗大的臂膊如同两条铁的柱，魁伟的背微微地伛偻。后脑勺突成直角像个猿人[2]，由后面望他，仿佛风卷过来一根乌烟旋成的柱。回转身，才看见他的大眼睛里藏蓄着警惕和惊惧。时而，恐怖抓牢他的心灵，他忽而也如他的祖先——那原始的猿人[3]，对着夜半的森野震战着，他的神色显出极端的不安。希望，追忆，恐怖，愤恨连续不断地袭击他的想象，使他的幻觉突然异乎常态地活动起来。在黑的原野里，我们寻不出他一丝的“丑”，反之，逐渐发现他是美的，值得人的高贵的同情的。他代表一种被重重压迫的真人，在林中重演他所遭受的不公。在序幕中那种狡恶、机诈的性质逐渐消失，正如花氏在这半夜的磨折里由对仇虎肉体的爱恋而升华为灵性的。

〔常五在仇虎后，正面出场。他的黑袍已经破碎，形色非常恐惕[4]，拖着双手，呆望仇虎，蹒跚走入。

---

1 “头”川版作“眼”。

2 川版无“后脑勺突成直角像个猿人”。

3 “猿人”川版作“人”。

4 “恐惕”原刊、川版均作“恐惧”。

焦花氏　虎子！虎子！你在哪儿？我瞧不见你。

仇　虎　（走进来，转过头）这儿。

焦花氏　（跑到仇虎面前，抓着他）虎子，可怕死我了。

仇　虎　（一脸的汗水）金子，我觉得背后有人跟着我们。

焦花氏　那会是谁？

仇　虎　（低声）我们走哪儿，那红灯也在哪儿。

焦花氏　天，那不会是——

仇　虎　（睁大眼）你说——

〔远远有一声枪。

仇　虎　（忽然一手制住花氏）金子！

焦花氏　走！走！他们又跟上来了。（常五提起精神听）

仇　虎　不！不！再听听。

〔远远又一声枪。

焦花氏　他们就在后面！（拉着仇虎）赶快走。

常　五　（惧怯地）大星媳妇，这一气跑了二十来里，我……我再走不动了。

仇　虎　老鬼，你听着！（谛听）

〔远处又一枪，声更辽远。

仇　虎　（放了心）不要紧，这一帮狗越走越远[1]，他们奔向西了。

焦花氏　（不安地）虎子，我们什么时候走出去呀？

仇　虎　快了！我想再走三里就差不多了。坐下！（坐在磐磨上，两

---

1 “越走越远”原刊作“离着我们远得很”。

手捧着头沉思）

常　五　仇……仇大爷，你……你们想把我带到哪儿去?

仇　虎　（抬起头）带你上西天。

常　五　大……大星媳妇，这个——你，你得替我说说，大星媳妇。

仇　虎　（爆发）老鬼！叫你不要提，不要提！

常　五　（望着花氏）可是大星媳妇！——

仇　虎　（倏地立起，举起枪对常五）你这个老东西！你大星大星地喊什么?

常　五　哦，叫我不提大星呀！哦！那自然就不提，不提他！可是你说要我上西天，上西天，（对花氏）你说说，（不自主地）我的大星媳妇！

仇　虎　（忍不下，向常五头上面立发一枪）你！

常　五　（摸着自己）我——我的头。

焦花氏　虎子，你怎么啦?你怎么又放枪?

仇　虎　我——我不知道怎么回事，一提到他——他[1]——我就（坐下）犯糊涂，犯——

焦花氏　（撇开话头）虎子，你让常五伯回去吧?

仇　虎　嗯，（低头）我是想让他回去。

常　五　真的?

仇　虎　嗯！

常　五　现在?

---

1 “他”川版作“大星”。

仇　虎　嗯。

焦花氏　可是常五伯，大黑天，您——

常　五　（连忙）不，不要紧，我可以宿在老神仙的土庙[1]里。（向花氏）那么，回头见！我——我走了。（拔脚便走向右面）

仇　虎　（忽然）站住！你说什么？你宿在哪儿？

常　五　我说庙，我宿在老神仙的庙？[2]

焦花氏　（对常五）您——您走吧！

仇　虎　（低声）老神仙？

常　五　（莫明其妙）就是阎王老婆整天找的那个老神仙，他——他的庙[3]。

仇　虎　（忽然怪异地笑）金子，这黑林子我们进对了。

焦花氏　怎么？

仇　虎　（森严地）瞎子一定也在这林子里。

焦花氏　嗯，我知道。

仇　虎　（仿佛看见了）我总觉得她抱着黑子，会一步一步地跟着我们。（忽然打了个冷战）说不定，那，那红灯就是她！她！

焦花氏　（望望他，又低下头）我——我早知道！

仇　虎　你怎么早不说？

焦花氏　我怕告诉你。

---

1 “土庙”川版作“庵子”。

2 此句两处“庙”川版均作“庵”。

3 “庙”川版作“庵子”。

仇　虎　怕！怕！（强自镇静）怕什么？

焦花氏　（低声，恐怖地）她说过，孩子救不活，我们到哪儿，她也跟到哪儿。

仇　虎　（迅速对常五）庙在哪儿？

常　五　不远。就——就在旁边。

仇　虎　（迅速地）你刚才看见瞎婆子抱着黑子出了门么？

常　五　（向后退）看——看见。

仇　虎　（抓着他的胳臂）上哪儿？

常　五　（指着）上西。

仇　虎　西是哪儿？

常　五　（嗫嚅地）我看，狗蛋打着灯笼引她进——进了林子。

仇　虎　进了林子？

常　五　嗯。

仇　虎　（放了手，回头望着更深的黑林）好！好！（走到井畔）

焦花氏　常五伯，您，您走吧！（常五向右走）

常　五　（低声问花氏）怎么，小——小黑子死了？

焦花氏　（低声）小——小黑子——

仇　虎　（跳起，狂乱地）你们说什么，说什么？小黑子不是我害的，小黑子不是我害的。（跳到井石上，举起两手）啊，天哪！我只杀了孩子的父亲，那是报我仇门两代的冤仇！我并没有害死孩子，叫孩子那么样死！我没有！天哪！（跳下，恳求地）黑子死得惨，是他奶奶动的手，不怪我，这不怪我！（坐在井石上低头）

焦花氏　（觉得出常五惊吓的样子）常五伯，你快走吧，小心他——

常　五　（连忙）是，是，我走！

仇　虎　你说什么？

常　五　（吓住）我——我没有说什么？

仇　虎　（忽然立起）滚！快滚！

〔常五由右跑下，仇又坐在井石上。

焦花氏　你怎么啦？

仇　虎　我渴得很，（摸着自己的心）渴得很！（撕下身上的破布）哦，哪儿可以弄来一口水，一口凉水。（撕下来布，揩脸上的汗）

焦花氏　（警告地）虎子，不要擦！不要擦！

仇　虎　（望着她）怎么？

焦花氏　小心你手上的血会擦到脸上。

仇　虎　怕什么，这血擦在哪儿不是一样叫人看出来。血洗得掉，这“心”跟谁能够洗得明白。啊，这林子好黑！没有月亮，没有星星。（叹一口气）

〔仇虎耳旁低微的声音：（如同第二幕末尾，大星在屋内梦呓。叹口长气，似乎在答话，幽幽然）嗯，黑啊！好黑！

仇　虎　（惊愕）你听！

焦花氏　听什么？

仇　虎　你……你没有听见——“黑——好黑！”

〔仇虎耳旁低微声：（更幽幽地）“好黑！好黑的世界！”

仇　虎　（如若催眠，喃喃地）嗯，“好黑的世界！”（恐惧地）天啊！

焦花氏　（莫明其妙）虎子！你，你说什么？这——这是大——大星的话？

仇　虎　怎么，你——你听不见？

焦花氏　虎子，你别发糊涂！你听见了什么？

仇　虎　没有什么。心里不知为什么只发慌？我——我像是——

焦花氏　虎子，你怎么啦？你刚才为什么忽然跟常五说那一大堆子的话？

仇　虎　我，我不知道。我口渴，我刚才头发昏。

焦花氏　你为什么又提起大星，说你杀——杀了大——大星！

仇　虎　（眩惑）我……我杀了大——大星？

〔仇虎耳旁低微的声音：（梦呓，窒塞地喘息）“……快……快！……我的刀！我的刀……”

仇　虎　（喃喃地）“……我的刀！我的刀！”

焦花氏　（几乎同时说）你又跟他提起小——小黑子。

仇　虎　（低而慢地）小黑子？

〔仇虎耳旁低微声：“嗯——，好黑呀！”（苦痛地叹口长气）

仇　虎　（忽然跳起，向着黑暗的林丛）啊，大星，我没有害死他，小黑子不是我弄死的。大星，你不该跟着我？大星！我们俩是一小的好朋友，我现在害了你，不是我心黑，是你爹爹，你那阎王爹爹造下的孽！小黑子死得惨，是你妈动的手！我仇虎对得起你，你不能跟着我！你不能——（不知不觉拿出手枪）

焦花氏　（吓得向后退，喘息）虎子，你——你怎么？你想着什么？小黑子不是你害的，天知道，地知道！你想这个做什么？

你还不想跑？我的命在你手里，虎子，自己别叫自己吓着，你别“磨烦”，(“迟延时间的”意思）再“磨烦”，天亮了，叫他们看见，我们两个就算完了。

仇　虎　（望着黑暗）我知道，我知道！可是（悔恨地）小黑子——

焦花氏　虎子，你还不快走！想什么？

仇　虎　走！走！这不是个好地方，咱们得赶快离开这儿。

焦花氏　（支开他的想头）天亮就可以到车站。

仇　虎　不等天亮就会到。

焦花氏　（强作高兴）我们要飞哪儿，就飞哪儿。

仇　虎　（打起精神）嗯，要飞哪儿，就飞哪儿。

焦花氏　（忽然，指着辽远的处所）你听！

仇　虎　什么！

〔渐渐听出远处火车在林外迅疾地奔驰。

焦花氏　车，火车。

仇　虎　（谛听，点头）嗯，火车！(嘘出一口气）可离着我们还远着得呢！

焦花氏　那么，走，赶出林子。

仇　虎　嗯，走！赶出林子就是活路。

〔一阵野风迅疾地从林间扫过，满天响起那肃杀可怖，“飒飒”的叶声，由上面漏下乱雨点般的天光，黑影在四处乱抖。

焦花氏　天！(抓紧仇虎的腕）

仇　虎　这是风！你怕？

焦花氏　（挺起头）不，乘着树上漏下来这点亮，咱们跑！(二人携手跑，走了两步，花拉住仇虎，惊惧地叫喊）站住！虎子！（退了一步）虎子，（低声）你看，前面是什么？

仇　虎　（凝定了神）树叶，草！

焦花氏　（指着）不，那一堆一堆的。

仇　虎　什么！

焦花氏　（惧恐地）那一堆一堆的黑脑袋。

仇　虎　（坚定地）那是石头。

焦花氏　（指着那些在风里抖擞矮而胖的灌树，喘息）你看，那是什么？一堆一堆的黑圆圆的肉球，乱摇乱摆，向——向我们这边滚。

仇　虎　瞎说，那是树！走！（二人轻悄悄地走了一步，仇虎忽然又停下。由右面[1]隐隐传来擂鼓的声音[2]，非常单调，起首甚微弱，逐渐响起来，一直在这个景里响个不停）别动！

焦花氏　怎么？

仇　虎　你听，这是什么？

〔鼓声单调地在林中回响。

焦花氏　（悸住）鼓[3]！

仇　虎　（有些惧怯，低声）鼓！[4]

---

1 “右面”川版作“四面”。

2 “擂鼓的声音”川版作“持续不断，时强时弱的木鱼声，偶而夹杂着时重时轻的击磬的声音”。

3 “鼓”川版作“磬”。

4 “鼓！”川版作“什么？”。

焦花氏　（微弱地）庙里的鼓[1]！

仇　虎　（回首望花氏）半夜里这是干什么[2]？

焦花氏　（警惕地）瞎子进了庙[3]了。

〔鼓声[4]渐响。

仇　虎　这鼓打得好森人！[5]

焦花氏　怪！鼓越打越响了[6]。

仇　虎　（深思）鼓能够[7]把黑子打活了么[8]？

焦花氏　谁知道？这是那个怪物[9]替瞎子作法呢。

仇　虎　作什么法？

焦花氏　（喃喃）念经，打鼓[10]，拜斗，叫魂，[11]一会儿她会出来叫的[12]。

仇　虎　（希望地）魂叫得回来么？

---

1 “庙里的鼓”川版作“庵里的磬”。

2 “半夜里这是干什么”川版作“庵里的磬”。

3 “庙”川版作“庵”。

4 “鼓声”川版作“木鱼声，磬声”。

5 此句川版作“她在庵里干什么？”。

6 “怪！鼓越打越响了”川版作“越敲越响了”。

7 “鼓能够”川版作“他们能够”。

8 “打活了么”川版作“弄活了么”。

9 “怪物”川版作“老道姑子”。

10 “打鼓”川版作“打磬”。

11 “拜斗，叫魂”川版作“敲木鱼”。

12 “叫的”川版作“叫魂的”。

焦花氏 叫不回来还叫不死么？[1]

仇 虎 （谛听，不自主地）这鼓！这鼓！[2]

焦花氏 （看他奇怪）你还听什么？还不快走，走！为什么你的脚在地上生了根！

仇 虎 嗯，这个地方有点古怪！我们得走！我们得——

〔外面惨厉的声音：（远远地）回来呀！黑子！黑子你回来！

焦花氏 （低声）天，她，她出来了！

〔外面的声音：（长悠悠地）孩子！回来！我的孩子，你回来！

仇 虎 （怖惧地）她，她就离我们不远。

〔外面的声音：（几乎是嗥嚎）黑子！我的黑子！你回来！

焦花氏 （忽然向右看）灯！红灯！

仇 虎 （向右望）对。就是它，就是这个灯！

焦花氏 （一面看，一面说）前面那个人拿着灯笼！（对仇）他们越走越近了，（对仇）你看前面的是谁？

仇 虎 狗——狗蛋！

〔外面的声音：（更近）回来呀，小黑子！你不能不回来！黑子！

仇 虎 （颤颤）她——她来了！

---

1 此句川版作“谁知道。”。

2 “这鼓！这鼓！”川版作“听，庵子里头干什么呢？（远处低沉的作法事的磬、铃、木鱼声）”。

焦花氏 （抓着仇虎）来！树后边！快！

〔二人躲在树后面。

〔狗蛋举着红灯笼领焦氏由右走出。焦氏头发散乱，衣服也被野生的荆棘刺破，她一手放在狗蛋的肩上，一手拖下来，两眼瞪视前面，泪水在眼下挂着，风过时，天光时而由树上漏下，照见一个瞎子[1]和一个白痴并肩而行，焦氏苦痛地锁住眉头，如一个悲哀的面具，狗蛋还是一副颟顸的行色，眼傻傻地偷看着焦氏，嘴里夹七夹八地不知念些什么。

焦　氏 （声音嘶哑，震颤出一种失望的鬼音）回来，黑子，我的心肝，你回来！回来！我的肉，你快回来！（一面走，一面喊）你回来，我的小孙孙！我的小孙孙，（哭非哭，嚎非嚎的音声）你千万要回来呀！

〔狗蛋领她向左面走出。

仇　虎 （由树隙露出头，恐惧）啊，[2]这简直是到了地狱。[3]

焦花氏 （也探出身子）走！

仇　虎 （恐惧）走？可——你听！

〔外面狗蛋的声音：前边路不好走，还是回庙去，回庙[4]去。

〔狗蛋又领焦氏由左上。

---

1 “一个瞎子”原刊作“这一个瞎子”。

2 此处原刊有“天！”。

3 “啊，这简直是到了地狱。”川版作“我们是不是进了阴间啦？”。

4 “庙”川版均作“庵”。

白傻子　你听，鼓，鼓！[1]别……别走远！回！回不去了。

焦　氏　（仍在嘶喊）回来！我的孙孙！不是奶奶害的你！回来，我的孙孙，是那个心毒的虎子，老天不容的鬼害的你。回来，我的黑子！奶奶等着你，我的孙孙，你回来！

〔狗蛋领着焦氏由右下。

焦花氏　（由树丛中走出，低声）虎子！她走了！出来！

〔仇虎由树丛中走出。惊惧，悔恨与原始的恐怖交替袭击他的心，在这一刹那间几乎使他整个变了性格，幻觉更敏锐起来，他仿佛成了个石人，呆立在那里。

焦花氏　走！

仇　虎　走！（仍不动）

焦花氏　（催促）走啊！

仇　虎　（抬起头）你听，这是什么？

焦花氏　鼓[2]！

仇　虎　嗯，鼓！鼓！[3]（喃喃地仿效鼓声[4]）"冬！冬！……"[5]

焦花氏　你为什么不走！

仇　虎　（向左面看）你看，那面来了一个人！

---

1 "鼓，鼓！"川版作"庵里的磬！"。

2 "鼓"川版作"磬"。

3 "嗯，鼓！鼓！"川版作"对，咚咚，玎、玎！"。

4 "喃喃地仿效鼓声"川版作"喃喃仿效木鱼声、磬声"。

5 "冬！冬！……"川版作"咚咚、玎玎！"。

焦花氏　（莫明其妙）怎么？

仇　虎　也打着个红灯笼。

焦花氏　没有，黑烘烘的，哪儿来的灯笼。

仇　虎　（坚执）有！有！怪，他还拿着一把伞。

焦花氏　伞？（不相信地）大晴天拿着个伞干什么？

仇　虎　嗯，他举着伞，提着灯笼，他朝我们这边走，这边走。（直眼望着）

焦花氏　虎子，你——你别这样，你——

仇　虎　真的，他——他来了！（更怪异地望着）

焦花氏　（怯惧地）虎子！

仇　虎　你看！

〔于是有个人形由左面悄悄移上，形容正如仇虎形容，举伞提灯笼，伞遮着上半身，看不见，只下半身露出一双蓝布的裤。那人形停住了步。

仇　虎　喂，借光！弟兄！出这林子怎么走？

焦花氏　虎子，你别吓唬我，你——你是跟谁说话？

仇　虎　你没有看见眼面前有个人。

焦花氏　没——没有。

仇　虎　（指着那执伞的人形）怪，这不是！

焦花氏　哪儿？

仇　虎　（又指）这儿！（对着那个人形）喂，弟兄，你怎么不说话？

焦花氏　（恳求）喂，虎子，你到底跟谁说话，你——你别吓唬我？

仇　虎　怎么，你看不见，就在我们眼前！

焦花氏 就在我们眼前？

仇　虎 喂，弟兄，你别挡着自己的脸，你说话！出了林子得怎么走！

焦花氏 虎子！

〔人形向仇虎身旁走去。

仇　虎 你看，（回头向花氏）他走过来了。（在回头的时刻，那人形已走到仇虎的面前——伞挡着前面，观众看不见他——立好。仇虎回望，正与此人打个对面。还看得不清楚，只嘘了一口气，倒退一步）喂，弟——兄！（那人形突然把红灯笼提到自己的脸上照，仇虎看个正好，虎子忽然惨厉地怪叫，声音幽长可怖，响彻林间）啊——啊——啊——啊！

〔随着喊声，那持伞举着红灯笼的人形倏地不见。蓦然野风疾迅地吹过来，满林顿时啸起肃杀的乱响，——

焦花氏 （退后，惊惧）虎子！

仇　虎 （睁大了恐怖的眼）走！快走！

焦花氏 （在疾风中）你看见了什么？

仇　虎 （悸住）走！说不得！走！走！

〔满林乱抖着重重的黑影，闪见仇虎拉着花氏由中间的荒路狂奔下。

〔鼓声[1]单调地由远处传来。

---

1 “鼓声”川版作“磬声”。

第二景

在黑林子里——夜二时半。

林内一块洼地，地上长着青苔，平滑细软。在中间，远远立起一片连接不断的黑黝黝的丛林，左右伸出把当中的低地圈在里面。看得见的是林前横着一段颓圮的土坡，有野蔓乱藤爬绕在上面。右边地势略高，立一棵雷火殛死的老树，骨棱棱的枝丫直插空际，木身烧焦只剩个空壳，原来树干已为啄木鸟朝夕啄成洞穴，现在满身是眼，更显得树形古怪。树下丛生野草和不知名的毒花，有秋天的虫在里面低唱。靠左地势渐低，孤孤单单地矗立一根电线杆，年久失修，有些倾斜。接连一根一根的木柱向中间远处引去，越过当中的土坡，直到看不清楚的林丛里。电线杆旁边横放几块大石，歪歪地横在洼地上。立在洼地中，可以望见漆黑的天空。惨森森[1]的月亮，为黑云遮了一半，斜嵌在树林上，昏晕晕的白光照着中间的洼地，化成一片诡异如幽灵所居的境界。天上黑云连绵不断如乌黑的山峦，和地上黑郁郁的树林混成一片原野的神秘。

---

1 “惨森森”川版作“昏晕晕”。

风吹过来，电线微微发出呜呜的音浪。远处单调的鼓声[1]甚为微弱，静下心来，才听得清楚。

仇虎由右面蹒跚跑上，喘息[2]不停，一只鞋子已经不见，上身衣服几乎全为荆棘勾连，撕成乱条，脸上流满汗水，不时摸着腰里插好的手枪和弹袋，神色恐慌，两只疑惧的眼四处探望。

仇　虎　哦，妈啊！[3]（用手背揩下额前的汗）我这是到了哪儿了？（望望四周）

焦花氏　（在外面）虎子，你把路认出来了么？

仇　虎　（回头）看——看不大清楚。金子，你先来！月亮出来了，也许找得出路来。（他疲倦地靠在死树的枯干上）哦！渴！好渴！（自己咽着吐沫）

〔花氏由右面低首上，支着一根粗树枝。她走进来，抬头，眼惊异地望着四周和天空的昏惨惨的月色。她的头发散乱地披下来，虽然不断地向后掠，走两步又固执地坠在额前。她也满身是汗，衣服紧贴前后，几处撕成破口。眼里交流着恐惧和希望，手里还拿着小包袱，焦灼地望着仇虎。

焦花氏　（嘘出一口气，希望地）我们快走出林子了吧？

仇　虎　（还倚在树旁，望着天）谁知道，大概快了！

1　“鼓声”川版作“木鱼声，磬声”。

2　“喘息”原刊作“竰息”。

3　“妈啊！”原刊作“天啊！”。

焦花氏　（燃着希望）快了？

仇　虎　（点头，机械地）快了！

〔忽然树上的鸟连连啄木，发出空洞的"剥剥"的声音。

仇　虎　（忽然由树旁跳起）啊？（向上望）

焦花氏　什么！什么！

仇　虎　听！（树上又发出空洞的"剥剥"的声音）

焦花氏　什么？

仇　虎　鸟！啄木鸟！

焦花氏　哦，这林子会把我们吓死的。

仇　虎　不，不，我们就要出去。你看，我们已经又走出十几里了。

焦花氏　那不早应该出去了么？

仇　虎　嗯，可——可（忽然暴躁地）我们迷了路。

焦花氏　（重复地叹息）迷了路，不认识道。

仇　虎　迷了路！迷了路！（心如火焚）上哪儿走？（四面旋转）向东？向西？向南？向北？啊，妈呀！我们上哪儿走？这大黑天，看不见路走，找不着人问。我从前走这条路的记号现在一个也找不着，走了十里，还在林子里！走了二十里，还在林子里！我们乱跑这半天，三十里也有了，可是还在这黑林子里。出不了林子，就见不了铁道；见不了铁道，就找不着活路；找不着活路，（忽然）啊！啊！啊！（一下，两下，三下把衣服撕去，露出黑茸茸的胸膛，抄起手枪，绝望地）好，来吧，你们来一个，我杀一个；来两个，我杀一双。我仇虎生下地，就受尽了你们的委屈，冤枉，欺负，我虎子生来命不济，死总要得死得值！金子，再听见枪响。我们就冲，死就死了吧。

焦花氏 虎子!（安慰地）你别急！你是渴了，我知道你的心里不自在。虎子，我们不该死的，不该死的，我们并不是坏人。虎子，你走这一条路不是人逼的么？我走这条路，不也是人逼的么？谁叫你杀了人，不是阎王逼你杀的么？谁叫我跟着你走，不也是阎王逼我做的么？我从前没有想嫁焦家，你从前也没有想害焦家，我们是一对可怜虫，谁也不能做了自己的主，我们现在就是都错了，叫老天爷替我们想想，难道这些事都得由我们担待么？

仇　虎 哼，老天爷会替有势力的人打算，不会替我们想的。

焦花氏 那么，天是没有眼睛的。

仇　虎 谁又说他有呢。（机械地）走吧！

焦花氏 走！上哪儿走？

仇　虎 （喃喃地）上哪儿走？

焦花氏 我们迷了路。

仇　虎 （绝望）迷了路！

焦花氏 （忽然，惧怕地）虎子，你听！

仇　虎 （抬头）听什么？

焦花氏 （对右面）向远处听。

仇　虎 （还不大清楚）什——么？

焦花氏 （低声）你没有听见？鼓！庙里的鼓。

仇　虎　鼓[1]？

〔单调的鼓声[2]渐渐响起来。

仇　虎　（愤恨地）对了，是鼓！是鼓！[3]

焦花氏　（低声）我们连庙旁边[4]还没有走开。

仇　虎　怎么，我们还在庙旁边[5]打转转，还在这儿！还在这儿！

焦花氏　（忍不下）哦，妈呀[6]！我们这是怎么着啦！（抱着仇虎，摇撼他）我们这是怎么着啦？

〔树上啄木鸟又连声"剥剥"，声音[7]空旷怪异，二人倏地分开，仰视树梢，这时由旷野深处传来辽远的凄厉的呼声，二人惊愕地回头，渐为呼声慑住，如被催眠。

〔远处的呼声：（凄厉而悠长）"回来！我的小孙孙！你快回来，我的小命根哪！回来，奶奶在等着你哟！（不像人声）回——来呀！——黑——子！你——快——回——来！"

仇　虎　（慑住，喃喃地）小黑子！小黑子！

焦花氏　哦，妈呀[8]，（低声）她——她真地跟上我们了。

---

1 "鼓"川版均作"磬"。

2 "鼓声"川版作"木鱼声，磬声"。

3 "是鼓！是鼓！"川版作"是磬！是磬！"。

4 "庙旁边"川版作"庵子旁"。

5 "庙旁边"川版作"庵子旁"。

6 "妈呀"原刊作"天呀"。

7 "声音"原刊作"音声"。

8 "妈呀"原刊作"天呀"。

仇　虎　（喃喃）小黑子！小黑子！

焦花氏　你说什么？

仇　虎　她——她又要来了。

焦花氏　（望着仇虎，惧怯地）谁？

仇　虎　她！她！（忽然向左望）你看！她！她来了。

〔由左面悄悄走上焦氏的人形，两手举着小黑子。闭着眼，向右面走，走到仇虎面前，站。

仇　虎　（惊恐，低声）你看，她又来找我！

焦花氏　虎子，你怎么，你看见了什么？

〔焦氏的人形睁开了眼，瞪视花氏和仇虎。

仇　虎　（摇头）我——我们——没有——，我们没有——

焦花氏　你说，谁？虎子！

仇　虎　（低哑失声）瞎子同——同小黑子就在你眼前。

焦花氏　（大叫一声，跑到电线杆下面）虎子，你——你又中了邪啦。

（焦氏的人形直瞪仇虎）

仇　虎　（对着焦氏的人形，哀求地）不是我！不——不是我！我没有打算害你的黑子，大星是我——我害的。可我——（喘息）我已经觉得够了，你别这么看着我，你别这么看着我！我并没害死你的孙孙！我说，我没有！我没有！我没有！我没有！我没有！……（愈说气力愈弱，那人形目不转睛地望着他，又悄悄向右方走下。仇虎望着她消逝，揩着眼前的汗水）哦，天哪！

焦花氏　（慢慢走向前）怎么啦？

仇　虎　她走了。

焦花氏　（忽起疑惑，抓住仇虎）虎子，你告诉我小黑子究竟怎么死的？

仇　虎　（机械地）他奶奶打死的。

焦花氏　我知道。可你叫我把黑子抱到屋里是怎么回事？

仇　虎　唔，（低沉）一网打尽，一个不留。

焦花氏　为什么？

仇　虎　焦家害我比这个毒。

焦花氏　那么你成心要把孩子放在屋里。

仇　虎　（苦痛）嗯，成心！

焦花氏　你早知道瞎子会拿棍子到你屋里去。

仇　虎　知道。

焦花氏　你是想害死黑子！

仇　虎　嗯！

焦花氏　你想到她一铁棍会把孩子打——

仇　虎　（爆发）不，不，没有，没有。我没想到，我原来只是恨瞎子！我只想把她顶疼的人亲手毁了，我再走路，可是大星死后我就不成了，那一会儿工夫，我什么心事都没有了，我忘了屋里有个黑子，我看见她走进去，妈的！（敲自己的脑袋）我就忘记黑子这段事情，等到你一提醒，可是已经"砰"一下子——（痛苦地）你看，这怪我！这怪得了我么？

焦花氏　那么，你还老想着这个做什么？

仇　虎　（苦闷地）不是我要想，是瞎子，是小黑子，是大星，是他们总在我眼前晃。你听，这鼓，这催命的鼓！[1]它这不是叫黑子的魂，它[2]是催我的命。

焦花氏 （想转开他的想念，大声）虎子，你忘了你的爹爹了么？

仇　虎 对！没有！

焦花氏 虎子，你还记得你的妹妹么？

仇　虎 对！没有，没有，没有！他们死得委屈，（喃喃）对！对！对！我那年迈的爹叫阎王活埋，十五岁的妹妹叫他卖，对！卖死在那个——

〔啄木鸟又“剥剥”地发出空洞的啄木声。

焦花氏 你听！这是什么？

仇　虎 （不顾她）叫他卖死在那个烟花巷[3]。嗯[4]，对！我在狱里做苦力，叫人骗了老婆，占了地，打瘸了腿，嗯[5]，对！对！我仇虎是好百姓，苦汉子，受了多少欺负，冤枉，委屈，对！对！对！我现在杀他焦家一个算什么？杀他两个算什么？就杀了他全家算什么？对！对！大星死了，我为什么要担待？对！他儿子死了，我为什么要担待？对！我为什么心里犯糊涂，老想着焦家祖孙三代这三个死鬼，对！对！我

---

1 此句两处“鼓”川版均作“磬”。

2 “它”原刊作“她”。

3 “那个烟花巷”川版作“妓院里”。

4 原刊无“嗯”。

5 原刊无“嗯”。

自己那年迈的爹爹，头发都白了，（忽然看见右面昏黑里出现了什么，不知不觉地慢下来）人都快走不动了。

〔黑暗里，由右面冉冉飞舞过一只青蓝光焰的萤火虫，向土坡上飞去。

焦花氏　（仍想转开他的思念）虎子，你看，萤火虫，萤火虫！

仇　虎　（瞪目张口，望着萤火虫后面的人群，口里慢慢地）人都快走不动了，他们还串通土匪，对！对！拿来——

〔萤火虫摇摇向土坡飞，随在后面是一堆无声的人群，静悄悄地也向土坡走。前面是三个短打扮的狰狞大汉，拿着铁铲木棍，迈着大步，殿压后面是洪老，一个圆缸粗细的黑矮胖子，手摇芭蕉扇，脸上流汗，一边揩，一面喘，像是走了多少路程。中间押着一个白发的农人，——仇荣——身量瘦小，伛偻着终年辛苦的背腰，惧怯[1]地随着大汉步行，时而回头望着洪老，眼里露出哀恳乞怜的神色。单调的鼓声[2]愈击愈响，这一堆人形随着鼓声[3]像一群木偶在薄雾里呆板地移行。昏黄的月色照着土坡，黑云布满了天空，地上半是阴影。在土坡高处忽而渐渐显出一个背立的彪悍的人形，披着黑斗篷，底下仿佛穿着黄呢军裤，但是看不清楚。人押到坡上，洪老很恭谨地对着那个背立的人形说话，洪

1　“惧怯”川版作“怯惧”。

2　“鼓声”川版作“磬声”。

3　“鼓声”川版作“木鱼声，磬声”。

老的脸正对观众。这时那白发的农人低头默立一旁。

焦花氏 虎子，你在看什么？

仇　虎 （低声）那——那不是洪老[1]？他，他们来这儿是干什么？

焦花氏 （望着虎子）在哪儿？

仇　虎 土坡——土坡上。（呆望着那人群）

〔那背立的人形仿佛告诉洪老多少话，洪老连连点头。于是转过身，对着那垂首的老者举手威吓，两个大汉一起围起那老人，似乎也在逼迫。内中一个大汉在掘土挖坑，一时，由老人怀里搜出东西，由洪老交给那背立的，那背立的人摇头，把东西扔下。

焦花氏 虎子！

仇　虎 （倒吸一口气）这个老头别是我爹？可是他死了。天哪，这是怎么回事？

〔洪老继续搜索，两个壮汉叫老人背过脸，合同刑逼，老人先只垂首不语，最后似乎[2]痛极而呼。忽然由左面跑来一个十五岁的姑娘，忍不下去，似乎狂呼而出，手里拿着字据，交与那背立的人形，哀求他释放老人。

仇　虎 哦，妈！[3]这不是我的妹妹！妹……妹！

焦花氏 （拉着仇虎）虎子，你怎么啦！你忍忍！你忍忍！

---

1 “那不是洪老”川版作“老杨，那个老畜牲”。

2 川版无“似乎”。

3 “妈！”原刊作“天！”。

〔洪老见得着字据，大喜。那小姑娘走到老人面前跪下，老人詈责她不该出来。那背立人形吩咐洪老拉开他们，叫两个大汉动手埋人。一个壮汉捉住小姑娘，那两个抓住老人的背膊，洪老狞恶地指着土坑告诉老人，小姑娘听见便哭，老人转过身来仰天大嚎，脸正向仇虎。

仇　虎　（突由催眠状态醒起，看明白，狂呼）爹！爹爹！我的爹爹！

焦花氏　虎子,（拉住他）你别中了邪，你叫谁？

仇　虎　爹！爹爹。虎子在这儿！虎子在这里!（回首对花氏）你放开我!（一手甩开花氏，抽出手枪，向土坡奔去，对着那背立的人形，暴怒地）你这个土匪，你——（忽然那背立的人形转过身来，焦阎王如同那图像所摹的刻下一般。穿着连长的军装，森厉地立在那里。惨月昏昏地射照他的脸，浓眉下两只可怖的黑眼射出惧人的凶光。仇虎愣了一下，狠毒地）阎王!

焦花氏　（在下面，吓昏了）阎王？

仇　虎　（野兽一般）我可碰着了你!（对着阎王连放三枪。那群人形倏地不见）

焦花氏　虎子！虎子!

〔黑云遮满了月光，地下又突然黑起来。

仇　虎　金子！金子！你在哪儿!

焦花氏　这儿!

仇　虎　（奔下来）你看见他们没有？

焦花氏　（恐惧）没有！

仇　虎　快走！地上又没有亮了。

〔仇虎拉着花氏由左面奔下。鼓[1]仍单调地由林中传来。

1 “鼓”川版作“木鱼声，磬声”。

第三景

在黑林子里——夜三时。

林内一片水塘边。水塘后面仍是暗黑的林丛，水面很宽阔，望得见天上的星云反射浮光上。天上乌云并未散开，月色却毫无遮掩。半圆的月沉沉浮在天空[1]，薄雾笼罩地面，一切的氛围仍然是诡异幽寂，有青蛙在长着芦苇的浅水地带低声聒聒不停。水畔靠左伸出一段腐旧的木板曾经用来洗衣淘水，现在走上人便摇摇欲断。水塘右岸低低斜伸一棵古老的柳树，柳枝垂拂水面。塘前是一块草地，靠左立一排破烂的栅栏，栏门歪歪的。右边茁生人高的野蒿，蒿旁有一棵小树，几块石头。

远处隐隐传来微弱的单调的鼓声[2]，风吹来，才听得略微清晰，渐渐又听不见。

一刻，右面野蒿里有慌乱的奔跑与痛苦的喘息声，蛙声骤而停止，仇虎和花氏由右面野蒿中钻出来，二人疲乏欲死，仇虎的腿上满

---

1 此句川版作“半圆月沉浮在天空”。

2 “鼓声”川版作“木鱼声，磬声”。

是刺伤，血殷殷流下。他肩上背着小包袱，手里拿着一根树杆，他的形状更像个野人，头发藏满草梗，汗珠向下滴，两脚赤光光，脚趾为硬石磨破，裹着破布条。黑茸茸的胸膛沾腻一块一块的泥土，如同一个恐怖的困兽，他的胸剧烈地起伏着。花氏的眼警惕地随着仇虎的足迹，她的衣袖为野蒿钩破，撕成碎条，于是腕上两副的金亮亮的手镯更露得清楚，随着她的机警的行动颤栗着。奔跑使她昏晕欲倒。头发为汗水浸湿，粘连几处。她的脸像洗过一样，颈下两三个扣子解开，上衣只掩盖着胸乳，裤腿卷上去，如同涉过浅河。

仇虎一手拉出花氏，把树杆扔在一旁倚着小树的干，仰天喘息。二人的眼线为蒿遮住，看不见水塘。

仇　虎　哦，天！（用手背揩擦脸上的汗）

焦花氏　（几乎晕倒，立在仇旁）哦，可走出来了。

仇　虎　（苦痛地摇头，闭着眼）从蒿子里算跑出来了，可是我们还在林子里！

焦花氏　（惨痛地）还在林子里！哦，妈呀！[1]（滑倒，跌坐在石头上）

仇　虎　（忙去扶她，焦灼地）金子！金子！你怎么啦？

焦花氏　（推开他）没有什么，我就走不动了！

仇　虎　走不动？

焦花氏　我头昏，我想喝水，喝口水！

仇　虎　（失望地）水！水！

1　“妈呀！”原刊作“天哪。”。

焦花氏　（喘息）哪里有水，就一口水，（低声）就一口水！

仇　虎　（颓然坐在一个较高的石上。两手捧着腮骨[1]，喑哑地）哪里有水！哪里有水！（苦痛地摸着喉咙，咽着唾沫）哦，我拿一桶金子换一桶水！可——（喘息）哪儿有水？

焦花氏　（咬住牙）哦，我的脚！

仇　虎　怎么？

焦花氏　这一脚都是泡，痛得钻心。

仇　虎　（暗郁）金子！

焦花氏　什么？

仇　虎　你跟我跑出来只有苦。

焦花氏　可我——我心里是舒服的。

仇　虎　人家看我是个强盗。

焦花氏　（斩钉截铁）我是强盗婆。

仇　虎　人家逮着我就砍。

焦花氏　我跟你生下儿子报你的仇。

仇　虎　可你——（感激地望着她，忽然）你为什么要跟着我？

焦花氏　（执意地）我跟你一同到那黄金子铺的地。

仇　虎　（低头，看自己的丑陋[2]）为什么单挑上我？

焦花氏　（肯定地）就你配去，我——（低声）配去。

仇　虎　可是世上并没有黄金铺的城。

1　“两手捧着腮骨”川版作“两手托腮”。

2　“看自己的丑陋”川版作“看自己”。

焦花氏 有，有。你不知道，我梦见过。（忽然）你听！（远远似乎有火车疾驰的声音）

仇　虎 什么？

焦花氏 我们快出林子了！

仇　虎 怎么？

焦花氏 （浮出一丝笑的影[1]）火车？"吐——图——突——吐！吐——图——突——吐！"你听不见？

仇　虎 （奇怪地望着她）哪里有！[2]你在做梦。

焦花氏 谁做梦？你听！（仿佛那火车愈驰愈远的渐渐消逝的声音）"吐——图——突——吐，吐——图——突——吐！"你听，慢慢就没有了，（忽对仇虎）现在就没有了。

仇　虎 （明白这些声音都是她脑内的幻象，哀怜地叹口气）嗯，金子，也许我到过那黄金铺的好地方。可[3]（愤恨地）我就思想起[4]我在那块地方整年整月地日里夜里受的罪，我做苦力，挑土块，挨鞭子，一直等到我腿打瘸，人得了病，解到旁处，我才逃出来。那里的弟兄跟我一样受着罪，死的死，病的病。那里黄金子倒是有，可不是我们用，我们的弟兄一个一个瘦得像个鬼，（声音渐小）像个鬼，苦，——

---

1 "一丝笑的影"川版作"一丝笑影"。

2 "哪里有！"原刊作"听不见，"。

3 "可"原刊作"可是"。

4 "我就思想起"原刊作"我就想到"。

苦，——苦，……

〔塘边忽而青蛙叫起来。

焦花氏 你听！这不是蛤蟆叫！

仇　虎 （谛听）是，是蛤蟆！那么（狂喜）有水啦！

焦花氏 （叫起）水！（忽而现出野蒿所遮掩的地带，望见一片水塘，颤抖地）哦，虎子！水！水！（仇也跑出，花氏跑到塘边跪下取水，但为芦苇挡住，下不得手）

仇　虎 （颤颤地）水！水！金子，那儿有板！（指塘边的条板）上去，扒在[1]上面喝，你喝够了我再喝。（金子奔上巍巍的[2]木板，扒在[3]上面喝水，仇虎在塘畔芦苇旁焦灼地等候。这时由左面慢慢起一种含糊的一面"哼"一面和的多少人的工作声，观众听得见的[4]，单调而沉闷，在月光下，传到[5]耳里，其声诡异，不似人音。仿佛有许多冤苦的幽魂在呻喊，而又不敢放声。仇虎耳朵竖起，忽然转过身来，出神谛听）

焦花氏 （在木板上）虎子！虎子！你也来，有地方，我捧着水，你喝。

仇　虎 （目不转睛望着左面，机械地）嗯！

---

1 "扒在"在川版作"趴在"。

2 "巍巍的"川版作"颤巍巍的"。

3 "扒在"川版作"趴在"。

4 此句川版作"这时由左面慢慢响起一种含糊的、一面'哼'、一面'咳'的、多少人吃力的喘息声"。

5 此处川版有"观众"。

〔由左缓缓踱出一对一对的人形，都是囚犯的模样，灰衣赤足，汗淋淋的，有的戴着草帽，有的光着秃顶，有的执着汗巾，或者腰上挂系着铁链，或者足踝上拴着铁链，多半瘦若枯柴，每两个系在一起。二人共抬一大筐土块。约莫有十人的光景，一个个低下头，慢慢地前面"哼"后面"唉"，离着仇虎有半丈的距离，一对一对走过去。

仇　虎　（张口）天！这不是他们?!

焦花氏　（由木板走过来）虎子！虎子！你怎么不喝水！

仇　虎　（悸住）别说话，你听！

〔由左面又走出一对囚犯，抬着水桶，桶上浮着瓢。前面的人拿铁铲，后面的拖着铁锄头。"哼啊!""唷啊!""哼啊!""唷啊!"

焦花氏　听什么？

仇　虎　（仍然注视他们）听不见？就这样！就这样！"哼啊!""唷啊!"

焦花氏　（明白了他又生了幻象）哦，虎子！

〔由左面走出一个魁伟的大汉，光着头，胳臂肘挂着狱警的黄制服，帽子放在手里，[1]一只手[2]提着皮鞭，身上只穿一件背心，汗水流下来。西瓜大的光头油亮亮，凶恶的眼睛前瞻后望，时而摸着身上的手枪。回头向左瞻望，后面还有

1　川版无"帽子放在手里,"。

2　"一只手"川版作"另一只手"。

多少囚犯，在幽暗的左面低沉冤愤地“哼啊!”“唷啊!”工作着[1]，一直不停。这时前面的囚犯已把土筐放下，大家揩汗，拿帽子当扇扇。

仇　虎　哦,（望着那狱警，不寒而栗地）他！他还没有死！

焦花氏　虎子，走！走！你又看见什么?

仇　虎　（摇手）不，不。

〔在右面休息的囚犯，有坐的，有蹲的，有斜靠在土筐上的，有立在那里偷偷与同伴说话的，有低头不语的，有暗暗擦着眼泪的。这时中间有个满脸疤痕，一双长腿的壮年囚犯，看见了仇虎一个人[2]指指点点仿佛谈他。于是那有疤痕的汉子似乎招呼仇虎，像在叫:“虎子，你，你怎么不来！弟兄们都在这儿。”

仇　虎　（忽然看见了他）这不是火车头么?（惊喜）火车头，火车头。（那有疤痕的火车头连连答应招手，并且告诉其他的囚犯）我是虎子——小虎子!

焦花氏　（拉着仇虎）虎子，你——你别这样!

仇　虎　（不顾她，他看见那帮囚犯一个一个向他望，都是惊喜而悲哀的神色，有的向他招手，有的叫他不要来。仇虎举起双手，对着他们。内中有一个大鼻头的瘦个儿，举动滑稽，对他拍手做脸，叫他快来!）这不是老窝瓜么？老窝瓜，你

---

1 “工作着”川版作“劳累着”。

2 川版无“一个人”。

们好么?（许多人都悲哀地摇摇头，老窝瓜又在招手，一个小矮个满脸麻子的人劝阻他）不要紧，麻子爹，我不去的，我逃出来了。（忽然对着那个擦眼泪的瘦弱的囚犯）喂，小寡妇，你怎么还是在哭呀!（小寡妇抬头望望他，又低头哭泣。这时忽而一个满脸髭须的黑汉子抄起一根扁担，仿佛要跑向仇虎，对他打去，旁边一个大嘴小眼睛的囚犯接住他）赛张飞，你还记着那段仇，要打我么？野驴，你不用拉他，他打不着我，我逃出来了!（愉快地）我逃出来了。（囚犯里似乎愈闹愈凶，那狱警蓦然回头，举起皮鞭向囚犯们乱抽下去。内中有人拉住狱卒，指着仇虎告诉这次争吵是为了他。那狱卒听见便回首盯着仇虎，仇虎惧极，反身想跑，然而狱警仿佛一声大叫，虎子便如老鼠僵立不动，那狱卒以鞭指他又指右面的囚犯，意思叫他赶快回来做活，似乎在喊："滚过来！仇虎!"虎子一旁颤抖，低头）我去！我去！我去!

焦花氏　（惊极）虎子，你别去！你别去!（但是看着仇虎恐怖的眼，只得放手，呆立在那里）

〔仇虎走进囚犯群，狱警吩咐他们与仇虎上了脚铐，令一个囚犯下来执鞭催促，仇抬起土筐，随在后面走，一不小心，狱警呼打，那执鞭的囚犯就狠命打下。

仇　虎　（每打一下，不自主摸着背脊，喊出）啊！啊！啊!

焦花氏　（苦痛地）哦！虎子！你喊什么？你喊什么？

仇　虎　（低声对着旁边的人）他打瘸了我一条腿，又想打瘸了我第二条腿。(前面的囚犯由右面走下，一个囚犯放下土担子，到水桶前喝水，又一个也在喝，又一个……又一个，仇虎在一旁羡慕，实在忍不下心里的渴，跑到水桶前面，拿起瓢取水。忽而那狱警似乎大吼一声，走到面前，抢过皮鞭，把瓢子打下来，向仇虎乱抽去。仇虎忽而硬起来，一声不哼。在狱卒喘息间，他忽而抢下他的鞭子，向狱卒打下)

仇　虎　我拼了，我打死你！我打死你！我打死你！

〔狱警忽而抽出身上的手枪，向仇虎[1]施放，但是不见响声，枪子放不出去。

仇　虎　(狂笑)你也有这么一天，你的枪也不灵了。你还欺负我们，你还欺负我们！现在你看我的！(抽出自己腰里的手枪，那些囚犯都退在后面，缩成一团。狱警大惊，四处奔跑，仇虎连对他放了两枪，"砰！砰！"一切人形忽然不见。仇惊愕地瞩视四周，望望月亮，俯视自己的脚下，并无脚镣的痕迹)哦，天啊！

焦花氏　(一直被仇虎独自呼号迷惑住，现在才醒，捧一口水慢慢走过来！)虎子，你喝口水。

仇　虎　(机械地)喝口水？(刚想低首喝——)

〔忽然一阵风吹过来，很清晰的鼓声[2]一下一下打入人的耳鼓，森然可畏。

---

1 "仇虎"原刊作"仇"。

2 "鼓声"川版作"磬声"。

仇　虎　（对着花氏）鼓！鼓！鼓！[1]（忽然）什么，还在这儿，还在这儿？（大叫）我们中了邪了！（推开花氏捧水的手，拉住她由左面跑下）

〔鼓声[2]在这一场单调地响着。

---

1 “鼓！鼓！鼓！”川版作“磬！磬！磬！”。

2 “鼓声”川版作“木鱼声，磬声”。

第四景

在黑林子里——夜四时半。

林内小破庙[1]旁。四面围起黑压压的林丛，由当中望进去，深邃可怖，一条蜿蜒的草径从那黑洞似的树林里引到眼前。眼前是一片高低不平的草地，在那短短的野草下藏匿着秋虫纵情地低唱。沿着那草径筑起[2]粗细不匀的电线杆，靠外面的还清楚，里面的很像那黑洞口里的长牙。靠右偏后立起一座颓落的半人高的小土厢[3]，里面曾经供祀个神祇，如今完全荒废。小庙[4]前面一尺高的小土台原为插放香火，多少年风吹雨打，逐渐夷平。小庙的土顶已经歪斜，远看，小庙[5]像个座椅，前面的土台仿佛是个小桌，有几块石头在旁边竖立着。靠左偏前是一棵直挺挺的白杨，树叶在上面萧瑟作响。树前横放一块平整

1 “小破庙”川版作“小破庵”。

2 “筑起”川版作“竖起”。

3 “小土厢”川版作“小土龛”。

4 “小庙”川版作“土龛”。

5 “小庙”川版均作“小龛”。

的长石，上面长满青苔，不知哪年香火盛时，虔诚的香客派来石工凿成平面，为人休息的。满林树叶甚密，只正中留一线天空，而天空又为黑云遮满，不见月色，于是这里黑漆漆的，幽森可畏。偶尔风吹过来，树叶和电线的响声同时齐作，仿佛有野生的动物在林中穿过。

仇虎扶着花氏由当中深邃的草径一步一步地拖过来，两人都是一身水泥。仇虎只剩下一条短短[1]沿边撕成犬齿的布裤，花氏的鞋也在水里失去，衣裙滴下水，裤子卷得更高。包袱是在手里。仇虎一手举着手枪和弹袋，一手扶着花氏，眼里忽然烧起反抗的怒火，浑身水淋淋的。他回头呆望着更深的黑暗，打了一个寒战。忙匆匆地走进。

仇　虎　哦！好黑，（不觉又怕起来）怎么又走进来这么个黑地方。金子，（觉得花氏向下溜）金子！金子！

焦花氏　（抬头，把眼前的头发掠过去）我——我真走不动了。

仇　虎　（指着眼前一块石头）那么，你坐下。（扶着她坐下）

焦花氏　（打了个寒战）好冷！（希望地）赶过了这道水也许快出林子了吧。

仇　虎　（坐下）也许吧，赶过了河，路好像平整了点似的。

焦花氏　（回头望）我们走的像是一条大路。

仇　虎　（叹一口气）反正鼓[2]是听不见了。

---

1 “短短”川版作“短短的”。

2 “鼓”川版作“磬”。

焦花氏　嗯，鼓[1]没有了，（振作地）我们就要出林子。

仇　虎　（忽然兴奋地立起）嗯，出林子，出林子！出林子赶上火车也许——也许天还没亮。（忽然仰望天空）怪，天上又不见月亮了。

焦花氏　（不自主地也望上去）嗯，刚才好好的，怎么一会儿连个星星也没有？

仇　虎　（忽而惊吓失声）金子！

焦花氏　怎么？

仇　虎　真的，一个星星也没有。

焦花氏　我们不还有一盒洋火。

仇　虎　洋火只剩下两——两根了。

焦花氏　那么我们怎么走？怎么走？

仇　虎　嗯，（失望地）怎么走？（坐在石头）黑，黑，黑得连颗星星的亮都没有。怎么走？怎么走？

焦花氏　（喃喃地）怎么走？（忽然走到白杨树下，跪下）哦，天啊，可怜可怜我们吧，再露一会儿月亮吧，再施舍给我们一点点儿的亮吧！（哀恳地）哦，就一会儿，一小会儿，天，可怜可怜我们这一对走投无路——

仇　虎　（暴声）金子，你求什么？你求什么？天，天，天，什么天？（暴躁地乱动着两手）没有，没有，没有！我恨这个天，我恨这个天。你别求他，叫你别求他！

---

1 “鼓”川版作“磬”。

焦花氏 （觉得身上有洒下来的雨点）虎子！

仇　虎 什么？

焦花氏 （慢慢地）天下了雨了。

仇　虎 你说你身上洒下来了雨点？

焦花氏 嗯，我脸上也有。

仇　虎 那是我的血，我胳膊上的血甩出来的。

焦花氏 （惊愕地）你又流了血了。

仇　虎 嗯！（暗郁地）这就是天！你求他做什么。

焦花氏 （摇头）可怜，虎子，（坐在杨树前的长石上）今天一夜把你都逼疯了。

仇　虎 （愤恨）疯？哼，我得个疯！今天一天我过了一辈子，我仇虎生来是个明白人，死也做个明白鬼。要我今天死了，我死了见了五殿阎罗，我也得问个清楚；我仇虎为什么生下来就得叫人欺负冤枉，打到阎罗宝殿，我也得跟焦家一门大小算个明白。

焦花氏 （怕他又说胡话）虎子，你听草里头！

〔草里秋虫低吟。

仇　虎 什么？

焦花氏 蛐蛐！

仇　虎 嗯。

〔远处传来“布谷”的鸣声。

焦花氏 （忽然愉快地）“咕姑，咕姑。”“咕姑，咕姑。”

仇　虎 （听了一刻，忽然，叹一口气）完了！没有了！

焦花氏 （明白他的意思所指，然而——）为什么？

〔不等问毕，一阵风吹来，电线呜响起来，白杨树叶“哗哗”地乱嚎，风飕飕的。

焦花氏 （打寒战）哦，虎子！

仇　虎 你别怕。

焦花氏 （掩饰，打个寒战）不，好冷。（指着右面的荒址上）那——那是什么？

仇　虎 破庙[1]。

焦花氏 虎子，我们走吧。

〔风吹过去，忽由远处幽长地呼出惨厉的声音，由远而近，又由近而远。

〔那声音：（因为辽远而有些含糊，凄厉地）回来呀，我的黑子！快回来吧！我的小黑子。

仇　虎 （突然变了声音，喑哑地）你听，你听，这是什么！这是什么？

〔那声音：（更凄寂地，渐近）回来，我的孙孙！快回来吧，我的小孙孙。

焦花氏 （惊恐）她！——她！——她！

仇　虎 她又跟上我们了。

〔那声音：（怪厉。不似人声，渐远）魂快回来，我的黑子！你魂快回来，我的心肝孙孙。

---

1 “破庙”川版作“破庵”。

焦花氏 （忽然抱住仇虎）哦，天！

仇　虎 （颤抖）我们快——快走吧。

焦花氏 嗯,（刚走了两步，一脚踏在软而有刺的东西上，大叫起来）啊！虎子，我的脚！

仇　虎 什么？

焦花氏 脚底下，软几几的，刺！刺！乱动！

仇　虎 （由弹袋里取出洋火划燃，二人往下看）哪儿？

焦花氏 这儿！这儿！

仇　虎 （二人围着那个东西，一支火照着他们恐怖的脸）刺猬！

焦花氏 （放下心）刺猬。

〔这时由当中远处怪异地唱起一句："初一十五庙门开。"仇虎蓦回头。

仇　虎 这是谁？

焦花氏 像——像狗蛋！

〔顿时四处和唱着一群低沉幽森的声音："初一十五庙门开。"如同有多少被压迫冤屈的幽灵。

仇　虎 金子，你听，这是哪一堆人唱。

焦花氏 现在？

仇　虎 嗯！

焦花氏 （摇头）没有，——没有人唱。

〔接着，当中远处又在森厉可怖地唱："牛头马面两边排。"

仇　虎 谁——谁又在唱？

焦花氏 （谛听）是——是狗蛋。

〔跟随，四面又唱起多少低沉的声音，哀悼地重复着："牛头马面两边排!"这时仇虎忽而看见在右边破庙[1]前黑暗里冉冉立起牛头和马面，如同一对泥傀儡，相对而立。

仇　虎　（惊愕，低声）这——是——什——么?

焦花氏　（不明白）什么?

仇　虎　（更低声）你没看见?

〔当中远处又唱："殿前的判官哟，掌着生死的簿。"

仇　虎　你听见了没有?

焦花氏　嗯，听见，这一定是狗蛋学的你。

〔紧接，四外阴沉沉地和唱："殿前的判官哟，掌着生死的簿。"仇虎的眼里又在庙前[2]边土台旁幻出一个披戴青纱，乌冠插着黑翅的判官，像个泥胎，悄悄地立在那里。

仇　虎　（倒呼出一口气）怎——么——回——事?

焦花氏　虎子!

仇　虎　妈呀!

〔不间断地当中远处又唱："青面的小鬼拿着拘魂的牌。"

焦花氏　（拉着仇虎）走吧！虎子!（仇虎不动）

〔立时，四边和起："青面的小鬼拿着拘魂的牌。"仇虎望见黑地里冉冉冒出一个手执拘牌的青脸的小鬼，立在土台之旁，恰如泥像。

1　"破庙"川版作"破庵"。

2　"庙前"川版作"庵前"。

仇　虎　哦!(揩揩头上的汗)

〔当中远处又唱，但是此次威森森地，“阎王老爷哟当中坐”。

〔立刻仿佛四面八方和起那沉重而森严的句子，如若地下多少声音一齐苦痛地而畏惧地低吼出来：“阎王老爷哟当中坐。”似乎都等待着那最后的审判。仇虎望见一片昏黑的惨阴阴的雾里渐渐显出一个头顶平天冠，两手捧着玉笏的黑脸的阎罗(地藏王)[1]端坐小土庙[2]之上，前面的土台成了判桌。阎罗正如庙里[3]所见，一丝不动，塑好的泥胎。

仇　虎　(目瞪口张)哦，妈!

焦花氏　(更低的声音，为仇虎的森严态度慑吸)虎子，你——看——见——什么!

仇　虎　说，说不得。

〔当中远处幽远而悲悼地唱：“一阵阴风哟吹了个女鬼来!”

〔立刻，仿佛四面簌落簌落风声阴沉沉地吹起，四处幽长而哀伤地和唱，此次大半是女子的低声：“一阵哪阴风哟吹了个女鬼来!”随着四面的风声怨声，一个瘦小，穿着一身月白纺绸衣衫的姑娘，轻悄悄由黑暗里露出来。这姑娘的相貌和第二景的所见的毫无二致，只是更为怯弱苍白，鬓角贴上两张薄荷膏，手里拿着一根麻绳。她轻飘飘地移过去，

1　“阎罗(地藏王)”川版作“阎罗王”。

2　“小土庙”川版作“小土庵”。

3　“庙里”川版作“庵里”。

像是一阵风，不沾尘埃，到了判桌前面跪下。

仇　虎　（惊愕）哦，我的屈死的妹妹。（花氏一声不响，看着仇虎，惊恐万分，不知怎样对他好）

〔于是阎罗开始审问，他的动作非常像个傀儡，判官在一旁查看手执的案卷。四方仿佛有多少无告的幽灵在呜咽哀嚎，后面有许多幽昧不明的人形移动，那绸衣的姑娘似乎哀痛地诉说自己生前的悲惨的遭遇，眼泪汪汪，告诉怎样父亲死，哥哥下了狱，自己也卖到妓院，怎样[1]窑主客人一天一天地逼得吊死。说完深深叩头，哀请阎罗做主。

仇　虎　（含着眼泪听她申诉，不自主地泪水流下，他揩了又揩，很低）哦，妹妹！我的可怜的妹妹，你死得好惨！好委屈呀！

〔阎罗似乎对判官略略商议，便命传仇荣过审。桌前的青面小鬼[2]将拘魂牌向里面一举，嘴里仿佛在喊些什么，立时四面八方多少幽灵哀悼地低声应和，于是由黑暗里走出另一个青面獠牙的小鬼带着白发龙钟的老农人，踱到桌前。那老头手铐脚镣，看见女儿，二人抱头大哭——无声。——判官似乎大吼一声，两人同时跪下，那老者叩头如捣蒜，哀哀凄凄地把自己如何被阎王逼死的情形申诉个完全，说完又叩头无数。

仇　虎　（愤恨）哦，爹爹，我的苦命的爹爹！今天我们仇家人再得

1　“怎样”川版作“怎样被”。

2　此处原刊有破折号。

不到公道，那么世上就没有天理了。

〔这时忽然阎罗拍下惊堂木，对着仇虎叫了一声，仇虎抬头。所有判官小鬼牛头马面阎罗……都一齐恶森森地注视他，他几乎吓得不敢动转。四面的声音阴沉沉喊起，那青面的小鬼把拘魂牌对仇虎一举，仇虎不由自主地向他们走去。

焦花氏 虎子，虎子！你上哪儿去！（拉不住他，由他走去）

〔仇虎看见父妹，忍下眼泪，点点头便跪在案前。阎罗开始审询，四周嘁嘁喳喳有多少低低的议论。

仇　虎 （低头，声音诡异）小人仇虎身有两代似海的冤仇，前在阳世，上有老父年迈，下有弱妹幼小，都为那杂种狠心的焦连长所害，死于非命。我的老父弱妹两口，现已拘在阴曹地府，方才他们所供句句是真，无一是假，我在阳间，又被那杂种狠心的焦连长勾结那贪官污吏，陷害小人，把小人屈打成招，下狱八年，害成残废。杀了小人的老父，害死小人的弱妹，打断小人的大腿，强占小人的田产，都是那狼心狗肺的焦连长。小人仇虎此番供禀句句是真，无一是假，如若有半句瞎话，小人情愿上刀山，下油锅，单凭判官大人明断，小人决不埋怨，可是小人两代似海的仇冤，千万请阎王老爷做主，阎王老爷做主。（深深叩头）

〔阎罗突然传叫焦连长，小鬼一呼，堂下幽灵齐声怒吼，这时焦连长由黑暗中走出，神色非常骄悍，他依然穿着连长的制服，挂军刀，穿马靴，很威武地走到阎罗案前，并不跪下。

〔仇虎见着焦连长，想站起动手，为判官喝住又跪下。

〔阎罗仿佛以仇虎的话询问焦连长，焦连长句句否认，加以驳斥。

仇　虎　（叩头）启禀阎王老爷，他的话是狡辩，一面之词。

〔焦连长又要申说。

仇　虎　（立刻叩头）小人仇虎没有说错。

〔焦连长又要辩白。

仇　虎　（又叩头）请阎王老爷把他立刻判罪，不要再听他的。

〔阎罗拍惊堂木令他不要说话。焦连长走上前去，又发议论，阎罗频频点头，表示赞可。

仇　虎　（窥见连喊）阎王老爷不要信他的，你不要信他的，你不要信他的，他在阳间自己就是阎王。

〔阎罗勃然变色，令判官对仇虎的父亲妹妹宣判。判后二人大哭，为小鬼们拖去。

仇　虎　（大愤）什么，我的爹还要上刀山，我的妹妹还要下地狱[1]。你们这简直是——（被牛头一叉刺背，伏地不语）

〔阎罗又令判官宣判。焦连长得意洋洋，仇虎气得浑身发抖。

仇　虎　（跳起）啊，你们还要拔我的舌头[2]，叫他（指焦阎王）叫他

1　“下地狱”原刊作“在地狱里下血池”。

2　此处原刊有“永世再下阴间的地狱”。

上天堂。他上天堂（暴躁地乱喊）[1]你们这是什么法律？这是什么法律？[2]

〔忽然马面一叉把他刺倒地下。这时焦连长大声——听得见的——怪笑起来，每个“鬼”以至于阎罗都狞恶地得意地狂笑，声震天地。仇虎慢慢由地上抬起头来看牛头，牛头止笑，牛头的脸变成焦阎王狞恶的脸；转头看马面，马面止笑，马面也换为焦阎王狞恶的脸；转视小鬼，小鬼止笑，小鬼也化为焦阎王狞恶的脸；回转身望见判官，判官止笑，判官也改为焦阎王狞恶的脸；正面注视阎罗，阎罗止笑，阎罗就是焦阎王狞恶的自己。全场无声，仇虎环顾四面焦阎王的脸，向后退。

仇　虎　（咬牙切齿，低声）好，好，阎王！阎王！原来就是你！就是你们！我们活着受尽了你们的苦，死了，你们还想出个这么个地方来骗我们，[3]（对着那穿军服的阎王，恶狠地）想出这么个地方来骗我们[4]！

〔突然，四面的焦阎王们又得意地大声狞笑起来，声响如滚雷。

仇　虎　（忽而抽出手枪，对准他们，连发三枪）你们这群骗子！强

1　此处川版有“这是阴曹地府啊!”。

2　此段两处“法律”川版均作“王法”。

3　“你们还想出个这么个地方来骗我们，”川版作“在阴曹地府还是你们!”。

4　“想出这么个地方来骗我们”原刊作“哼！你们真会骗我们”。川版作“在阴曹地府还是你们”。

盗！你们笑！你们笑！你们笑！

〔一切景物又埋入黑暗里。

焦花氏 （苦痛地）虎子，你这是闹些什么哟？快走吧？

仇　虎 我！我！（摸着自己的头）

〔远处鸡鸣一声。

焦花氏 （惊吓）天快亮了！

仇　虎 快亮。——

〔忽而由右面射来一枪，流弹呜地飞过。

焦花氏 枪！

〔继而由中间向他们身旁射一枪。

仇　虎 （谛听）糟了？侦缉大概又找着我们了。

〔忽而由右中枪声乱发。

焦花氏 哦，（抓住虎子）他们要围上我们。

仇　虎 （拉着花氏）冲上去！管他妈！跟他们拼！——（向前放一枪，四周枪声更密）

〔二人由左面跑下。

第五景

同序幕，原野铁道旁——破晓，六点钟的光景。

天空现了曙白，大地依然莽莽苍苍的一片。天际外仿佛放了一把野火，沿着阔远的天线冉冉烧起一道红光。乌云透了亮了，幻成一片淡淡的墨海，像一条火龙从海底向上翻，云海的边缘逐渐染透艳丽的金红。浮云散开，云缝里斑斑点点地露出了蔚蓝，左半个天悬着半轮晓月，如同一张薄纸。微风不断地吹着野地。

大地轻轻地呼吸着，巨树还那样严肃。险恶地矗立当中，仍是一个反抗的魂灵。四周草尖光熠熠的，乌黑铁道闪着亮。远处有野鸟和布谷在草里酣畅地欢鸣。

铁道旁哩石[1]后面白傻子呼呼地打着鼾，侧身靠倚哩石[2]，身旁[3]有熄了火的纸灯笼歪歪地躺在土上。傻子的衣服也为荆棘钩破，脸上沾腻上许多土，脚光光的，破鞋乱放在一旁。傻子多年做着甜美的梦，

---

1 “哩石”川版作“里程石”。

2 “哩石”川版作“里程石”。

3 “身旁”川版作“在他身旁”。

脸上是平静而愉快的微笑。

远处鸡很畅快地叫了一声。

白傻子 （在梦里，模糊地）“吐——兔——图——吐，吐——兔——图——吐。……”

〔远处火车笛声。

白傻子 （酣睡，含混地）“漆——叉——卡——叉，漆——叉——卡——叉。——”

〔远处忽有枪一响，流弹由空气穿过，呜呜地。

白傻子 （吓醒，立起，揉揉眼睛，四面望望，莫明其妙，看见地上的纸灯笼，拿起来，突然想起半夜在林子领着焦氏，把焦氏丢在后面，以后找不着她的事。惊惧地）哦坏了！（提着灯笼向东跑）焦大妈，狗蛋在这儿！（想想，方向不对，又向西跑）焦大妈！焦大妈！狗蛋跟灯笼在这儿。焦大妈！（没有应声，愣住，慢慢踱回铁轨当中，摸摸脑袋回想，忽然转过身，向天际喊，对着野塘）焦大妈！焦大妈！（举着灯笼说）灯笼在这儿！（拍拍自己）狗蛋也在这儿，（仍然没有应声，忽然）去你的！（顺着语气，不知地把灯笼扔入塘里）她也许死了！（才望见塘里有自己的灯笼，浮在水面，惊吓）哎呀！水！灯笼！她的灯笼！水！水！（连忙跳下铁轨基道，奔到野塘边。听是狗蛋在那里“扑腾扑腾”的声音）

〔常五由左面慌慌张张地走上。衣领没有系好，仿佛刚起来的样子。

常　五　（喊）焦大妈！焦大妈！焦大妈！（擦着汗，一个人念叨着）妈，我早就说过那个老神仙[1]是个骗子手[2]，小的在庙里[3]没有活，老的出去叫了一夜的魂也叫不见了。念咒！打鼓[4]！念咒！打鼓[5]！念他妈的咒[6]！（喊）焦大妈，念咒！打鼓！[7]打她妈的鼓！[8]（喊[9]）焦大妈！焦大妈！（没有应声，纳闷）怪，狗蛋这孩子领她跑到哪儿去了呢？（冒叫一声）狗蛋！

白傻子　（忽然由铁轨基道跳出，下半身淋漓着水滴，右手提着浸透了的灯笼，左手拿着十日前仇虎投入塘里的铁镣。笑嘻嘻地）嗯，干什么？

常　五　（吓了一跳，似称呼又似骂）狗蛋！你怎么早不答应我。

白傻子　（唏唏地）你，你刚才就，就没有叫我。

常　五　没有叫你，你就——（忽然转了语气）焦大妈呢？

白傻子　（举起那水淋淋的灯笼）嗯！这儿！

常　五　干什么？

---

1 “老神仙”川版作“老道姑子”。

2 “骗子手”川版作“老骗子”。

3 “庙里”川版作“庵里”。

4 “打鼓”川版作“叩木鱼”。

5 “打鼓”川版作“叩木鱼”。

6 “念他妈的咒”川版作“敲他妈的磬”。

7 原刊无“念咒！打鼓！”。“打鼓”川版作“敲磬”。

8 “打她妈的鼓！”川版作“敲他妈的磬”。

9 “喊”川版作“四处喊”。

白傻子 这，这是她的灯笼。

常　五 （不耐烦）知道！个傻王八蛋！我问你，焦大妈呢？这一夜晚，你领她到哪儿去了？

白傻子 哦，哦！昨儿格夜晚！（张目阖眼）她……她叫小黑子，嗯，叫小黑子。我掌灯笼。我，我在前面，她——她在后面，她走，我——我也走，我走，她也就跟着走。……

常　五 （嫌他说得啰唆）知道！知道！

白傻子 （指手画脚）先，先是我扶她。后来她——她就扶着我。她，她越叫越高兴，她，她就不扶我，不扶我。原来我在前面走，她总是跟着我走。后来呀，我，我就——[1]

常　五 （急不可耐）你跑了。

白傻子 （摇头）没，没有。我还是在前面走，可是我一回头，——

常　五 她怎么样？[2]

白傻子 她没有跟着我走。就不见了，就不见了。

常　五 后来你就没有找她？

白傻子 谁说的？我找，我找，黑天野地里瞎找，找到这儿[3]，我就——（不好意思地）我就睡着了。

常　五 个傻王八蛋，走吧？

白傻子 走？

---

1 “我就——”原刊作“她”。

2 “她怎么样？”原刊作“嗯。”。

3 “黑天野地里瞎找，找到这儿”原刊作“黑天瞎找找到这儿”。

常　五　快走！现在四面是官兵[1]，拿着枪搜仇虎，还不快走！一枪把你打死！

白傻子　（惧怯地[2]）又到庙里去？[3]

常　五　到庙？庙里的神仙都叫人逮了！

白傻子　怎么？

常　五　那庙里的老家伙是个人贩子，拐人的。县里派人把他抓走了。走吧，跟你说，你也不懂。

白傻子　到哪儿？[4]

常　五　找人！（指着白手里的铁镣）咦，你从哪儿找来这个？

白傻子　你说这副镯子；水塘里捡的，（举起[5]）你不要？

常　五　浑蛋！放下！（白扔在铁道里）

常　五　走！（向左走）

〔忽然由左面响了一枪又一枪。四周忽然悄寂。

白傻子　什么？

常　五　（提起脚望，惊慌地，低声）那虎子，虎子！

白傻子　（不懂）老虎？

常　五　（拉起白）快走！

---

1 “官兵”川版作“侦缉队”。

2 川版无“惧怯地”。

3 此句川版作“到哪儿？”。

4 “常　五　到庙？庙里的神仙都叫人逮了！”以下川版无。

5 原刊无“举起”。

〔常白二人反身右面下。

〔枪声再发，流弹呜呜飞过。花氏低腰由左面跑入。仇虎一面回头一面扶她向前走，仇虎驼着背，满脸汗，仿佛肩着千斤的重量。臂上肌肉愤怒地突起，两只眼暴出来，一手托着枪，掮在腰里的匕首闪着光。现在他更像个野人，在和四周的仇敌争死活。看见了巨树，眉目间露出来好的计算，沉定地望着前面。[1]花氏拿着包袱，苦痛地迈着艰难的步，一夜的磨难，使她胆大起来，紧张而沉着地向四向顾望。

仇　虎　（回首恨恨地）这帮狗杂种！四面围上了。

焦花氏　（喘息）虎子，走！向前走。

仇　虎　不用走，前面也是卡子！你刚才没听见四面都放枪？

焦花氏　（抓着他）可他们并不知道我们在这儿。

仇　虎　一会儿他们就来搜的。

焦花氏　（恳求）那么，还不快走！

仇　虎　（摇头）不，不走了，多走两步也是一样地——（忽然）我逃够了？

焦花氏　虎子，怕什么，我们还有枪。

仇　虎　枪是有的，可是不能——再放了。

焦花氏　（惊悸）你说子弹已经——

仇　虎　嗯，就剩下两粒了。

焦花氏　两粒？

1　此句川版作“他在巨树前，凝神望着前面。”。

仇　虎　在这儿只要放一枪，他们听着声音都会来的。

焦花氏　虎子，难道我们就——就在这儿完了完了！

仇　虎　不！不！不能完，我完了还有弟兄，弟兄完了，还有弟兄。我们不能子子孙孙生下来就受人欺负。你忘了我刚才跟你说的话？

焦花氏　你说——不，虎子，不能够，我不去。我不离开你。

仇　虎　金子，你去！你一个人可以逃得出去，他们并不是抓你。我他们都认识！你先走，包袱里有钱。

焦花氏　虎子，你要我走！

仇　虎　（不顾地）走。

焦花氏　（眼泪流出来）虎子，可你叫我到哪儿去？

仇　虎　（坚硬地）我刚才告诉过你了。

焦花氏　你——你那帮朋友靠得住么？

仇　虎　他们都是我的好弟兄，干哪行的都有，告诉他们我仇虎不孱头，告诉他们我仇、仇虎走到头，没说过一句求人可怜的话。告诉他们现在仇虎不相信天，不相信地，就相信弟兄们要一块儿跟他们拼，准能活，一个人拼[1]就会死。叫他们别怕势力，别怕难，告诉他们我们现在要拼得出去，有一天我们的子孙会起来的。

焦花氏　虎子你说的是什么？我不走的。

仇　虎　金子！（抓住花氏）你忘了你跟我说的话啦？

1　原刊无“拼”。

焦花氏　（不明白）我说了什么？

仇　虎　你说我跟你这些天里头你也许，——

焦花氏　哦，那个！

仇　虎　说不定的，也许有。（忽然更迫切地）哦，金子，我信一定会有的。你要是不走连——连这个没出世的也——也——

焦花氏　可是，虎子——

仇　虎　（忽然看见脚下的东西）金子！这是什么？

焦花氏　（惊愕）铁镣！

仇　虎　（拿起来看）嗯，老朋友！（辛酸地）我的老朋友又来了。金子你知道，（以后一直拿着铁镣）他[1]找我干什么吗？

焦花氏　（故作不知）那干什么？[2]

仇　虎　这次他要找我陪他一辈子。[3]

焦花氏　（忽然抱住仇虎）不，虎子，你不能走。

仇　虎　（怪异地看着花氏）我！我是不走。[4]

焦花氏　你不走？

〔青蛙忽而由塘边鼓噪起来。

仇　虎　嗯，不走，（忽然望望巨树和野塘）怪，你还记得这块地方么？

1　“他”川版作“它”。

2　“那干什么？”川版作“干什么？”。

3　此句川版作“这次它要找我陪它一辈子”。

4　“我！我是不走。”川版作“我——我是不走。”。

焦花氏　记得。

仇　虎　现在又来了。

焦花氏　（悲哀）十天——像一眨巴眼。

仇　虎　嗯，一眨巴眼。那天我解开这个东西，（指铁镣）今天又要戴上了。金子，你后悔么？

焦花氏　后悔？我一辈子只有跟着你才真像活了十天。哼，后悔！

仇　虎　可是现在——

〔近处有布谷鸟酣适地唱起来。

焦花氏　你听！

仇　虎　（一丝微笑）"咕姑咕姑！"

焦花氏　虎子，你听着这个，你不想去么？[1]

仇　虎　想去什么？[2]

焦花氏　那黄金子铺的地方？

仇　虎　（凄然）嗯，现在那黄金子铺的地方只有你一个人配去了。

焦花氏　（大惊）你说什么？

仇　虎　（忽然举起金子的包袱，坚硬地）金子，我要你走！

焦花氏　（收下包袱）虎子？

仇　虎　你走！

焦花氏　我不。

1　"你不想去么？"原刊作"你不想去。"。

2　"想去什么？"原刊作"想什么？"。

仇　虎　不走，（用下策逼她离开[1]）我就放枪。（向天举枪）

焦花氏　干什么！

仇　虎　叫他们来。

焦花氏　不，虎子。

仇　虎　（痛苦地喊出来）走！（对天连放二枪，随把手枪扔在塘里，立时有一枪回过来）啊！金子（紧接枪声数响，俱向这边飞来）快跑！金子！

焦花氏　（喊起）哦，我的虎子。

仇　虎　（一手握住匕首，顿足）金子，你不走，我死也不饶你的。

焦花氏　（知道没有办法，眼泪顿时涌出，两手伸出，一面后退，一面望着仇虎）嗯，我走，我走。（枪声更密）

仇　虎　（看着花氏，满眶眼泪）记住，金子！孩子生下来，告诉他，他爸爸并没有叫这帮狗们逮住。告诉弟兄们仇虎不肯（举起铁镣）戴这个东西，他情愿这么——（忽用匕首向心口一扎！）死的！（停在巨树，挺身不肯倒下）

焦花氏　（大叫，跑回来，抱着仇虎）虎子！我的虎子？

仇　虎　（冒着黄豆大的汗珠，咬住嘴唇）跑啊！金子，告诉弟兄们我的话。

焦花氏　（泣不可抑，匍匐在足下）哦，你，你！（枪声更近）

仇　虎　（喘息）快跑，枪近了，我看着你走。（忽然由花氏脑后呜地飞过一颗流弹，中在她的左臂上，花氏回头，仇虎大喊）

1　此句川版作“逼她离开”。

你还不——（一脚把花氏踢在基道下）走!

〔花氏滚在下面，抬头望仇虎。仇虎回首不顾。她才用手蒙着眼睛，不忍再看，由右跑下。

仇　虎　（待她离开，忽然回头望着她的背影，看她平安跑走。枪声四下更密更近，他忽然把铁镣举到眼前，狞笑，而快意地——[1]）哼!（一转身，用力把铁镣掷到远远铁轨上，铛锄一声。仇虎的尸身沉重地倒下）[2]

——幕落[3]

1 “狞笑，而快意地——”原刊作“笑嘻嘻里——”。

2 川版无此句。

3 “幕落”川版作“幕落·剧终”。

附　录：

附　记

又是非常仓促地把这个戏写完，内中错误失漏随意看来便发现不少。希望日后能随时更正过来。好在这只是个未定的草稿，还容我有一点一点修改的可能。写第三幕比较麻烦，其中有两个手法，一个是鼓声，一个是有两景用放枪的尾，我采取了欧尼尔氏在《琼斯皇帝》所用的，原来我不觉得，写完了，读两遍，我忽然发现无意中受了他的影响，这两个手法确实是欧尼尔的，我应该在此地声明，如若用得适当，这是欧尼尔的天才，不是我的创造。至于那些人形，我再三申诉，并不是鬼。为着表明这是仇虎的幻象，我利用了第二个人。花氏在他的身旁。除了她在森林里的恐惧她是一点也未觉出那些幻象的存在的。这个戏的演出比较难，第一，角色便难找，仇虎，焦氏，金子，大星都极重，尤以焦氏不易，怎样把演员分配得均匀，各人在每个角色的心理上展开每人的长处，是很费思索的，第二，布景，灯光都相当地繁重，外景太多，而且又需要换得快，如第三幕那连续的五景，每景变换应以二十秒钟为准，不应再多，不然会丢了连续失去情

【题注】据1937年8月《文丛》第一卷第五期初刊本排印。

调，并且每个外景的范围也是极难处理，所以如果这幼稚的剧本能荣幸地为一些演出的朋友们喜欢，想把它搬上舞台，我很希望能多加考虑，无妨再三斟酌这剧本本身所有的舞台上的“失败性”，而后再决定演出与否，这样便可免去演后的懊悔和痛苦。

蜕变

【题注】据1951年4月文化生活出版社第七版“曹禺戏剧集”本排印。通校1940年4月16日至6月3日《国民公报》初刊本（校注称“原刊”）、1984年12月四川人民出版社“曹禺戏剧集”本初版（校注称“川版”）。参校1994年9月人民文学出版社“中国现代名剧丛书”本初版（校注称“1994人文版”）。又，剧中人物“伪组织”原刊“人物表”中作“魏竹芝”，并加引号；正文中作“魏竹芝”或“魏”，不加引号。梁公仰身份，原刊“人物表”中作“视察专员”，初刊连载二（1940年4月17日）附“更正”：“昨日人物表中，梁公仰下之‘视察专员’四字应作‘监理员’，特此更正”，此后原刊均作“监理员”。“胡医官”原刊作“胡医生”。以上异文，不一一出注。另，文化生活出版社各版、川版原收有巴金《后记》。

人　物[1]

秦仲宣——××省立伤兵医院院长，三十九岁。

“伪组织”——与秦院长姘识的妇人，年约二十八。

马登科——医院的庶务主任，秦院长外甥，年三十二。

况西堂——医院的秘书，五十一岁。

况太太——况西堂妻，将近四十。

孔秋萍——医院的录事，二十九岁。

孔太太——孔秋萍妻，二十六七岁。

谢宗奋——医院的公务员，年二十七。

龚静仪——医院的女职员，三十开外。

陈秉忠——医院的司药，三十四岁。

范兴奎——医院听差，“伪组织”的远亲，三十五岁。

韩　妈——“伪组织”的女仆，五十几岁。

田奶妈——马主任少爷的奶妈，二十几岁。

河南伤兵——三十整。

丁大夫——自动加入后方医院的女医师，三十七岁。

---

1 “人物”原刊、川版均作“人物表”。

丁　昌——丁大夫之独子，年十七。

胡医官——医院的医官，三十四岁。

陆　葳——医院的女看护，十八岁。

夏霁如——医院的女学习看护，才十七岁。

梁公仰——视察专员，五十七岁。

小伤兵——十七整。

徐护士——改组后的医院护士，二十八岁。

温宗书——改组后的医院副院长，三十二岁。

光行健——改组后的医院职员，二十三岁。

朱强林——梁专员的勤务兵，十九岁。

梁公祥——梁专员的远房哥哥，六十四岁。

李铁川——负伤营长，三十四岁。

赫占奎——李营长的卫兵，四十五岁。

李有才——医院仆役，三十几岁。

张营副——李营长的营副，三十六岁。

护士甲

护士乙

时　间

第一幕　　后方某小城，××省立伤兵医院的临时办公室内。——二十七年一月中旬，某日早八时左右。

第二幕　　仍在前幕该医院内，丁大夫的诊断室。——同日，下午一时半。

第三幕　　前线的后方，某县城内，改组后开赴前线的××医院内的一间堂屋。——二十八年六月间。

第一场　　端阳节前半月，某日晨九时。

第二场　　端阳节日近晚八时。

第三场　　翌日晨四时三刻。

第四幕　　后方××大城，在某后方医院的接待室内。——二十九年四月某日上午十一时。

第一幕

南京失守前数月，许多机关仓皇搬到后方来。于是一个省立的后方医院，也随着惶乱的人群，奉命迁移到后方一个小城。院长，医官，职员，差役都扶老携幼，带了他们所能搬运的箱子、柜子、碗儿、罐儿，以及公文档案，医药用品，辗转流徙，逃到数千里外的一个异乡。

县城小，住屋难觅。在大城市住久了的职员家属乍到内地，生活非常不惯，就跟着医院机关混在一道，同在当地一位大地主的旧宅内居住。后来伤兵又陆续开到，大家只得让出前院作为病房。所以强在后院挤下的少数与院长有亲旧关系的职员家属，男女老小约有二三十人，都填在一座小楼里，如同一筒铁闷罐头咸鱼。

搬来几将三整月了。刚到的时候，大家的情绪颇为激昂，组织宣传队，训练班，全院的人都精神抖擞，十分活跃。过了不久，上面的人开始和当地士绅往来密切，先仅仅打牌酗酒，后来便互相勾结，做国难生意。主客相约“有难同当，有福同享”。于是在下面的也逐渐懈怠，习于苟且。久之全院的公务人员仿佛成了一座积满尘垢的老钟，起初只是工作迟缓，以后便索性不动。

县城地处偏僻，死气沉沉，报纸半月才能来一次，好容易盼到了，又多半是令人气短的军事消息。而且交通不便，公事无从推动，因而沮丧，失望的空气，蔓延到全院。好的职员不过是情绪消沉，坏的就胡作非为，瞒上欺下。

原来抗战以前，院中行政上的一切设施，俱无一定的制度。到了现在，搬到这个穷乡僻壤，“天高皇帝远”，院里更缺乏“守法”的精神。从院长起，他用人办事但凭他自己一时的利害喜怒为转移：下属会逢迎，得到他的信任，便可以任意越权，毫无忌惮；不得他的欢心的，就只能在院内混吃等死，甚至如果负起责任，反遭申斥。

公务员既无人勇于负责，官职的进退，也只好看院长的喜恶。一人的喜怒好恶本是捉摸不定的，（何况窥测长官心理的工作，已大有人抢）多数职员只好委委曲曲，噤若冬眠的蛰虫，凡事不问不闻，绝不作春天的指望。

在此地“法”既不能制滥私，励廉洁，偏偏院长嘴里时常谈起法治精神，侈言：“行政不该人存政举，人亡政息。”而自己实施起来正是“行动自行动，法律自法律”。似乎在势当权的人，只须说说了事，对于“负责”“守法”两点，自己绝对无须以身作则，推己及人的。

抗战只半年，在这个小小的病院里，历来行政机构的弱点，俱一一暴露出来，迫切等待政府毫不姑息地予以严厉的鞭策，纠正和改进。

这是严冬季节。在这个小城里，缠缠绵绵落着令人厌惫的连阴雨。一连多少天不放晴，屋内也晾挂一件一件湿漉漉[1]的衣裳。墙纸发霉，败漆斑烂的旧木器也潮腻腻的，清晨八点钟，小楼上还继续响

1 “湿漉漉”原刊作“湿沥沥”。

着清脆的竹牌声，楼下办公室阒无一人。由正中一排腐朽的雕花木窗望出，溟溟蒙蒙的天空斜吹一片清冷的烟雨。时而风声峭厉，疏落的枝丫擞擞发抖，檐前一串雨滴坠珠似的急流下来。

说这是办公室，确实也不十分像。竹制的档案箱，四面乱堆，上放盆儿、罐儿、酱油瓶、洋铁筒、汽车上的零件。还有晚上预备老范——办公室的听差——睡在此处用的铺盖卷。零零碎碎，针儿、帽儿以及各位小少爷偶尔把办公室当作“游击阵地”，遗忘在此处的玩具都横七竖八地陈列起来。书案上的公文表格，报告堆积如山，有几叠蒙满了尘土。时时隔壁传来空屋弹棉花的声音，单调而迟缓，有如一个衰弱的老人在叹息。

其实这是一间穿堂屋，掀开左门（以舞台左右为标准）的棉布帘进去，再步出直对的右门，迈上颤巍巍的楼梯，就可以走进院长的寝室，和其他少数职员家属簇居一处的几间木板屋。人们都好走这条避雨的穿堂路，固然小楼的交通并不单靠这条要道来维持。靠左门前钉起一条可以自由拉动的白幔帐，幔前放下由房东借来的半洋书桌和太师椅。那只是为院长虚设办公的地方，实际上的行政，多半在楼上院长的床边私下交代。近左墙靠后是其他职员们的办公桌椅，和对面窗前几张竹制书案同凑来的木凳仿佛还能对衬。右门前侧，倚着墙横摆茶几靠椅：几上按放旧棉絮套好的茶壶一把，孤零零只有一只碗配搭，其余的散见在角落里和书案上。

墙上挂了些医院的统计表格和插信的蓝布袋。在院长办公桌之上，还悬了一张空袭中毒紧急治疗法的图解，其失神败色和院长桌上的一具破旧的病体模型，互为辉映。总之，进到屋来令人感触一种衰惫、散漫、拥挤、杂乱以至于荒唐的印象。尤其刺目的是横在眼前，两根竹竿上五颜六色的女人的换洗衣裳和丝袜子。

雨在落。隔壁房东家里一直不停地弹着棉花，远远仿佛有人在咳嗽。

轻悄悄右门外掀起棉帘，缓缓踱进来孔秋萍——一个专司抄写的小职员。孔先生生来一副单薄相，身材矮小，翘鼻孔，吊眉毛，苍白瘦削的脸，生着微微的髭须，穿一件恰合身量的绸面棉袍，衣领都有些污损，白衬衣袖翻转来也黑糊糊的。他脚下淡青薄呢鞋，上面丝缎带扎紧了腿，手里提着一双由大城市带来的套鞋。虽然是个逼近三十岁的人，脸皮依然光嫖嫖[1]的，藏满污垢的头发，涂了膏蜡，依稀留得昔日一点花花公子的风韵。他的妻室是一位家道中落而善于用钱的旧式小姐，颇鄙薄他潦倒以后的萎缩模样，以是二人相互不满，常起勃谿。孔先生颇好吹嘘，喜臧否人物，话多是非也多。阴雨天常听见他在办公室里高谈阔论，不能自已，时而说溜了嘴，便莫明其妙地吹得天花乱坠，图个嘴头快活。在座的[2]同僚有时唯唯否否，有时却故意挑引，拿他凑趣。孔先生照例视为得意，不以为忤。于是最近马主任——一个以干练自命的院长亲戚——忽然叫他做"屁"。但这个绰号他恨之入骨。平日他就因惧人卑视，时常故作不凡，现在怎能任人当面称他是个无足轻重的"屁"呢？他认为他的上司马主任有意在侮辱他。

他放下伞，挂好呢帽，在档案箱上腾开一块净地，把雨鞋放好。

---

1 "光嫖嫖"原刊作"光嫩嫩"，川版作"光致致"。

2 原刊无"的"。

他搓搓手，啊出一口乳白的寒气。他立刻到院长桌上找寻签到簿，但是不见。他四下里翻了一翻，也毫无踪影。

孔秋萍 范兴奎，签到簿子呢？（无人应，他走到右门口）范兴奎。（了无反响。从楼上传来一阵清脆的牌声，他仰头静听，忽然想起，匆忙踱到左门口，掀起帘子，伸头上望——不觉低低地）喂，范兴奎，（仍无回应，有些烦恶，高声）范兴奎！醒醒！

〔外面：（在楼上含糊应声）嗯。（不见动静）

孔秋萍 （大气）范兴奎！

〔外面：（烦烦地）干什么？

孔秋萍 签到簿子呢？

〔外面：在桌上。

孔秋萍 （忙回来找）哪儿有？

〔外面：（不耐烦）在桌上！

孔秋萍 （转身昂首）桌上？哪儿？

〔无回应——忽然听见楼梯上一阵由远而近的急步声，忿忿地走进来范兴奎。

〔范兴奎约有三十五岁，四方脸，薄嘴唇，总似在冷笑的眼神，无时不在保持他的沉稳而矜持的大衙门的号房的派头。他的身材高大，肥肚皮微微挺出来，和孔秋萍站在一道，仿佛他鼻孔里只轻藐地哼一声，就有把这个无足轻重的“屁”吹得无影无踪的气势。他是“院长夫人”的远亲，穿一身院长发胖时期的而现在不再穿了的旧灰哔叽袍，改得不十分合体。

范兴奎　（旁若无人，进门便找）说在桌子上呢！（忽然在院长桌上找着一册乱账本似的东西递给他）这不是？

孔秋萍　（似乎自己找的时候并没有望清楚，这时看见有字迹乱涂在上面）“人之初，性本善，上大人，孔……”（冷冷望着他，忽把本子递回来）这不是？

范兴奎　（不肯拿，强辩）那么，这是——

孔秋萍　这不知是哪位少爷的习字本，丢在这儿了。

范兴奎　（不肯认错）可是明明这本子外面——

孔秋萍　（奚落他）本子外面谁说不一样？就是里面不大对。

范兴奎　（一句话也不说，从孔手里夺回本子，又四处翻起来）

孔秋萍　（跟在后面，絮絮叨叨）你看，哪儿有？哪儿有？

范兴奎　（仿佛屋里没有第二个人，自言自语地）这倒怪，昨天晚上我从楼上院长房里拿下来，明明放在这儿的。

孔秋萍　（鼻孔里哼出一道冷气）哼，就不见了，就不——（忽然发觉范伸起腰来停住手，颇以为他一定再有什么巧词来狡辩，谁知——）

范兴奎　（抬头望望他，鼻孔里也哼出一道冷气，理也不理他走出左门）

孔秋萍　（跳起来）个混蛋[1]！范兴奎！范兴奎！（无人理）范兴奎！

1　“个混蛋”川版作“这个混蛋”。

范兴奎　（在外面，懒声懒气）找呢！

孔秋萍　（大声）范兴奎，（突然）我有旁的事！

范兴奎　（又走出来）干什么？

孔秋萍　范兴奎，我没到办公室以前，你在干什么？

范兴奎　干什么？我侍候院长太太打牌。

孔秋萍　（大不谓然的样子）他们还在打牌？

范兴奎　（翻翻白眼）嗯，打牌。（底下仿佛要说："有本事，看你去管管！"）

孔秋萍　（一肚子的牢骚，无可发泄）对，打牌！下雨天，不打牌干什么？（忽然想出题目）火盆呢？

范兴奎　还没有买。

孔秋萍　岂有此理！（俨然院长）搬来快三个月了，连火盆都没有预备好，真不知道他们庶务办的什么事？

范兴奎　您问庶务好了。（又要走）

孔秋萍　可是火盆，火盆，昨天从丁大夫那里匀过来那个火盆呢？

范兴奎　您说从伤兵病房挪过来的那个？

孔秋萍　嗯？

范兴奎　（简截了当）没有烧。

孔秋萍　为什么？你知道现在几点钟？

范兴奎　（翻翻眼）八点。

孔秋萍　那你为什么不把火盆弄好。

范兴奎　（轻藐地）孔录事，办公室不是您一个人。

孔秋萍　（厌恶地这样称呼他）范兴奎，你这句话怎么讲？

范兴奎　（又一次淡漠的白眼）怎么讲？我说办公室并不是您一个人。

孔秋萍　（气昏了）可我——可我——（忽然）啊，谁告诉你办公室这时候还不点火？

范兴奎　庶务吴先生。

孔秋萍　为什么？

范兴奎　炭贵，买不着。这儿不是南京[1]。

孔秋萍　岂有此理！不像话，不像话。（范冷眼望着他，看他还出什么花样，孔只好问下去——）那么什么时候点？

范兴奎　等马主任同别的先生们到齐了再点。

孔秋萍　什么？

范兴奎　总得等先生们到足了两位才能点。

孔秋萍　这是谁定的规矩？

范兴奎　这也是庶务吴先生定的。

孔秋萍　（仿佛不信，其实用来解围）他定的？

范兴奎　马主任叫他定的。孔先生，您还有话没有？（站在面前，故意不走）

孔秋萍　（逼得无路，大发脾气）范兴奎！

范兴奎　（佯为恭谨）干什么，孔先生？

孔秋萍　你这是故意地——故意地跟我（力竭声嘶）跟我——

〔忽而右边门帘掀开，冷风里进来况西堂。况先生并不老，岁数也不过是五十刚开外，而神色，举止，言谈，仿佛已

1　“南京”原刊作“大城市”。

届风烛残年，任何事都知难而退，能止则止。三十年过着书案生涯，由清末，民初，北伐成功，一直到今日抗战，他在各府各署各厅“历任科秘”，为长官起文稿，复函件，在一字一句的斟酌间耗费他大半的生命。然而时运不齐，北伐以后，他的官运日乖，如今在这医院里沦为[1]一个不十分受人重视的闲散人员，真是他昔日决意为人幕府时，始料不及的事。穷极无聊，他学得一手论相批命的学问，偶尔为人占测将来的气数寿分，自觉颇为灵验。抗战后流离颠沛，使他逐渐相信凡事都有个数，颇想乐天知命，在院里少沾是非，不多事，不多话，少应酬，深居简出，极力储蓄，只求平安度过抗战难关，好作归计。

〔他穿一件褪色皮大衣，皮领露出光板，颈上围紧长而黑的绒围巾，拖着一双厚重的家制棉靴。臂里挟着一只破旧的小公事包，提一根贱价的手杖。进门便放下皮包、手杖，脱去顶在头上的破呢帽，不住的掸扫上面的雨水。他面容清癯，顶毛稀稀的已有些斑白。

孔秋萍　（突然觑见进来的人，顺势坐在左边的办公桌前）

况西堂　（一团和气）来得早。

孔秋萍　早。（低下头打开他的墨盒）

范兴奎　（故意望望孔，再回头对况）况秘书，您大氅都淋湿了。

况西堂　（瑟缩）嗯，冷得很。（又把破呢帽戴上，又搓着手）

---

1 “沦为”川版作“落为”。

范兴奎　您不要火盆么?

况西堂　(随意地)怎么，还没有点?

范兴奎　是啊,(又瞥了孔一眼)刚才孔录事就因为火点晚了，直发脾气呢。

况西堂　(笑容可掬)快去，老范，端来大家烤烤。

范兴奎　(庄重而又伶俐地)是，况先生。

〔范由左门下。

孔秋萍　(忍不住)混蛋！狗仗人势！

况西堂　(和蔼地)怎么啦，老弟?

孔秋萍　没什么。(又调他的墨汁)

况西堂　(掏出手帕擦揩破皮领上的雨点，一面走到窗前望着淅沥的小雨)唉，又冷起来了。

孔秋萍　(余怒未息)嗯，冷得很。

况西堂　这种地方，真是——“四季无寒暑，一雨便成冬。”(忽然发现自己办公桌上一摊雨水)这是什么?(仰头望去，天花板还不断缓缓地向下滴漏)哦，又漏了。

孔秋萍　(立起，大为不满)房顶又漏了！这说不定是哪位小少爷又在楼上地板撒尿！这些太太们真是一点家教也不懂。(立刻想起)范兴奎,(大声)范兴奎!

况西堂　(一直抱着“多一事不如少一事”的态度)算了，算了。(挥手拦住他)不要叫他。(在档案箱上找到一个破脸盆，从容不迫地放在桌上接漏，雨水也从容地一点一滴打到铁盆，发出清脆的响声。况上下斟酌半天，幽默地)这次倒是雨水。

孔秋萍　（厌恶地）真是，鬼地方。（回头又斜倚在自己的椅上）

况西堂　（慢吞吞地走到院长桌后，遍找签到簿）咦！签到簿子呢？

孔秋萍　（噘着嘴）谁知道？连我早来半点钟都没有签着到。（不觉满腔牢骚）抗战不到四个月，搬到这小县城来，就是私人办的医院，既然得了公家的补助，也得像个样儿呀！[1]机关不像机关，公馆不像公馆。少爷小姐，老爷太太，院长主任，丫头老妈，连着厨房的大师傅，混蛋的鬼听差，大家都一起逃难，一律平等。档案卷宗，锅碗马桶，病床药箱，碗儿罐儿，都堆在一道，一律看待。哼，楼上堆人口，楼下装东西，一间屋子有三百六十项用场：白天办公，晚上睡觉，过生的时候，老爷们放牌桌，没事的时候，少爷们当球场。连下了几天雨，您看（指着那两竹竿衣裳）我们这间办公厅，又给楼上太太们晾起衣服来了。（气愤愤地走到况先生面前）要什么没有什么，找什么不见什么。一点秩序也没有！一点上下也没有！[2]（越说越爽意）乱七八糟，糊里糊涂！这也配叫作医院，这种医院也配谈抗战！

况西堂　（摆摆手）算了，算了，非常时期，马马虎虎。[3]

1　“就是私人办的医院，既然得了公家的补助，也得像个样儿呀！”川版作“堂堂省立的医院，混到现在，一点官办的派头都没了。”。

2　原刊无此句。

3　“非常时期，马马虎虎”原刊作“本来是个私人的医院，你认什么真呀？”。

孔秋萍 那我是不成的。

况西堂 （幽默地）您预备怎么样？孔先生？

孔秋萍 （十分激昂）还是那句老话，“合则留，不合则去”。我觉得此地对我不合，所以我就想去。

〔谢宗奋由右门进来，他是一个二十七岁的青年，离学校不久。家贫，毕业后就在各机关谋生，赡养[1]全家。抗战后决定在军队中服务，但为家人劝阻。最近介绍[2]入后方医院，抱满腔热望，想[3]为国尽力。现在事与愿违，心情颇为懊丧。他身材高大，面色红润，穿一件呢大氅，套下昔日的旧学生制服。他爽直却又高傲谈锋犀利，却又不屑于多说，间或指摘当局，总是一针见血。他臂里挟着一捆旧报纸包好的公事。

谢宗奋 早，况先生。（对着孔）早！你。（走到自己书桌前，放下纸包）

孔秋萍 （还想继续高谈阔论）所以我就想去。况先生——

谢宗奋 孔，昨天那些表格你又赶出来多少？

孔秋萍 哦，不少，不少，你呢？

谢宗奋 我，这里。（打开纸包一张一张点交给他）

〔老范由左门端进一架火势正炽的炭盆。

---

1 “赡养”底本作“瞻养”，据川版改。

2 “介绍”川版作“被介绍”。

3 原刊、川版无“想”。

范兴奎 （放下）烤烤火吧，况先生。

况西堂 好旺的火！（脱大衣，老范帮忙）不用了，我自己来吧。

范兴奎 （漫走）没有事啦，况先生？

况西堂 哦，老范，（狡猾的眼神笑眯眯的）昨天晚上楼上几位小少爷们又在此地打游击战啦吧？

范兴奎 是啊，（微笑[1]解释）我直说他们，叫他们别在——

况西堂 （伸手，打趣却又在挖苦）那么跟他们把签到簿子要回来，好不好？

范兴奎 （不好意思起来）这，这真太难了。这一定是这些皮猴们拿的。（向左门下，正遇见龚小姐走进来）龚先生，您下来了。

龚静仪 嗯。

〔范由左门下。

〔龚静仪已有三十开外，却神气比岁数还老。焦黄的瘦长脸上，眼珠子总是滴溜溜地乱转。聪明自负，说话十分刻薄，颇善于察言观色，人也精明机警。她穿一件碎花淡黄旗袍，袍下仿佛是半大天足。神色裕如，有时故意倚老卖老，和同事们开些玩笑。她是院内唯一的女职员。

孔秋萍 （对况）您看气人不气人，火升得好好的，这个混蛋就是不早拿来。

龚静仪 咦，（笑着）这火盆怎么又跑到这个地方来啦？

况西堂 怎么，龚先生？

---

1 原刊无“微笑”。

龚静仪　我在楼上烤了半天，原来在院长屋里，后来房东太太上了牌桌说太热，怕上火——大概就这么又归了我们啦。

孔秋萍　（似乎他又有了理）您看！您看！（对龚）牌还没有散？

龚静仪　（嘴角一撇）散了，不听见外面下了雨了么？

况西堂　今天龚小姐下来得真早。

龚静仪　楼上实在太闹。院长太太今天过生，（尖酸地）楼上大有“全民动员”之势，我也掺不进手，不如下来签签到，看看报，还爽快一点。

孔秋萍　谢先生，您看，这成什么话，一个女人过生，就要闹得这么天翻地覆。

〔楼上忽然砰嘭乱响，仿佛两三个洋铁筒倒落地上。

孔秋萍　（大惊小怪）哎呀，这一定是太太们打牌打起来了。

〔况先生也不觉站起来，大家仰头静听。

况西堂　（低声）怎么，洋油筒都打翻了？

孔秋萍　哼，这——

〔隐隐听见有女人在咒骂。

龚静仪　（挥手）别说，（孔果然不动。侦察片刻，龚小姐下了断语）这是张主任的丫头乘着大家忙，又在偷米花糖呢。

孔秋萍　你怎么会知道？

龚静仪　（颇有把握）你看哪，就要挨打了。

〔果然一个小女孩放声大哭，接着听见张主任的太太痛骂：“你这个死不要脸的小妖精！看你偷，看你偷，看你偷，看你偷——”随声乱打一阵，老太太女仆们劝解。女孩更止不住地鬼哭神嚎起来。

〔况探头叵到自己办公桌，龚像是在笑，孔独自昂首谛听，颇似津津有味。谢宗奋摔下笔杆走到左面，拿起一份旧报纸乱翻。

〔这时由右门走进来一个瘦人儿。陈秉忠约莫[1]有三十四五岁，身材面孔都生得伶仃孤苦，可怜得令人发笑。他穿一身单薄的灰棉袍，袖口套着一副配药时蚀烂的蓝布袖套。他为人谨愿诚厚，做事非常小心，除他说话琐碎和一直忍受穷困的煎熬，而好自悲叹的习惯外，言语、举止上别无其他不“重”的地方。然而好玩笑的同事们时常对他天生的可怜相，忍不住加以揶揄，有时当面叫他的绰号“可怜儿”(读若两音)，听到了，他一向不动声色，面孔益发严肃，而看去益发可笑。他不懂幽默，不知世情,(穷困改不动他的天性)做事唯恐不认真。小心翼翼，心地介直，规则条例颁布下来，他总一字一字地做到，一件事唯恐做错，必须请示，或斟酌数次，才肯动手。他一生颠沛流离，心肠颇软，困苦中若受了冤曲，便忍不住悲从中来，呜咽不止。但他肯负责任，苦干死干，不走歪路，看定了方向，他不肯变移，有时执拗得如一条牛。他是医院里的司药。

〔他很焦急地走进来。

陈秉忠　(嗫嚅)谢先生，马主任到了么?

---

1 “。陈秉忠约莫”川版作“——陈秉忠。他约莫”。

谢宗奋　没有——昨天他一天就没有来。

陈秉忠　是，是，（客气地）对不起，您的表几点钟？

谢宗奋　八点半。

陈秉忠　（犹豫不决）龚小姐，您知道院长起来没有？

龚静仪　没有。

陈秉忠　（愣住）还没有？

龚静仪　听说他昨天夜里打到三点钟。

孔秋萍　（专好戏弄他）可怜儿，你找他有什么事？可怜儿？

陈秉忠　（怕孔继续戏弄他）我们不玩笑。

〔陈连忙走下。

孔秋萍　（追到门口）可怜儿，可怜儿！（回转身得意地笑）这个家伙！

谢宗奋　我觉得我们大可不必这么“可怜儿”“可怜儿”地叫他。我们现在并不比陈秉忠不可怜！

况西堂　（怕二人争起嘴）是不是又为要药的事，他来？

谢宗奋　当然丁大夫催药，陈秉忠就找人，而我们的马主任就照例躲着，避而不见。

况西堂　你知道昨天丁大夫自己又到这里来催一次？

谢宗奋　哼，那有什么用，马主任替院长买米卖米[1]还忙不完，哪有工夫管这些事？

龚静仪　（忽然）刚才丁大夫又派人找院长太太要铁床呢？

---

1 “买米卖米”原刊作“买东西卖东西”。

孔秋萍 怎么，那张病房的铁床还没有还？

龚静仪 嗯。

况西堂 我们院长夫人呢？

龚静仪 （含蓄而幽默地）我们院长夫人还是那个派头。

况西堂 怎么？

龚静仪 （自己觉得说话十分俏皮）还是给他一个“相应不理”。

况西堂 你别说，像丁大夫这样倔强的女人我倒是第一次见过。

孔秋萍 （手一摇，洋洋得意）嗯，头痛，头痛，我一见她就头痛，她看见我不顺眼，我看她也头痛。（头一扬）高傲，目空一切，简直没有把我们放在眼里。

况西堂 （老气横秋）唉，年轻，刚到机关来，又是个妇道——碰几次钉子就好了。

龚静仪 （正刺着痛处，立刻似笑非笑地）“妇道”怎么样？女的难道就不是人了？

〔况见闯了祸，便再不作声。

孔秋萍 （不识时务，还在打趣）况先生，（指龚）她们女人们都这样，批评不得，我们先生们说一个，她们女人们来一群。

龚静仪 （翻了白眼）孔先生，我不跟你开玩笑。什么“女人”“女人”的。这个称呼顶难听了！

〔孔秋萍顿然扫兴。于是大家都静默不言，外面单调地传来弹棉花的声音。——这时由右门走进来一个绷布缠着手的伤兵。

河南伤兵（立正，河南口音，很有礼貌地）劳驾，这里可是[1]××医院[2]？

龚静仪 医务室在前院，你走错了。

谢宗奋 （站起来）你是新来的么？（走过去）

河南伤兵 嗯，俺们刚从宣城前线上下来的。

谢宗奋 你有伤票没有？

河南伤兵 有。（掏出两张黑污的白布包的硬纸片）

谢宗奋 （看了一看）怎么，两张？

河南伤兵 有一张是机关枪连第七连上一个小弟兄的。

谢宗奋 （读）十九岁，徐——

河南伤兵（帮着看，憨直地对谢笑了笑，抱歉的样子）看不出来了，上面都是血。（从谢手拿回来，在纸上吐一点唾涎，大手在上面擦了擦，又憨厚可爱地笑起来）不成，看不出来了。（指伤票）就是他。俺在路上碰见，把他带下来的。

谢宗奋 这个小弟兄在哪里？

河南伤兵 在大门口——大腿上来了一炮弹，半个月了，看式样挺危险。

谢宗奋 我带你到前面医院去。

河南伤兵 好。（走了一步，仿佛很关心他，拉着谢）喂，这院里可有个丁大夫？

---

1 “可是”原刊作“则是”。

2 “医院”川版作“伤兵医院”。

谢宗奋 你认识她？

河南伤兵 （摇头）不，俺们到后方来，一路上听着弟兄们说。

谢宗奋 她在这儿——怎么？

河南伤兵 那——这个小家伙运气！

谢宗奋 为什么？

河南伤兵 他这条腿算有了救了。

〔老范由左门拿签到簿上。

范兴奎 谢先生，院长说请您把什么表册早点赶好。

谢宗奋 哦。（伤兵还候在那里）

况西堂 算了吧，大家跟他赶一下。说这两天有个什么“视察专员”要到。真到了，连个表册都没有给他看的，你想院长还算办的什么公？

谢宗奋 老范，你带着这位伤兵同志到前院找丁大夫去。

范兴奎 是。（把签到簿放在桌上）

谢宗奋 哦，伤票在这里。（交给老范）对不起，同志。

河南伤兵 （立正）谢谢。

〔老范与伤兵同由右门下。

孔秋萍 （目送范出门）混蛋！（立起）这时候才把签到簿找来。（想去签到）

谢宗奋 孔，别忙，我们先查查这些表。（孔被他拉住，只好停下）这一共是七十一份表格，现在只赶出一半。（孔望见况与龚都去签到，早已心不在焉）

况西堂 （猜透）秋萍兄，我给你在签到簿上留个空。

谢宗奋 喂！（孔才回过头来）你昨天给我的那十份，我看至少有六份是错了的。

孔秋萍 怎么，我抄错啦？

谢宗奋 不是，里面根本不准确。

孔秋萍 这就不关我的事。

谢宗奋 譬如说，现在院里所用的职员差役，根本就没有那么大的数目——

孔秋萍 不管啦，谢先生，不准你可以问院长去。我们数数还要赶的表吧，这张该我抄——

谢宗奋 （指着）这张归你抄。

孔秋萍 这张也归我抄，三张，四张，五张，六张，七张，八张，九张——（仿佛数不完的应填的表格报告）我的妈，上面发下这么多表格要填哪。——唉，这么许多表！

龚静仪 （幸灾乐祸——对着况西堂，俏皮地）这才叫作“临表涕泣，不知所云”。

〔此次孔秋萍看她一眼，走向院长桌上去签到。

孔秋萍 （不看则已，看了签到簿）混蛋，这太压迫人哪！

龚静仪 （吓了一跳）怎么？

谢宗奋 怎么回事？

孔秋萍 （拿起签到簿）你们看，天下有这种道理不？

况西堂 （佯作不知，故意读出来）“马登科，七点半到。”

孔秋萍 （一腔怨气）况先生，你看，岂有此理不？我七点钟（不自觉地又说早半点钟）到他昨天晚上就把名签上了，这是第三次！我非得禀报院长，这，这，公事这么办，是越过越不像话了。

况西堂　（“小事化无”的态度）他签七点半，你就签到后面，写七点三十一分就得了。

孔秋萍　可——可是我七点钟到的。

谢宗奋　你少写了半点钟又有什么关系？

孔秋萍　（连自己也相信今天来得异常早）但是我是七点钟到的，他就比主任再大，也不应该抹杀我这早到的事实啊。

谢宗奋　算了吧，你早来干了什么？还不是坐着看报，烤火，吃点心。

孔秋萍　那我知道。可是公事办不办是一件事，我签到早不早又是一件事。况先生，您是个老衙门，您想，我们再不靠早签到，晚下班，考勤加薪，还靠什么？

况西堂　我并没有说你不应该。可是马主任现在俨然是个要人，跟他这种铁饭碗碰，对你有什么好处？

孔秋萍　（不赞同的语调）嗐[1]——况先生，我就讲的是这个理呀。他铁饭碗——哼，一个小小的私人医院的[2]庶务主任算得了什么！我从前在交通部，何司长就跟我说过——（仿佛大家应该知道这个鼎鼎大名的人，叫得既熟且响）就是何凤奇呀，总务司的司长，范部长手下最红的人——他就跟我说，（不觉一比）拍着我的肩膀说：“老孔，全部里就你一个人最勤。

1　“嗐”川版作“哎”。

2　川版无“私人医院的”。

早到迟退，你是我们部里最有前途的公务人员。”不是吹，况老先生，连黄次长都对我当面这么嘉奖过，我总是任劳任怨，一句话也不说,（眉飞色舞）所以现在我们的秦院长一直也很看得起我。（更一串说下，来得有力）但是不能因为何司长把我介绍给刘厅长，刘厅长又把我介绍给秦院长，叫我到这里来当，当——

龚静仪 （仿佛顺口替他说，其实是有意作尖刻的讥讽）当录事！

孔秋萍 （不理她）嗯，当录事，我反而吃这个混账王八蛋的亏呀。

况西堂 （不自觉地想捉弄他）那么，我们秋萍兄打算怎么样呢？

孔秋萍 （一鼓作气）我要骂他，我要当面给他一个难堪，笑话他，叫他也明白我并不是好惹的。别看他是皇亲贵戚，院长的外甥。

况西堂 （大点头）很好，很好。

〔老范傲然由右门匆匆走进，神色烦躁，预备穿出左门上楼。

孔秋萍 （余勇可贾，耀武扬威）喂，范兴奎！

范兴奎 （一看是孔）干吗？

孔秋萍 （指手画脚）方才的签到簿是不是从马主任楼上房里拿来的？

范兴奎 （不耐烦地哼出一声）嗯！

〔范由左门下。

孔秋萍 （轻藐的神气）况先生，我就讨厌这种欺软怕硬的势利小人。他以为他是“这个”（伸小指示意）介绍来的，我就怕他。哼，我还是照样给他一个难堪！（鼻里拖出一声长的——）

嗯，“这个”，[1]“这个”是个什么东西！

况西堂　老弟，嘴上不要这么缺德。院长夫人就院长夫人，不必“这个”“这个”叫得这么难听。

孔秋萍　她本来是“这个”！院长原来的太太我见过，现在还在怀宁。（低声，煞有介事的样子）这是偷偷摸摸在上海娶的[2]，（忽然得意地笑出声音）[3]她不是“这个”是什么？喂，龚小姐，您说，她不是——

谢宗奋　（一直在工作，厌恶地）喂，孔，请你少说两句，把这点表赶赶好不好？

孔秋萍　（小脖子一缩）好，咱们就赶表，赶——表。

〔于是大家都不说话，有的办公，有的看报，有的出神。

〔老范又由左门进来，神气似乎说：“跟你说：白问，白问的，你看可不是碰钉子啦。”又由右门走出去。

〔只有孔不放过，狠狠盯了老范一眼，其余同僚都未动声色。静默中听见雨声更大，楼上竹牌声清脆而响亮地传入耳膜。

〔这时忽然听见楼梯上有个老妇人哭泣着下楼的声音，旁边有一个少妇不断地劝解。

〔少妇的声音：算了，别哭了，韩奶奶。嗐……

1　原刊无“‘这个’，”。

2　“娶的”川版作“勾搭来的”。

3　此处川版有“这叫‘伪组织’。”。

〔于是两个布衣妇人一老一少，唠唠叨叨，说着走进左门。

田奶妈 （那个年少的妇人，一个十分伶俐，口头上素不肯让人的奶娘，抱着睡熟的马小少爷，善意地劝解着）算了吧，韩奶奶，别哭了，就当作叫恶狗咬了一口。算了，别伤心了。

韩　妈 （那头发已经苍白的年老的女仆，五十几岁，满脸皱纹。粗糙的手指在红肿的眼角上擦来擦去，一面哭泣，一面唠叨）真没见过，打牌打到一点两点就算了，没有说打到现在还不散的。人还没有住消停，牌一夜一夜地先打起来。晚上死不睡，白天死不醒。（回头望着门口说）你们有那种精神熬，我，我的命也还是娘老子给的。（忽然想起进来的目的。走到晾着湿衣裳的竹竿旁边，又忍不住数落起来）哼，你骂的什么人？什么了不得，一个月五块钱，我白天跟你们收拾屋子、做饭，夜里跟你们洗衣服、弄点心。哼，你就是阎王，你也得让我睡一会觉啊。（拿起破棉袄的衣裾大哭）

田奶妈 （陪着干擦眼泪）韩奶奶，别哭了，出门在外的，有什么讲究！都是逃难，要不是日本鬼子快打到南京[1]，谁肯为这几个钱跟他们出去？

韩　妈 （方要收衣裳，想想又觉得委曲）哼，你骂的是什么人？你当院长太太，就忘了自己是个什么出身啦？哼，我不怕说得难听——

田奶妈 快点吧，赶快把晾好的衣服收拾起来，省得她又提起来，

---

1 “快打到南京”原刊作“打来了”。

唠唠叨叨一大堆。

韩　妈　您不知道，田奶奶，她当人骂我骂得多么难听呢，是个正派人都说不出口啊。（横了心）哼，我五十多岁的人哪，有儿有女的，（对着屋顶）你骂我卖屁股，看有人相信！我要当人说你是个卖屁股的，你才好看呢。（又去收拾衣裳。孔几乎笑出来，龚瞪了孔一眼，他又不作声[1]）

田奶妈　（同时）算了吧，韩奶奶，别生气了。等我们打胜了仗，一块儿回老家，再也不受这种气。

韩　妈　（把衣裳一件一件地理好）真是！打完了仗回家，为着这几块钱，命不要了，连脸都不要了么？唉！

〔老范又由右门走进。这次神色更为烦恶，轻蔑地对着这两个女仆投了一瞥，慢吞吞由左门走出。

韩　妈　（摸摸衣服）下雨天，您看，衣服晾了一晚上，还是潮几几的。

田奶妈　嗐，赶快到厨房，找个火盆烘烘算了。来，我替你拿竹竿子。

韩　妈　不用了，您还抱着孩子呢。（拿起衣裳同竹竿子，韩田二人欲下）

孔秋萍　（立起）喂，等等。（走到她们面前，自己觉得非常斯文地）你们以后可不可以不在这儿晾衣服？

---

1 "孔几乎笑出来"以下川版另起作"**孔秋萍**　（几乎笑出来，龚静仪瞪了孔一眼，他又不作声）"。

田奶奶　（同时）（满不在意）您说什么？

韩　妈　（同时）（抱歉地）先生，可——

孔秋萍　我说你们以后不要在这儿晾衣服，这是办公室！

田奶奶　（振振有词）您说不在这儿晾，在哪儿晾？外面下着雨，楼上打着牌，四面房子都堆着你们先生老爷太太们的东西。前面院子住的是上千上百的伤兵。这上上下下洗好的衣服，我们不放在这儿晾在哪儿晾？（说完就拉韩奶奶[1]）走吧，韩奶奶，别理他。

〔韩田二人下。

孔秋萍　（半天哑口无言，忽然）总之，这种地方，三个大字："没办法！"

〔此时左门外听见有人在咳嗽。老范打起棉门帘，跟随秦院长先后踱进来。

〔院外人和秦院长谈过话的，绝少不惊服他遣词用字的巧妙的。他与外人谈起事来——自然对院中下属也如此，不过总变些花样，不太显然——有一个特征，在一般情形下几乎是一律地模棱两可，不着边际。"大概""恐怕""也许"这一类的词句，一直不离嘴边。和他谈上一点钟，很少听见他肯定地说出什么办法来，总是在不痛不痒模模糊糊的口头语里莫明其妙地做了结束。院中盛行两句打油诗："大概或者也许是，我想恐怕不见得。"就是为纪念秦院长的"言

1　"韩奶奶"川版作"韩妈"。

语”天才而咏的。固然他对于院中下属——尤其是低级职员——是另一种气派和口吻，但对公事的精神则内外无论，总是一致。所以他遇着大事要办，只好应付一下，小事就索性置之不理。等到事情办得出了差池，而下属又无其他对付方法，必须“请示”，逼到他头上的时候，他就强词夺理，把一切责任推到下属身上，发一顿院长威风，乱骂一阵，以“不了了之”的态度依然莫明其妙地做了结束。反正是私人医院[1]，上面不来督察，得敷衍一阵，就敷衍一阵。

〔抗战以后，他的私人医院[2]虽然夤缘求得××省政府的[3]补助，同时也开始收容伤兵，而他的态度非常消极。由大城市搬到一个穷苦的小县份来，尤令他精神沮丧。每天抱着“五日京兆”的心肠，只想在他认为合法的买卖里埋头弄钱，眷眷不忘往日在北平、上海时期的舒适生活。

〔他微微有些驼背，体质不强，不满四十，头发已经有些斑白。他生得眉清目秀，瘦长脸，高鼻梁，举止斯文，甚至有些弱不禁风的样子。他着一身古铜色细花绸面的棉袍和一件质料十分考究、熨得笔挺的藏青西服裤。脚下穿深灰色的羊毛袜子，拖一双略旧的闪光黑缎鞋。他眼有些近视，戴一副微黄的细边玳瑁镜，无名指上套一只素净的黄金戒指。他

---

1 “私人医院”川版作“他办的医院”。

2 “私人医院”川版作“医院”。

3 “××省政府的”川版作“一些”。

头上顶一个压发的黑绒睡帽，但一进门就脱下交给老范。

孔秋萍　（不料院长[1]进来）院长……（立刻回到办公桌子前）

秦仲宣　（面含愠怒，对他点点头。转对老范，自己一面系着扣绊，老范在侧帮忙）是怎么回事？谁让人非要把我叫起来？

范兴奎　陈，陈司药请的，刚才我已经上去一趟下来，我就跟他说："院长睡得晚，现在——"

秦仲宣　他说有什么事？

范兴奎　他说有，有要紧的事，非见您老人家不可。

秦仲宣　（十分不快）好，让他进来。

〔范由右门下，院长[2]拖出那把咯吱乱响的破太师椅，一屁股坐下，面色阴沉，大家都不出声。他颇想倚着桌角，支颐养神，但觑见桌上的尘垢，他厌恶地缩进臂肘，把头一偏，朝着右门候望。屋子冷，他打了一个寒噤。

〔陈秉忠由右门走进。

陈秉忠　（苦笑）院长，您早。

秦仲宣　（不耐烦）早，——什么事吧？

陈秉忠　（小心翼翼，结结巴巴）秉，秉忠，原来不敢惊动院长的。可是秉，秉忠，秉忠实在为了难，而且时间非常急迫。问到这位，这位不管；问到那位，那位也不理。（琐碎而诚恳地）院长，秉忠只知为国服务，不，不计其他。抗战是非

1　"院长"川版作"秦院长"。

2　"院长"川版作"秦仲宣"。

常时期，无论什么事情，都刻不容缓，说要就要——[1]

秦仲宣　（耐不住，到炭盆前面烤火，回头）陈司药，你有话，就请说，不要啰啰唆唆讲这一篇大道理[2]。

陈秉忠　是，是，是，我是跟院长回——

秦仲宣　那你就赶快说吧。（打了一个喷嚏）这个地方怎么这么冷？（伸手又把睡帽拿回来戴上）老范，到楼上快把我的獭绒[3]袍子拿下来。

范兴奎　是。（对陈秉忠万分不满地瞪了一眼，由左门下）

秦仲宣　（见陈望着范）说啊，陈司药。

陈秉忠　（回头，衷心不安）院长，真对不起，叫您早起，又叫您受寒。

秦仲宣　不要再废话了，我已经起来了，你快说吧。

陈秉忠　我，我是在跟院长报告。前，前天晚上，丁大夫又把秉忠叫了去，问秉忠她上次开的那些药品，都发下来了么？秉忠就说："药品还没有到我手下。大概不是今天到，一定就是明天到。说不定药品现在已经到了医院，就会要点交给我。"我是这么跟丁大夫说的。丁大夫是非常着急，（仔细地再申述一遍[4]）院长知道，一个大夫要治病，而手下缺乏药，

---

1 "（琐碎而诚恳地）"以下原刊无，标"……（下略）"。

2 原刊无"讲这一篇大道理"。

3 "獭绒"川版作"貉绒"。

4 "仔细地再申述一遍"原刊作"啰啰唆唆"。

您想，她怎么不着急！[1]她就跟我讲："陈先生，如果今天再，再没有药品……"

秦仲宣 （连打喷嚏）真是，（顿足）活见鬼！（走到门口）老范，老范，皮袍，我的皮袍！

陈秉忠 （跟在院长后面，对门外喊）老范，皮袍，皮袍子！（又转向院长，十分歉然）真对不起，院长，早知道，我——（院长又打一个喷嚏，陈又忙向门外）老范！老范！

〔老范拿着皮袍跑进来。

范兴奎 （解释）找了半天，方才您的貉绒袍不知道放——

秦仲宣 （吼叫）少废话，穿上！（老范侍候院长穿衣服，陈在一旁呆望，不知如何才好。突然院长转对陈）说，说啊！[2]

陈秉忠 是啊，丁大夫就跟秉忠说，说："陈先生，如果今天再没有药来，那，那就不成……"秉忠听下非常着急，因为伤兵同志屡次几乎要打秉忠，说——哎，这也不知是哪里传来的谣言——硬说秉忠把药扣住，预备拿到市面上卖（觳觫不安）秉，秉忠有口难分，这种谣言真是天晓得——

秦仲宣 （不耐烦）底下呢？

〔范由左门下。

陈秉忠 （衷心委曲）可怜，秉忠一生一世，从来没有做过一件亏心事，尤其在抗战时期，国家既然——

---

1 "院长知道"以下原刊无。

2 "说，说啊！"原刊作"底下呢？"。

秦仲宣　（怕他再啰唆下去）既然是谣言，就无关宏旨。好了，底下是怎么回事？

陈秉忠　（依然忘不下自己的冤曲）是的，这种，这种谣言的根据，除非是……

秦仲宣　（大叫）陈司药，我问你底下呢，底下呢？[1]

陈秉忠　（莫明其妙院长为何大发雷霆[2]）底下，底下，是的，丁大夫就叫秉忠找马主任，秉忠于是立刻去找。当时秉忠就到处都找，马主任是到处不在。秉忠只好告诉丁大夫说："马主任不在。"丁大夫说："你（指一指）再找！"于是秉忠从前天晚上九点钟起，到今天现在九点钟为止，秉忠到处去找马主任，而马主任还是到处不在。今天已是十五号。按道理讲，药再不到，似乎再无法维持。秉忠在药局里实在坐也坐不下去。因为一则丁大夫一会儿就要来催，再则伤兵同志说不定就要来打——可怜秉忠在外多年办事，从来小心谨慎，想不到今，今天遇见这么为难，这么——[3]

秦仲宣　（官样文章）马主任呢？

陈秉忠　就是[4]——

谢宗奋　（看不下去，挺身立起）院长，不是您前天晚上派他出去办

---

1 "**陈秉忠**　是啊，丁大夫就跟秉忠说"以下原刊无，标"（下略）"。

2 原刊无此句。

3 "今天已是十五号。"以下原刊无，标"（下略）"。

4 "就是"原刊作"说是"。

事了么？

秦仲宣　（似乎想起）哦，是的，是的，大概是的。那么，陈司药，你为什么不把药品现在不好办的话告诉丁大夫呢？

〔范由左门上。

范兴奎　太太请您到楼上吃稀饭。

秦仲宣　不吃了，银耳煮好了没有？

范兴奎　煮好了，在上面。

秦仲宣　端下来。（对陈）你怎么不说呢？

陈秉忠　秉忠早跟丁大夫说过了。秉忠就照上次院长跟丁大夫说的话又说了一遍：现在外汇比战前高，药价昂贵；再者战区太广，运输很困难，并且——

秦仲宣　（烦躁）算了，算了！我知道，不用你背[1]了。

陈秉忠　嗯，凡是院长说的，秉忠也都说了一遍。

秦仲宣　（走来走去，仿佛泛泛对着正在办公的下属发牢骚）前两个月没有这种名医来，医院倒也办得好好的。有了这么个好医生，这个不对，那个不对，真不知添了多少麻烦！

〔范由左门端进一碗热气腾腾的银耳。

范兴奎　（送到院长手里）院长！

陈秉忠　（正当院长滋补的时候）院长，不知您现在预备怎么办？

秦仲宣　（把碗一放）混蛋，你忙，你不知道我现在也忙吗？

〔陈不料当众遭受了羞辱，于是低头不语。

1　“背”底本作“哷”，据川版改。

秦仲宣　（突然转了语锋）谢先生。

谢宗奋　嗯。

秦仲宣　那些统计同表格赶得怎么样了？

孔秋萍　（立刻站起）已经差不多了[1]，院长。

秦仲宣　（没有理他，又转向谢）谢先生？

谢宗奋　还有不少。

秦仲宣　快点赶，你们诸位。这一两天说不定就有视察专员来，要用的。万不可马虎——这是成绩！

孔秋萍　是，是。

秦仲宣　龚小姐跟况先生也帮帮忙。你们诸位多辛苦两天。（笑容可掬）办好了，我要好好请诸位到楼上吃一顿酒。

况西堂　公事，公事！

龚静仪　（同时）不敢当，院长。

秦仲宣　（转身，和颜悦色地）陈司药，我倒想出一个顶好的折中办法。现在不多多少少总还有点药品吗？你就按着诸位医官们开的药方减半配，开两钱改一钱，开一钱改半钱配，那不就又可以应付一阵了吗？（笑逐颜开，对着大家）诸位，你们看这个方案如何？

〔大家无可奈何，随着干笑两声。

秦仲宣　陈司药，你以为如何？（陈不答）

龚静仪　那不治不了病了吗？

1　“差不多了”原刊作“差不多”。

秦仲宣 但是也坏不了病哪！

谢宗奋 （爽直地）就是恐会耽误病的。

秦仲宣 （被人顶撞大不高兴）可是，诸位，我有什么法子？人多，事多，而经费总是不够。[1]办药，我不是没叫马主任办，马主任也不是不在办，可是药品办不下来，一时买不着，运不到，难道叫我卖老婆弄钱来买么？钱还是第二件事，根本交通成问题，我再神通广大，还不是束手无策。诸位，不要认为我刚才说的是笑话！自从南京陷落，到现在快两个月，任何事都一团乱麻，一团糟。请问，我们有什么办法？陈司药，你说，是不是？

陈秉忠 （抬头）院长，秉忠——秉忠想请长假。

秦仲宣 （不解为何方才一段讲词，不生效力）什么？

陈秉忠 秉，秉忠想辞职，秉忠干，干不下去。

秦仲宣 （勃然）荒唐！混账！你干不下去也得干。现在是抗战时期，做事要格外负责。我这个医院，既然奉命收容伤兵，也算是公立的[2]。你不干，我就可以军法从事！办你，重办你，把你押起来！

陈秉忠 （忍不住，呜咽）天，天知道，秉忠怎么不负责！

秦仲宣 无论什么事交给你们办，就办得一塌糊涂，不能叫人满意。什么豆大的事都来请示，找我。我已经交给马主任办，你

---

1 “陈司药，我倒想出一个顶好的折中办法”以下原刊无，标“（中略）”。

2 “也算是公立的”川版作“也是为了抗战”。

就找马主任好了。现在院里经费东拉西扯，只这一桩，就够我头大。……真奇怪，不知你们存的什么心，非要在大清早上拿这么多事情，琐琐碎碎，麻烦我。

〔范由右门上。

范兴奎 房东跟本地绅士都来拜生了，现在在楼上。

秦仲宣 知道。陈司药你可以回去想想。

〔院长[1]与老范由左门下。

陈秉忠 （半晌）可怜！（咽声）我，我有什么可想的？（向右门走）

谢宗奋 （立起）陈先生，陈先生！

〔陈独自由右门下。

谢宗奋 （走到门）秉忠先生！

〔静默，隔壁弹棉花声单调弛缓地传进来。

孔秋萍 （摇摇头，轻轻咂着嘴）

龚静仪 （鼻孔哧出一声，似笑非笑的）嗯！

况西堂 （喟然长叹，望着窗外一片冬景）

谢宗奋 我对我们这位院长有三句话的批评[2]。

龚静仪 什么？

谢宗奋 （辛辣地）旁若无人，死不要脸，理曲气壮。

〔半晌，风声瑟瑟。

况西堂 （悒郁低吟）“国破山河在，城春草木深。（又听不见）……”

---

1 “院长”川版作“秦仲宣”。

2 “批评”川版作“评语”。

龚静仪 雨又下起来了。

况西堂 “……烽火连三月，家书抵万金。……（又低得只听见蚊子一样的哼哼）……”

谢宗奋 （突然）连阴天，毛毛雨，搬到这个地方来，连一张日期近点的报纸都看不见。从南京失守到现在快两个月，我们整天就是这种鬼事、鬼人、鬼把戏。抗战仿佛是人家的事，我们只要整天坐在这儿谈闲天、鬼画符、事事嚷没办法，事情就可以办好了！（忿愤）真是，国家民族养我们这些废料有什么好处？有什么好处？

〔大家默然。

况西堂 （望望谢，拿起桌上的空杯，无可奈何地叹了一声）唉，喝一碗热茶！（走向右门侧小几旁倒茶）

〔隔壁弹棉花声益发混浊刺耳，沉重纡缓，令人窒闷。

孔秋萍 （不耐烦，咬牙切齿）我最恨阴天听房东家里弹棉花的声音！

龚静仪 （迟缓而暗塞[1]的声音）房东老太爷病得快要死了。

孔秋萍 死了好！这些混蛋死一个好一个。

〔略静，楼上竹牌声清脆可闻。

况西堂 （吸一口长气）冷得很！（望望屋顶）奇怪，楼上太太们的牌局还没有散。

〔况太太，一位年近四十，极善治家的妇人，由右门走进。

---

1 “暗塞”川版作“喑塞”。

她的生相颇和蔼可亲，丰腴的圆脸，扁鼻子，大嘴，笑眯眯的眼睛。她身量矮短，且略显胖重，但行路做事十分灵敏。眉宇间，一望便知不是懵懂女人。她很会谈话，尤欢喜诙谐，时常拿她的丈夫打趣。况西堂多少也从她学会了些幽默。她穿一件淡绿色，有条纹，灯草绒质的旧旗袍，样子肥大宽适，由一件男人旧衣服改的。袖口处露出一截赭红色绒线内衣窄袖，胖手指冻得又红又肿。她提着一个竹烘笼，捧着一个热气腾腾的纸包，还夹着用报纸包好的她丈夫的一双雨鞋。这些配搭她头上一顶况老先生多年夏天不戴的破“白盔”，盔上还流滴着雨水，和下面冻得绯红的圆脸，其形状至为颟顸可笑。

〔她进了门愣了一下，用捧着东西的手臂揩擦眼角下的雨水。

况太太　（笑）好大的雨。

龚静仪　咦，况太太。

况西堂　（吃了一惊）你现在来干什么？（况太太把东西放在茶几上，用力跺下脚上的泥）

孔秋萍　况太太，您今天一打扮，我简直不认识了。

况太太　（对孔）少贫嘴！（对况）西堂，跟你送烘笼来了。（把烘笼放在况的桌上。对孔）今天真冷。[1]（立刻走到火盆前烘烤。况得着“老妻”送来的炭火，欣然色喜）

1　此下川版另起一段。

孔秋萍　这热烘烘的是什么？

况太太　热包子。

孔秋萍　好啊。（走过去）

龚静仪　（意在言外）这是况先生的点心。

况西堂　（也走近茶几，和蔼地）不要紧，诸位，大家吃。

孔秋萍　好，大家吃，大家吃。（拿起一个，放在口里）

况太太　（走过去，热诚地把点心送到他的面前）龚小姐，你吃，你吃。谢先生你也吃一点。（谢点点头）龚小姐，你吃啊。（龚只好拿起一个）热得很！我自己做的，挺香的。今天你们诸位到医院到得真早啊！

孔秋萍　（口里还未嚼完）什，什么医院哪！简直是一群——

龚静仪　（睨视）要饭的窝就是了。

况西堂　（看"老妻"还戴着那顶不伦不类的帽子，幽默地）喂，贤妻，可否把那顶要饭的白帽子暂时取下来？

〔大家笑起来。

况太太　（笑着取下来）你们诸位不要笑，这是我大前年夏天跟西堂买的"白面斗"。戴了半个夏天，他嫌晦气就不戴了。（对龚）你看，下雨天戴着出去，不也很漂亮？

孔秋萍　（吃完了）怎么？况太太，（指着纸包）您还送了小菜？

况太太　这不是。这是西堂的雨鞋。（看看还在细嚼烂咽的丈夫，半开玩笑）西堂，我就恨你这点忘性。说好了下雨天穿雨鞋，省得又筋痛腿痛乱哎哟。你看你又忘了。（况避着人棱了她一眼。况太太故意点破，眄目指着他笑）你别做那个怪样，当着人我也要说你。（对龚）这么大年纪，当人叫自己老婆说两句有什么寒伧？

孔秋萍　（羡慕不置）况太太，你们这一对老夫妻真亲热，要是我家里的——

况太太　什么亲热？（睨笑）这么侍候他，他还不满意，想着歪心思呢。

况西堂　（岸然）不要乱说，闺阁的事我最不爱胡谈。

况太太　（十分喜欢她丈夫在这些地方毫不苟且）你看你，跟你开开心，就这样板起面孔。（对孔，得意地）我们西堂真是个老腐败。

〔老范由右门上。

范兴奎　（拿着片子对门外）嗯，嗯，请您外面等等，我去问问看。（对孔）院长不在这儿？

孔秋萍　（翻翻眼）你看不见？

〔范[1]由左门下。

况太太　西堂，我家的人又来信了。（由袋中取出信来）

况西堂　哦！（接过信戴上眼镜阅读）

龚静仪　（很关心）况太太的娘家现在在哪儿？

况太太　上海。真造孽，拖一大家子人，先由南京搬到芜湖，又由芜湖赶回杭州，又由杭州才逃到上海，真是作孽。

谢宗奋　他们没有说南京失守之后，什么情形？

1　此处原刊有“不理他，”。

况太太 我们家里连地板都叫日本人拆去了。我们隔壁人家最惨，男女大小十三口，日本兵进了城，只跑出来[1]一条老狗，连一个十二岁的小女儿都没有逃出来。

谢宗奋
龚静仪 怎么样？

况太太 （严肃地）你们猜还会怎么样？[2]

龚静仪 （忿愤[3]）不是人，真不是人！

况西堂 （看完信，摇头）唉！又是接济，又是接济！

〔范由左门进。

范兴奎 （持片交况）况先生。

况西堂 （看片）哦！

范兴奎 院长说不见，叫我交给您，说您知道。

况西堂 哦，知道，知道。

范兴奎 您见他？

况西堂 不用了，你告诉他，就说院长说的，事情妥了，请他明天早上到差就是了。

范兴奎 是。

〔范由右门下。

孔秋萍 （拿起名片）谁呀？"王——"这不是跟院长送礼送了好几趟

---

1 "出来"原刊作"掉"。

2 此处原刊有"（低微叹了一声）"。

3 "忿愤"原刊作"愤恨"。

的那位先生吗？

况西堂 嗯，明天，这屋子又来一位同事。

谢宗奋 真是，平时已经没有事干，不知还添一位坐着干什么？

况西堂 （老于世故地[1]）亲戚！亲——戚！

龚静仪 （又是俏皮话[2]）跟我们马主任属于一类，一个是外甥，一个是——

孔秋萍 （第一件关心事[3]）薪水定多少？

况西堂 （手一比）法币六十。

孔秋萍 （吃一惊）六十元？

况西堂 嗯，比我们方才多做事多挨骂的陈司药还多三十元。

孔秋萍 （不由又牢骚起来）“可怜儿”，先不必提了，就说我吧，一天做事不算少，家里还有一个最能花钱的老婆。想当年我在交通部，我一个月赚一百八，那时候何司长就对我说——

谢宗奋 屁！请你不要再乱吹好不好？（孔愣住，龚哧一声笑出来）

况西堂 （对其妻，拿着信）你预备怎么样？

况太太 （猜透了他的心理[4]）没有钱拿什么接济？——

孔秋萍 （神志恢复）老谢，我反对你这么称呼我，我，我不欢迎。

〔马登科由右门上。马主任素来聪明自负，一种踌躇满志的

---

1 原刊无“老于世故地”。

2 原刊无“又是俏皮话”。

3 原刊无“第一件关心事”。

4 原刊无“猜透了他的心理”。

神色，咄咄逼人，全院中几乎无人不厌恶[1]，尤其是直属他手下的孔秋萍。他好吹善捧，浅薄空虚，年岁不过三十二，而“狡”“伪”“私”[2]“惰”的习性已经[3]发挥尽致，不可救药。幼时无教育[4]，年长又和腐败的老父执们久处，耳濡目染，都是蝇营狗苟的勾当。眼光小，脸皮厚，表面看，似乎异常精明干练，而实际却愚昧无知，糊涂得可怜。分内的事他不屑办，分外的事他也做不好。只因生来两片锋利的嘴，随他鼓唇摇舌，说得愚笨蠢弱[5]的人口服心服。他衣冠楚楚，但颜色剪裁俱是非常俗气。而质料也并不高贵。他穿一身蓝缎皮袍，戴着黑丝绒的礼帽[6]，手持一根粗杖[7]，衔着纸烟，脚下方头黑皮鞋嘎吱嘎吱的。

〔他颧骨颇高，面颊凹进，薄嘴唇，暴突的牙齿，瘦长脸，发向后梳。红光满面，下巴生了许多疙瘩。他眼神暴露，举止无定，那根手杖不知怎样摆弄才好。他也戴一个戒指，也有一副备而不用、只为装饰的眼镜。

马登科　哦，诸位早到了。（仿佛忽然看见孔秋萍）哟，你在这儿。

1　此处原刊有“他”。

2　原刊无“‘私’”。

3　“已经”原刊作“已”。

4　“教育”原刊作“教养”。

5　“愚笨蠢弱”原刊作“愚蠢弱私”。

6　“礼帽”原刊作“洋式帽”。

7　“手持一根粗杖”原刊作“持一根手杖”。

孔秋萍　（立起）是，马主任。

马登科　（戏弄地）屁，你的太太在外面找你。（对着大家，匆忙地）我要先见院长一下。（忙由左门走出）

孔秋萍　（气极）真是——

马登科　（忽由门口迈回来）哦，忘了。

〔把帽子[1]同手杖放在桌上又出去。

孔秋萍　（放下心）真是混蛋。

〔孔由右门下。

况太太　（诧异[2]）“屁？”这跟孔先生起的什么外号？

龚静仪　况太太，您看他从上到下不像个屁像什么？

况西堂　（又转了题目）喂，龚小姐，我这个人顶不喜欢贴娘家了。——

〔外面大吵。

孔秋萍　（在外面）好，好，请你先不要吵。

孔太太　谁吵了？谁吵了？（一面气汹汹地由右门走进来）

〔孔太太看样子有二十五[3]，实际或者比这个年纪大。她穿得颇为讲究，浓妆艳抹，却总有些乡气。这时正和丈夫大发威风，精神抖擞，在人前预备恶闹一场。

孔秋萍　好，好，你先不要吵，我们有话好说，这是办公室。

1　“把帽子”原刊作“马把帽子”。

2　原刊无“诧异”。

3　此处原刊有“岁”。

孔太太 我跟你说什么？跟你说什么？你不过是个屁！（着重）屁！屁！屁！

孔秋萍 （无法）我就是屁，屁也是你的丈夫啊。

孔太太 你丈夫，就怎么啦？（龚小姐忍不住笑出来）

孔秋萍 （棱了龚一眼对其妻，外强中干）我是丈夫，就不许买。

孔太太 [1]我就买了。不但买了，而且做了；不但做了，今天晚上吃席我就要穿。你敢把我怎么样？

孔秋萍 （又无办法[2]）你知道这是什么时候？

孔太太 （两眼一翻）九点半，该吃稀饭的时候。

孔秋萍 太太，国难，国难！

孔太太 国难不能叫我不穿衣服啊？

孔秋萍 国难我没有钱，国难大众都不好过。

孔太太 （鄙夷的神色）哼，你痛痛快快说你没有钱就得了，什么屁事也得把国难扯上？

孔秋萍 你呀，中国就叫你们这帮妇人女子给害了的。

孔太太 （跑到孔面前，来势甚恶）你呀！——

况太太 （和事佬[3]）孔太太，算了吧，您不是来跟院长太太拜生的么？（拉着她[4]）走，我们一同上楼去。

---

1 此处原刊有“（气势凌人）”。

2 原刊无“又无办法”。

3 原刊无“和事佬”。

4 原刊无“拉着她”。

孔太太　（理由充足[1]）是啊，高高兴兴告诉他我托人买件材料[2]做件衣服，你看他大惊小怪的样子，偏要当着人做这么许多穷酸相！

况太太　（推她[3]）走，上楼！

孔太太　（回头）哼，[4]亏你还配姓孔。

〔孔太太由左门走出。况太太对况伸伸舌头，预备走出。

况西堂（幽默地）贤妻，您的雨帽！

〔况[5]把白盔递给她，况太太笑着由左门下。

〔马登科由左门上，回头与况太太打招呼："况太太，您上楼？"

马登科　（兴高采烈）喂，西堂兄，今天晚上你可以大喝一下。我托房东特意把本地顶好的厨子叫来办的"俭德席"[6]，与众不同，三十元一桌，十桌！

谢宗奋　什么？三十元？

马登科　怎么？

况西堂　三十元一桌的俭德席[7]，毋乃太贵乎？

---

1 "理由充足"原刊作"对况太太申述"。

2 "买件材料"原刊作"买材料"。

3 "推她"原刊作"紧接"。

4 此处原刊有"穷酸相！（突然）"。

5 原刊无"况"。

6 原刊无"俭德席"。

7 "三十元一桌的俭德席"原刊作"（慢悠悠）三十元一桌"。

马登科　（滔滔不绝）你不晓得，院长尽管嘴里嚷“太贵！太贵”，到了，好菜谁不喜欢吃？一个人在机关做事[1]，花钱就要花在刀口上。（大拇指一伸）这个家伙嘴里不说，心里喜欢这一套。“伪组织”[2]自然更不用提。这种女人好容易巴结上一个院长嫁。这次过个生为什么不愿意热闹热闹？反正钱又不是她花？

龚静仪　（冷笑[3]）倒霉的还不是我们这群小职员？

况西堂　登科兄，我可声明在案，鄙人老妻昨日已和鄙人严重交涉。自从南京一路搬来，家用已经亏空四五百元之巨。以后无论[4]应酬，院长夫人过生也好，院长过生也好，甚至于你老兄过生也好，鄙人以后每次至多只以二元为度。

马登科　（没料到[5]）怎么，你们几位都不赞同。

龚静仪　（尖酸地）有钱谁不愿意当漂亮人，像您马先生各方面都行得开，帮着院长做生意，见识广，手头大，像我们这些穷公务员[6]——

马登科　笑话，笑话，你们不肯出，就不出得了。反正这机关大，有的是人出，至不济，我一个人出！

1　“在机关做事”原刊作“在外面混事”。

2　“‘伪组织’”原刊作“这个”。

3　原刊无“冷笑”。

4　此处原刊有“什么”。

5　原刊无“没料到”。

6　“像我们这些穷公务员”原刊作“我们这些穷办事员”。

况西堂 好极，好极[1]，佩服之至！

孔秋萍 （灵机一动，忽然立起）马主任，您看见了今天的签到簿了么？（拿起签到簿）

马登科 （盯着孔）看见了，怎么？

孔秋萍 （嗫嚅）马主任，我今天是七点钟到的。

马登科 怎么？（竖起眉毛）我也是七点钟到的，你要怎么？

孔秋萍 （感觉[2]局势危险）我，我不要怎么？（委曲地）那，那么我们都是七点钟到的。

马登科 （指着）你老拿着签到簿干什么？

孔秋萍 我说，我说——

马登科 （尖利的冷笑）你说今天晚上这顿酒席，你也不预备加入是不是？

孔秋萍 （抑压不住）谁，谁说的？（放下签到簿，一腔怨气化为——）马主任出多大份子，（着重）我也出多大份子。

马登科 （睥视）你？

孔秋萍 （挺胸）我！

马登科 （大笑）好，好。

孔秋萍 （回到自己办公桌，低声）看你还瞧不起人！

马登科 （回头）况西翁，你不要见怪，我刚才也是说着好玩，闹笑话。

---

1 “好极，好极”原刊作“（点点头）好极”。

2 “感觉”原刊作“突感”。

况西堂　（莞然）不，多年做事的人，哪儿会！你老兄前程万里，处处都是进取的气象。鄙人三十年书案生涯，眼前又有一大群孩子，我如今只想守成，回家还有一碗稀饭喝，就万事足矣。

马登科　（不学无术，非常推重搬弄笔墨的人）啊，况老先生，[1]您的文章是了不起的，您一个字就可以定天下，转乾坤，那真是了不起的——

〔范由右门上。

范兴奎　马主任，丁大夫问您在不在？

马登科　（仿佛都不记得）丁大夫？

范兴奎　她问您的药？

马登科　（不耐烦）知道了，回头说。真是讨厌，一件事还没了，又有一件事。（对况）刚才院长还叫我慰留老陈，像"可怜儿"这种人，芝麻小的事情，总看得像天大。

况西堂　（同情）刚才他大为伤心，要辞职。

马登科　就说的是呀！（忽然记起）哦，西堂兄，那你催药的呈文办了没有？

况西堂　大前天晚上就办妥了，就等你老兄来，而你老兄两天没有[2]照面。

马登科　唳！你不知道！麻烦，麻烦，这两天，不只是为我们这个

1　此处原刊有"（又伸出大拇指）"。

2　"没有"原刊作"不"。

（伸拇指）办事，还要为这个（伸出小指头，轻蔑地咧咧嘴）办事！（非常得意）真是没法子，（转换语气）怎么样，公文在哪里？为什么不前天就发了呢？

况西堂 （拿出公文）不是等你老兄过目么？院长说归你专办，就请你老兄过目吧。

马登科 （手一甩）过什么目哟，你老兄还会有错么？拿去发了算了。（把公文夺过来）老范，拿去交给收发处发出去。

〔范持公文由右门下。

马登科 哦，谢先生，方才院长又提赶快赶出表格啦。昨天我在外面打听，谣言很多。说上面特意派个什么专员来督察我们这个机关[1]。并且说，这个专员非常精明强干，但是怪！又非常不知人情，不通世故。听得我是莫明其妙，糊里糊涂。总之，我们得预备，表格要赶好，完全赶好。

龚静仪 什么，现在完全赶出来？

马登科 那有什么法子？这是成绩呀！[2]不过所谓督察[3]也并不一定难对付——（孔秋萍偷偷离开办公桌向右门走）喂，小孔，你上哪儿去，还不快赶表？

孔秋萍 （恭谨）是，我出去换一支好笔就来。

〔孔由右门下。

---

1 “机关”原刊作“医院”。

2 此处原刊有“否则公家就要停止补助。”。

3 “督察”原刊作“视察”。

马登科　（神气十足）其实什么专员，还不都是人。两顿好饭一吃，酒一喝，再清楚他的出身背景，哎，什么话都好谈！不过，（自觉老练异常[1]）总是预备一下好，——哦，院长还叫我看看前面病院，该洗刷的都要洗刷一下，[2]其实这也不过是以备不虞就是了。连天下雨，天气冷，路又不好走。谁是大傻瓜，都是公家事，急急忙忙地跑来视察干什么？对了，我还得到"可怜儿"那儿去一趟，真讨厌，越忙他越添麻烦。（走了两步，又回来）西堂兄，我看你也帮着他们赶一下吧。

〔马洋洋得意，施施然由右门走下。

况西堂　（目送他出门，感慨[3]）真是得意忘形！

龚静仪　俨然是个小院长。

况西堂　（手指在空中指点了半天，打趣地）他呀，他是现在德国的"希特勒"，什么事都管，什么事都要干涉。[4]

谢宗奋　（气愤）听见了没有，专员要来，院长吩咐你们赶表。

〔三个人又低头办事，刚静了一刻——

〔田奶妈匆匆忙忙地由左门走进。

田奶妈　（进门便四下乱翻，一面噘着嘴，低声唠叨）真是的，真是不知怎么疯才好。到底是当小老婆出身，是有点邪行。（找

1　原刊无"自觉老练异常"。

2　此处原刊有"（趾高气昂）"。

3　原刊无"，感慨"。

4　"**况西堂**　（手指在空中指点了半天"以下原刊无，标"（中略）"。

到龚小姐桌上）

龚静仪　喂，你找什么？

田奶妈　针，一盒唱话匣子的针！（又找到谢先生的桌上）

谢宗奋　（烦躁）针，怎么会在这儿？

田奶妈　（不理他）哼！一盒针算个什么？我们孩子拿去玩一会，也值得你指鸡骂狗，说那么一大堆屁话？（还在谢的桌上四处乱翻）

谢宗奋　喂，你是怎么回事？

田奶妈　怎么回事，人家牌打腻了，现在又要跳舞了。（一边找一边数落）真是，可摸着有人跟你做生了。牌打了一通宵，现在，好！干脆不睡，大清早上，要唱话匣子，又要显摆她会跳舞了。（又回到龚小姐的桌旁乱翻）

龚静仪　（耐下）你还在这儿乱翻什么？

田奶妈　（一直想方才受的委曲，并未听见。仍继续找）哧，你骂我们孩子在你床上撒尿，哼，这点“童便”以后你要我们撒，我们还不撒呢。我叫你沾上这点童男子气，你好添儿子啊，哼，美得你！不要脸，整天咧着嘴，又是吐，又喝醋地装着有喜来骗人。

况西堂　（早在自己桌上寻觅，忽然举着一个亮晶晶的铁盒）喂，这个是吗？

田奶妈　（一手抢过来）对了，就是这个。（反身就走）

谢宗奋　喂，你是哪家的奶妈？

田奶妈　（大模大样）马主任——

〔田妈由左门下。

谢宗奋　（拍案）这办的是什么公？

〔马登科偕陈秉忠由右门上。

马登科　（照例的慰勉）不要难过了，我们一同就去见见院长——算了。

陈秉忠　（还在悲痛[1]）我，我不想去，秉，秉忠做事从来负责，不知为什么还骂我不，不负责任。

马登科　（觉得他迂拙可怜）唉，就是因为你太负责任了。

陈秉忠　（擦擦眼泪）秉忠自问对得起国家。我每天看见丁大夫同别的医官们不分昼夜，跟伤兵们看病，秉忠总觉得自己做事做得太少。尤其是这两天看到药品不够分配，一搭一搭的药方子交给我，我眼看着手里拿不出药来，我心里真是不知多么着急。

马登科　（顺口一说[2]）唉，那又何必呢？

陈秉忠　屡次丁大夫自己拿出钱来买药，分给病人。而且时常一夜一夜地不睡，照护重伤的同志，秉忠有时天亮起来，时常看见她一个人走出病房，流着眼泪。（握拳击掌）那时候秉忠只恨自己无权无能，帮不了她一点忙。（噙住眼泪）我真怕丁大夫万一气走了，那时候的医院（摇头）——[3]

1　“还在悲痛”原刊作“不觉悲愤，固执地”。

2　原刊无“顺口一说”。

3　“**陈秉忠**　屡次丁大夫自己拿出钱来买药”以下原刊无，标“（中略）”。

马登科　老陈（敷衍）你是个好人。[1]

陈秉忠　（抬起头）可怜！秉忠一月薪金三十元，我还图什么？秉忠的女人非常地贤慧，每天省吃俭用，跟我苦过。我只求于心安，在我分内的事情我都做得非常之好。我就对得起我的祖宗，我的书就算没有白读。（忽然愤慨地）现在院长骂我混蛋！又说我“不负责任”。又想出那种方法叫我配药，这，这我是不能做的。[2]院长说要办我，要重办我，要把我押起来，那，那（悲从中来）我在此地只有我的苦。女人是我的朋友[3]，那（抽咽）那只好随他把我押起来，他爱押多久就押多久就是了。（呜咽不止）

〔半晌。大家凄然无语。[4]

龚静仪　（十分[5]同情）唉。

〔忽然楼上鬼啸似的响起骚闹的爵士音乐，接着一串女人的充溢了色情性的欢笑，而屋顶也仿佛巍巍颤动起来。

〔大家扬颈向上望了一望。

马登科　（走到陈面前[6]）啊呀，先生，你不要这样神精。院长说话就这样。说过去就算了，你记着这些个做什么？（推着他）走吧，

---

1 “老陈（敷衍）你是个好人。”原刊作“（随口敷衍）老陈，你是个好人。”。

2 此句原刊作“………………”。

3 “女人是我的朋友”川版作“我女人是知道我的”。

4 原刊无“大家凄然无语。”。

5 原刊无“十分”。

6 此处原刊有“不耐烦地劝慰着”。

跟我一同去见他，说你并不想走，顺便跟院长太太拜个生。

陈秉忠 秉，秉忠是不去的。

马登科 [1]那你要怎么样？

陈秉忠 （执拗）在药品问题未解决以前，秉忠是不干司药的。

马登科 你忘了抗战期间[2]这不比平时，许多事情非要迁就不可。

陈秉忠 （摇头）秉，秉忠想过。这，这件事延到现在，秉忠是不能迁就的。

马登科 （鄙吝的奸笑）陈先生不要忘了，三十块钱虽然不多，然而没有也似乎不成。

谢宗奋 （早已忍不住，摔下笔，低声）真是混蛋。

〔谢由右门跑下。

陈秉忠 （望着马[3]，沉缓地）这件事秉忠也想过。秉忠的女人还能洗衣服，秉忠自己可以烧饭，跟人当厨子的。

马登科 （拱拱手）好，好，好，你本事大，我拗不过你。（推他）你先下去，我们回头再谈。

陈秉忠 是，马主任。

〔陈由右门下。

马登科 （对况）这种人太死心眼，早晚只有受[4]社会淘汰，没有其他

1 此处原刊有“（停住）”。

2 “抗战期间”川版作“抗战期间！”。

3 “望着马”原刊作“直望着马”。

4 “受”原刊作“被”。

的路可走。

况西堂　（曲为[1]转圜）怎么，马先生，就这么样让老陈走了？

马登科　（汹汹然）那怎么成！

龚静仪　（吃了一惊）怎么，真把他押起来？

马登科　押起来？司药的人找谁呀？像他这样“价廉物美[2]”的人到哪里去找？

况西堂　喂，马先生，药品是快办好。听说昨天丁大夫还问专员什么时候来呢。

马登科　就是呀，一个丁大夫，一个陈秉忠，都是我心上两块活宝，成天地跟我倒麻烦。不过你们看着，早晚我要把他们两个弄到我手心里来[3]，在我手里团团转。

龚静仪　（刻薄地）当然咯，您马主任多有本领啊。

马登科　有本领不敢讲。[4]不过我相信，在机关里做事，[5]我们[6]只要有方法，有步骤，有聪明，有口才，不必一定要出洋，也一样可以钻得很快。特别是现在这么[7]乱哄哄的年月[8]，说

1　原刊无“曲为”。

2　“价廉物美”原刊作“货真价廉”。

3　“手心里来”原刊作“这边来”。

4　此处原刊有“（夸傲地）”。

5　“不过我相信，在机关里做事，”原刊作“不过我信在外面混事”。

6　原刊无“我们”。

7　“这么”原刊作“这么个”。

8　“年月”原刊作“年头”。

出头，就出头[1]。弄得好，司长，秘书长就是一说。（得意地）要不怎么叫[2]“大时代，变动的大时代”呢！（走近况）喂，西堂翁，前些日子你给我批的八字，说我三十二以后，准大交红运。我昨天晚上又找一位批命的老先生看了一遍——

〔范由右门跑上。

范兴奎 （鬼鬼祟祟）马，马主任，丁大夫来了。

马登科 哦——哦——

范兴奎 （非常紧张）她找您来了。

马登科 （力持镇静，瞪眼）你这么大惊小怪做什么？（对龚况[3]）你们看，看我怎么对付她！况西翁，你看着，你看——

〔丁大夫由右门上。

范兴奎 （警告地）丁大夫来了。

〔马登科蓦回头，满脸堆着笑容。

马登科 （小脑壳[4]向前伸一伸）丁大夫。

〔丁大夫看去只像三十刚开外，其实她已经是个十七岁孩子的母亲了。她不加修饰，穿一身深蓝色线条织入淡灰毛呢质底的旧旗袍，外面套一件宽敞的医生白布外衣，外口衣

---

1 “说出头，就出头”原刊作“每个人都有出头的机会”。

2 “（得意地）要不怎么叫”原刊作“（摇头摆尾）”。

3 “龚况”川版作“龚和况”。

4 “小脑壳”原刊作“瘦脑壳”。

袋里，还露出一段诊病的橡皮听管，她穿一双半高[1]胶底黄皮鞋，走路做事非常敏捷有力。她的脸有些男相，轮廓明显，皮色看去异样洁净。薄唇角微微下垂，眼睛大而锐利，满面是刚健率直的气概，在愤怒时，有威可畏。她的身体较普通女子略高，十分健壮。

〔她有一双细柔而秀丽的长手，圆下巴丰润而敏感。再看她软垂下来的大耳轮，我们会感觉到她是一个慷慨而又易于动情感的人。事实上最近她常哭泣，当她独自想起自己的理想逐渐消灭的时候；当她谛听着那些来自田间朴实可爱的病人，偶然[2]讲起在战场上一段悲壮惨痛的经历的时候。她性颇偏急。自从加入了这个后方[3]医院，她已一再约束自己，学习着必要的忍耐和迁就。然而尽管在医务上有时做不得已的退让，她私下认定在任何情形下她决不肯迁就到容忍那些腐败自私的官吏[4]的地步。她所受的高深的科学教育不但使她成为中国名医，并且使她养成爱真理、爱她的职业所具有的仁侠精神的习性。

〔抗战开始，她立刻依她所信仰的，为民族捐弃在上海一个

---

1 “半高”川版作“半高跟”。

2 “偶然”原刊作“随意”。

3 “后方”原刊作“××”。

4 “官吏”原刊作“人们”。

名医的舒适生活，兴奋[1]地投入了伤兵医院[2]。早年在国外，和她同去就学的她所深爱的丈夫，既因病死去，以后医院事业便占据了她的心灵。现在她的十七岁正在求学的独儿，在开战之后立刻自动加入战地服务团，参加工作，她更是了无牵挂，按她一直信仰着的精神为着人们活着。

〔她来了，她受了许多折磨。看到多少惨痛的事实使她益发相信自己更该为这个伟大的民族效死，应竭力提高一般后方医院的救护和治疗智识[3]，减少伤兵同志不必需的痛苦。她现在比来时消瘦些，精神依旧是饱满的。为着发现一件无可再卑鄙的事实，她暂时按下满腔的愤怒走进来质问马登科。她看马登科有如一只残忍的狗、贪婪的狼、愚蠢的猪，她是那样深恶痛绝地鄙视着他。

〔她背后手里拿一张白纸包好的公文。

丁大夫　（冷冷地）马先生！

马登科　（忙拉出一张椅子）丁大夫您请坐。

丁大夫　我不坐，我还有事。

马登科　（顺口乱捧）啊呀，您[4]太辛苦了，中国人要都像您这样，事情就好办了。啊，请坐。（对老范）你傻站着干什么？倒茶！

1　“兴奋”底本作“奋兴”，据川版改。

2　“医院”原刊作“收容所”。

3　“智识”原刊作“知识”。

4　“您”原刊作“你”。

范兴奎　（一直紧张地望着，才清醒过来）是。

丁大夫　不要倒，我不喝。

〔范无可奈何地望望马主任逡巡由右门下。

丁大夫　马先生，今天是十六号。

马登科　（感觉来势汹汹，搭讪着）是啊，十六号。本来，丁大夫，我说的是十六号[1]——

丁大夫　（冷眼逼视）药该到了。

马登科　就说的是呀！我不早就跟丁大夫说过么？无论如何我们这次一定要设法。（先发制人[2]）本来嘿，这也太难了。您想，已经叫您催了许多次了，一次，两次，三次，这次已经是您正式催第四次了。我们再不把药品弄来，自问也说不过去呀。再说治病怎么可以没有药，伤兵同志是我们国家的栋梁，您是伤兵同志认为最好的中国名医——[3]

丁大夫　（明白马一向的应付方法）我想，你心里也知道这是废话！我并不要你来夸奖[4]，我不要你给我讲救国大道理。这次我只要一样东西……药品。（斩钢截铁）没有药品，你知道我会怎么办。

马登科　（缓冲[5]）好办，好办，您先别着急，药品总是要来的。（谄

---

1 "马先生，今天是十六号"以下"十六号"原刊均作"十五号"。

2 原刊无"先发制人"。

3 "再说治病怎么可以没有药，"以下原刊作"………………"。

4 "夸奖"原刊作"夸我"。

5 原刊无"缓冲"。

笑）您先请坐，我们慢慢谈，（高声）来人，倒茶！

丁大夫 我不坐。我再告诉你，我也不想喝茶。我要立刻办好，我还有病人。

马登科 对啊，丁大夫您说的对呀，谁不想立刻办好？您想我愿意屡次麻烦您一趟一趟地跑么？可是事实办不到有什么法子，抗战开始不到半年，凡事都还没有个一定的头绪，新机关添，旧机关裁，上上下下，并没有个接头的准办法。一件公事送上去，这个人说不该归他，那个人说不敢负责。推过来，“诿”过去，您想公文这一绕，弄清楚了，也得半个月，[1]不说旁的，就说我们这次药品——

丁大夫 马先生，你既然知道，推推诿诿不是个好办法，我想你今天一定可以把药品拿出来咯。

马登科 （逼得索性招认）我的天，丁大夫，我要是已经弄来了，我还老受这个活罪干什么？

丁大夫 什么？（沉重地）你说什么？

马登科 实在对不起，丁大夫，药到现在还没有来。

〔沉默。[2]龚小姐望见丁大夫气色不对，立刻机警地若无事然，溜出左门。

丁大夫 （由白布外衣口袋内拿出一张信纸）马先生，这是谁写的？

马登科 我，丁大夫。

---

1 “新机关添，旧机关裁”以下原刊无，标“（中略）”。

2 原刊无“沉默。”。

丁大夫 是你亲笔写的么?

马登科 (赔笑[1])怎么不是。

丁大夫 (气极[2])我当是狗爪子爬的呢。

马登科 (恐吓地)丁大夫，你说话要知道轻重，我是院长特派来办这件事的。

丁大夫 哼，你既然知道你是院长派来的，你为什么不办。

马登科 你怎么知道我没有办，我天天在办，时时刻刻在办。

丁大夫 (冷笑)马先生，也用不着你这样热心，你只要每天还记得做一点公事，少打算怎么捧你的院长、哄你的院长就够了。

马登科 (突然傲慢)丁大夫请你不要过分欺负人。我要提醒你在这个地方大大小小我也是个官[3]。

丁大夫 (强硬地)那么，我也提醒你，你既然记得你还是个官[4]，当官就要做官事[5]。

马登科 (翻脸[6])我请问丁大夫，我怎么没有做事?

丁大夫 我上次催你，你打电报问了么?

马登科 当然打了。

丁大夫 报文呢?

---

1 原刊无“赔笑”。

2 原刊无“气极”。

3 “官”原刊作“主任”。

4 “官”原刊作“主任”。

5 “当官就要做官事”原刊作“就要做主任的事”，川版作“当官就要给国家做事”。

6 原刊无“翻脸”。

马登科 用不着给你看。

丁大夫 复电呢？

马登科 没有。

丁大夫 为什么？

马登科 （翻眼）我知道？

丁大夫 第二次，你公事办了么？

马登科 自然办了。

丁大夫 在哪儿？

马登科 早发了。

丁大夫 多少天以前？

马登科 十五天。

丁大夫 你没骗我？

马登科 （翻眼）骗你？

丁大夫 （追问）真的？

马登科 （发怒）岂有此理，你当我是靠骗人吃饭、说谎起家么？

丁大夫 （切齿痛恨）那么你这个天大的骗子！（把手中纸包的公文扔出，爆发）这是什么？

马登科 （包散开，露出方才叫老范送出去的公文，变色）这是——（还想拿起展阅）

丁大夫 看什么？你心里知道这就是你刚说的十五天前，发出去的催药公文。（愤怒）我真不懂你是什么心肝。一次两次地拖延，骗我哄我。到了今天，催药的公文还没有发出去！

马登科 丁大夫！

丁大夫　你还有什么话说？

马登科　（乞怜）丁大夫——

〔况西堂忍不住轻咳一声，斜视了丁大夫一下，偷偷由右门溜出。

马登科　（瞥见况已溜出）丁大夫，请你千万不要见怪。

丁大夫　我不怪你，我怕全国的忠勇将士要怪你，全国的公正国民要怪你的。

马登科　（低首下心，委曲婉转）不过丁大夫，发出去有什么用？您要明白，铁路是不通的，航运是弄断了的，公路是不好走的，天上有日本的飞机，地上十条路有九条路都是烂泥。从这站到那站，中间不知要经过多少危险，过河爬山处处都还有翻车的可能。[1]而且办公是有手续的，公文就前三十天发出去，药品能来不能来还是问题。

丁大夫　马先生，你饭可以不吃么？水可以不喝么？饭没有了，上天不是也要弄来么，水没有了，空手挖井你不是也要干么？病人们的药难道不比你的饭食重？为什么你的饭每天非吃不可，我们伤兵同志们的药你不肯设法弄来呢？

马登科　谁说我不肯？——

丁大夫　马先生，我不愿再听你的狡辩，中国如果要想翻身，抗战中的官吏是要负起责任来的。我告诉你马先生，事实上也

1　“天上有日本的飞机”以下原刊无，标“（中略）”。

不允许你们不负责任，[1]你不要以为你们在抗战中的中国你们还能敷敷衍衍苟苟且且活下去。抗战会叫你们现出原形的。你们如果是有生气的，你们将来还配跟新的中国一同生长，如果你们还同往日一样，敷衍一时是一时，早晚有一天，你们死了，骨头都没有人收的。（看他那冥顽不灵的样子）仿佛跟你说也是废话，再见！

马登科 （忽然恐慌）丁大夫，您先别走，请问您预备到哪儿去？

丁大夫 你当然知道，我预备到哪儿去。

马登科 （鄙笑）丁大夫，事情要好说，什么事情总有个挽救的办法，您何必出此下策。

丁大夫 （硬硬地）什么叫下策？

马登科 （赔着笑脸）丁大夫，你就是告到上头[2]去，不也是毫无办法么？

丁大夫 哼，你以为我还会找你们的院长说话？我够了，我怕见他就跟怕见你一样，敷衍、应付、虚伪、苟且。事情到了你们这般人[3]手里，有办法也变成没办法，（忿极）我恨不得我能立刻发明一种血清，打到你们每个人的血管里，把你们心里的毒质[4]：“懒”毒，“缓”毒，“愚”毒，“无耻”的毒，

---

1 “中国如果要想翻身”以下原刊无，标“（中略）”。

2 “上头”原刊作“头上”。

3 “这般人”原刊作“‘两个’人”。

4 “毒质”川版作“毒素”。

“自私”的毒，“过分聪明”的毒，“不负责任”的毒[1]，一起洗干净。这样，抗战的前途才真有办法。（短促地叹一口气）再见。

马登科 （拦住她）喂，丁大夫，你到底到哪儿去？

丁大夫 （怒视）你为什么拦我？

马登科 （赔笑）我不敢拦您，丁大夫，不过，丁大夫您就是告到他那里，岂不是徒徒地跟我们过不去，事情还不是办不到吗？

丁大夫 （烦恶地）我跟你说过，我不会告到你们贵院长那里。

马登科 （顺势奉承）是啊，丁大夫素来是体贴人情的。

丁大夫 （爆发）我最恨人情！你们这帮东西，就是整天讲人情，讲得一点是非也没有，一点效率也没有，你们真是一群——（突然不说）

马登科 （忍气[2]）好，好，好，我都不跟你计较。你骂我什么都可以。不过您[3]，您出去以前，您得想明白，凡事总得留个退步。——喂，丁大夫，（胁肩谄笑）说句老实话，院长那里倒没有什么，我想回头您不会到新来的专员面前报，报告我办的这件小事情吧？

丁大夫 （斜视他）你说那位什么梁专员？

---

1 “‘懒’毒，‘缓’毒”以下川版作“懒惰推托的毒，缓慢瘫痪的毒，愚昧无知的毒，无耻的毒、自私的毒，过分聪明，不负责任，蝇营狗苟，陈旧腐败”。

2 原刊无“忍气”。

3 “您”原刊作“你”。

马登科 嗯，丁大夫，（阴沉地笑了笑）打开窗子说亮话，我们个人之间无冤无仇——

丁大夫 （突然）你怎么知道我跟你无冤无仇？（逼问他）你怎么知道我跟你无冤无仇？

马登科 啊呀，丁大夫，我什么时候得罪您了？（旧账一数，忽然）哦，我想起来了，您以为上次我跟院长做寿，故意地没请您是么？唉，那是那个混账王八蛋的老范把请帖送漏了。（指天）天地良心，我自己亲笔写的请帖第一份请帖就是您丁大夫。临送的时候，我还当面对老范嘱咐了又嘱咐，连嘱咐三遍，（作势）三遍之多，啊，丁大夫——

丁大夫 （哭不得笑不得）马先生——

马登科 （忙应）啊，丁大夫——

丁大夫 （冷冷望着他）马先生，我真是奇怪——

马登科 （抢接）奇怪，唉，这有什么奇怪，（鄙夷地）天生他们这种当奴隶的脑袋，根本就不知道怎么造[1]的。

丁大夫 （没料到[2]）是啊，（讽刺地）我就是奇怪像你这种不当奴隶的脑袋，到底又是怎么构造的呢？

马登科 （摸不着头脑）怎么？

丁大夫 （看他实在愚蠢可怜，不肯放弃这次使他能睁开眼睛的机会，怜悯地）马先生，你难道想象不出？有一种人活在世

---

1 “造”原刊作“构造”。

2 原刊无“没料到”。

上并不是为的委委屈屈，整天打算着迎合长官，拍马吹牛，营私舞弊？你难道就看不出这种人生下来就预备当主人，爱真理，爱国家，言行一致，说到做到，把公事看得比私事重？（情感迸发）[1]真，你不知道我们[2]现在是家破人亡，整[3]民族要靠这次抗战来翻身？那么你为什么还不明白，一个人到了现在可以什么都不顾，就希望把自己这点力量献给国家，争到了胜利，好做一个自由的人？马先生，我跟您无私怨无私仇，但是你屡次对我拖延、撒谎、耽误公事。到了现在，药品还没有拿来，叫我眼看着伤兵同志[4]受痛苦，得毛病，我只能站在旁边，一天一天地等，等，等，等到天明而毫无更好的办法[5]，我就认你是我的仇人，我的天大的仇人！

马登科　（愣住，呆滞地重复着[6]）何必呢？何必呢？（忽然满堆笑容）那么，好办，丁大夫。我请客，我赶明儿就请客，我好好的办一桌席，把院长他们都请来，我当众赔不是。请罪，赔礼，什么都成。咱们是公事公办，私事私了。[7]只要您眼前跟

---

1 “你难道想象不出”以下原刊无。

2 “真，你不知道我们”原刊作“你难道真不知道我们”。

3 “整”原刊、川版作“整个”。

4 “伤兵同志”原刊作“病人们”。

5 “毫无更好的办法”川版作“毫无一点好的办法”。

6 “愣住，呆滞地重复着”原刊作“愣了一下，不住地”。

7 此句原刊作“……”。

我凑个面子，不跟梁专员提，我是什么都可以，什么都成。

丁大夫 （看他不可救药，沉静地）也好。

马登科 好？

丁大夫 可以。

马登科 （热心地）您帮忙？

丁大夫 我原来就，不预备跟这个什么梁专员讲。我也知道这些专员老爷们，跟你们是差不多的货。跟你们合作两个月，我也明白你们官官相护[1]，说也无用。所以（长叹）马先生——

马登科 丁大夫，怎么您——

丁大夫 我要走了。

马登科 （假意慰留）哎呀，那怎么成，抗战刚开始，国家正需要像您这样人才的时候——

丁大夫 我预备到别的[2]后方医院，我想省立的[3]几个医院，恐怕也只有你们这个是最特殊的了。

马登科 是啊，“积重难返”，我也是说没办法，（摇头）真没办法！

丁大夫 不过在我离开以前，我一定要把离开此地的原因跟伤兵同志们说清楚，我想你们诸位也愿意大家明白你们的真相的。好，我们再见。（走）

马登科 （慌了，拦住她）可是丁大夫——

1 “官官相护”原刊作“狼狈为奸”。

2 “别的”原刊作“正式的”。

3 “省立的”原刊作“私人开的”。

丁大夫 （厉声）闪开！

〔丁昂头走出。马登科颓然坐下。

马登科 （又气又急，正坐发愣）

〔慢悠悠地况西堂掀开了右门帘，斜着身量退进来，一面踮起脚，还望着丁大夫渐行渐远的背影。

马登科 （觉得有人走进，忍不住）真是，世界上就会有这种不知世故人情的女人。

况西堂 （慢慢放下门帘，转身，嘘出一口长气）厉害！厉害！（把扔在地上[1]的公文拾起，摇着头，非常珍惜地掸擦上面的尘土）荒唐，荒唐！（把公文放在桌上）可惜，这里面的文章。

马登科 （看见谁都不顺眼，忽然跳起）我问你，大前天既然办好，你为什么不立刻就发？哪个叫你押住这许多天，（暴躁地）什么叫我“过目”“过目”的？

况西堂 （愣一下，面上依然心平气和的[2]）登科兄，请你记住，毋迁怒，毋贰过。如果丁大夫给你面子下不去，兄弟似乎还没有得罪你。你我两个老衙门，大可不，不必为这种小事情红脸。

马登科 （立刻看风转舵）对不起，对不起[3]。（说出心里的话）可，可，[4]我真有气，凭空被这个女人侮辱了一顿。

---

1 “地上”原刊、川版作“地下”。

2 “心平气和的”原刊作“平和的”。

3 “对不起”原刊作“我并不是说”。

4 “可，可，”原刊作“可，”。

况西堂　（缓冲空气，幽默地）此所谓“靠言吃饭，要人好看”哪。

马登科　你们诸位真够朋友，就扔下我一个人来对付她。（回头）你看一个一个地都溜了。

况西堂　（笑着）其实我们在这儿不也是多余？不是连我们一起骂在里面？你说——（忽然瞥见龚小姐不声不响地由左门偷进来，向自己办公桌走[1]）咦，久违呀。

龚静仪　（忍不住笑起来）我都听见了。我们“五十步与百步”，谁也不要说谁。

马登科　（忽然气忿忿地）真！你们听见她临走说的什么？

龚静仪　（尖刻地）不是要跟伤兵同志[2]宣布离职原因么？

马登科　西堂兄，你看，你看，这哪像在外面做事情的人？

况西堂　我想她还不至于吧。

马登科　你不明白这种女人，说到哪儿做到哪儿。她软硬不吃，就知道一味撒野，遇见这种不懂人事[3]的人，你有天大的本领还也是[4]白费。

龚静仪　（幸灾乐祸）其实，她真宣布了又怎么样？

马登科　啊，真宣布了，我的妈，那我们这群伤兵同志[5]一定立刻[6]起

1　此处原刊有“，幽默地”。

2　“伤兵同志”原刊作“病人”。

3　“人事”原刊作“公事”。

4　“还也是”原刊作“不也是”，川版作“也是”。

5　“伤兵同志”川版作“伤兵大爷们”。

6　“立刻”川版作“登时”。

哄，找到这儿来。龚小姐，请问，我们这几根瘦骨头有几斤重？受得住他们每个人一拳头。

龚静仪 马主任，那您可挡头阵，您是院长特派专办这件事情的。

马登科 龚小姐，别开心了。（转身向况）固然啊，实无办法，我们可以把屡次催药的公文[1]拿给他们看。

况西堂 （摇头）先生，"秀才遇见兵，有理说不清"。这件事不闹则已，闹起来一定不可收拾。

马登科 （颓丧）嗯，不可收拾，不可收拾。

况西堂 恰巧这一两天又要来个什么视察专员，到院里来，嗯，[2]彻底，彻底。

马登科 （唉声叹气）糟，糟，糟，这早晚会闹得他晓得。

龚静仪 并且我[3]听院长说这个人相当麻烦，不易应付。

马登科 糟就糟在这上头。

龚静仪 又听说[4]这个专员也是医科出身，办事不但认真，而且暴躁异常。

马登科 知道，知道。（低头）

龚静仪 （对况）说是他查维县的时候，当地一个院长立刻撤职，一位主任三年监禁。

---

1 "公文"原刊作"呈文"。

2 "到院里来，嗯，"原刊作"到院里来——（当做动字用）"。

3 原刊无"并且我"。

4 "又听说"原刊作"说是"。

马登科　晓得，晓得。

况西堂　要真是政府特派这种人来查办——

马登科　（五中焦灼）别说了，真是“国家将亡，必有妖孽”！院长发的什么疯，为什么当初要答应什么女名医来服务。服务倒也罢了，为什么又让她一点一点地得势，这样得伤兵们的心。闹得现在一塌糊涂，横不是，竖不是。这样[1]女人真是妖孽，妖孽，活妖孽！（气忿忿向右门走）

况西堂　你去干什么？

马登科　我要想办法，不是这个梁什么专员就要来么？

况西堂　可你——（忽然）喂，你说他叫梁什么？

马登科　他，他叫梁公仰。

况西堂　（恍然）是他呀？

马登科　（忽然喜上眉梢）怎么，你认识他？

况西堂　（摇头）不认识。

马登科　（垂头丧气）那说什么？

况西堂　我倒是有朋友认识他。

马登科　（又提起兴会）谁？在哪里？

况西堂　唔，远得很，听说这个人现在山东当县长。

马登科　（又像瘪了气的球）那又有什么用。

况西堂　不过，他的脾气，我倒是听说过。

马登科　（也颇关心）对，他什么脾气？他喜欢什么？有什么嗜好？

1　“这样”原刊作“这种”。

况西堂　嗜好？（摇头）听说他毫无嗜好，性情非常严肃。

马登科　（又丧了志）那又何必再说！（立刻向右门走）

况西堂　你预备上哪儿去？

马登科　（自己也莫明其妙）上哪儿去？

况西堂　你找谁呀？

马登科　就是说我现在找谁呀，找谁呀，真是糟透了，糟——

〔孔秋萍由右门急忙跑进。

孔秋萍　（一团高兴）诸位先生们，专员来了，专员来了。

马登科　什么？

孔秋萍　哦，马主任——梁专员来了。

马登科　谁？你胡说。

孔秋萍　真的。

马登科　他在哪儿？

孔秋萍　正在前院。

马登科　什么地方？

孔秋萍　门口客厅。

况西堂　（同时）好快。

马登科　哪些在陪？

孔秋萍　张副官[1]、陈主任、李医正[2]、胡医正[3]，还有院长。

---

1 “张副官”原刊作“张主任”。

2 “李医正”原刊作“李医生”。

3 “胡医正”原刊作“胡医生”。

马登科　你亲眼看见？

孔秋萍　亲眼看见。

龚静仪　什么样，胖子，瘦子？

马登科　（烦躁地）废话！（龚一气回去坐下）他跟院长说什么？

孔秋萍　听不清楚。

马登科　那么他——

〔范由右门跑进。

范兴奎　马主任，梁专员到，院长请您马上到前面去陪。（对其余的人）院长叫我告诉诸位先生们一声，专员说不定就会进来视察。

马登科　妈的，今天简直是过鬼门关。

〔马仓皇由右门下。

〔范把报纸略微整理，也匆匆由右门走下。

〔大家刚刚坐好，况太太由右门捧着“白盔”喘着气走进来。

况太太　西堂，西堂！

况西堂　你又回来干什么？

况太太　我告诉你们一件大事。

况西堂　快说吧，太太，现在不是谈闲话的时候。

况太太　（放下“白盔”）不得了啦，我告诉你们，伪组织[1]现在跟丁大夫打起来了。

龚静仪　（立刻）什么？

1　“伪组织”原刊作“‘这个’（竖小指）”。

孔秋萍 （更忍不住）怎么啦？怎么啦？

况太太 （非常兴奋地）铁床，铁床，我们这个（竖小指）又为着那架铁床找丁大夫去了，丁大夫把她大骂一顿。

龚静仪 （尖刻地）啊，我们院长夫人叫丁大夫骂了。

况太太 骂了？哼，“伪组织”被她连说带骂，给赶出来了。

孔秋萍 怎么回事？赶出来了？

况太太 这个女人真厉害。她刚才就派人硬把院长屋里那张铁床拆走，可是“伪组织”[1]，我们这个（竖小指）——

况西堂 （素来谨慎）喂，你不要这么大声“伪组织”“伪组织”地乱叫[2]，万一她，院长夫人跑进来——

况太太 （对丈夫这种不认真的地方，素来不肯幽默）什么院长“夫人”。她是个这个，（竖小指）“伪组织”，[3]我说她是“伪组织”[4]，是个（狠狠地竖起小指）这个！这点名分你可要弄清楚。

况西堂 （望望门口[5]）好，“这个”就“这个”，“伪组织”就“伪组织”。[6]你就快说好了。

---

1 “‘伪组织’”原刊作“‘这个’”。

2 “你不要这么大声‘伪组织’‘伪组织’地乱叫”原刊作“你不要这么这个这个地瞎比方”。

3 原刊无“‘伪组织’，”。

4 “她是‘伪组织’”原刊作“她是个这个”。

5 此处原刊有“又忙对其妻”。

6 原刊无“‘伪组织’就‘伪组织’。”。

况太太 （竖起小指）我们这个刚跳完了舞，回到房一看，床不见了。这一下就冒起火来了。不用问，这一定是丁大夫派人拆去的。头也不回，立刻从那边小楼梯跑下楼，一直就奔到丁大夫办公室去了。谁晓得丁大夫也刚回来，不知为什么也是气汹汹，这两人一见面，你们猜——

龚静仪 怎么？

〔外面忽然听见一个尖锐喉咙的女人大声乱吵。

那女人 马主任，我搬家，我搬家。

况太太 （手一挥，谛听）来了，来了，就是她——

孔秋萍 （低声）伪组织？[1]

〔大家连忙若无事然坐下。

〔伪组织由右门吵上。马主任十分狼狈随在后面。

〔伪组织年岁有二十七八，出身暧昧，早年斫丧过甚，到了现在面容已有些衰老。她瘦骨棱棱，一身过分艳丽的衣服，包起里面丑陋的肉体。她厚涂脂粉，狭长脸，眼泡微微有些肿，红嘴唇里露出一颗黄晶晶的金牙。她的眼睛很大，生得水灵灵的迷人，如今看人有时还不免那种“未免有情”的神气。或者[2]她染上很深的恶嗜好，她的声音时而有些喑哑。她穿一双平底花缎鞋，肉色的丝袜子，戴起耳环，戒指亮耀耀地刺眼。她着一件时髦而异常贴身的桃红

1 “伪组织？”原刊作“‘这个’！”。

2 川版无“或者”。

丝绒旗袍，更显得瘦削。但走起路，倒也楚楚有致。头上插一朵表示寿庆的红绒花，苍白的手里把弄着一支象牙长烟管。

伪组织　（气咻咻地）马主任，我搬家，你赶快跟我找房子，我立刻就搬家。

马登科　（狼狈）何苦呢，院长夫人，这又何苦呢？

伪组织　（指天画地）我从来没叫人这么欺负过。不要说我还是个院长夫人，就是平平常常一个小公务员的老婆，她也不能这么欺负人呀。我告诉你，马主任——

马登科　算了，算了，别生气了。小心您又犯了胃病。

伪组织　胃病？她气也把我气倒了。我从来没见这种不讲道理的女人，简直是妖精，怪物——

马登科　（得着知己）嗯——活妖孽。

况太太　（好心好意）是怎么回事情哪，秦，[1]秦太太？

伪组织　（毫不客气，指着况太太）你问我？你知道，你还要问我？刚才我明明看见你站在小楼梯上听。你眼看着她一句一句地骂我，你在旁边一句也不开腔，你还假名假事[2]地要问我？（一转头过去）

况太太　（被她一顿抢白，拿起破“白盔”就向右门走）

况西堂　太太。（况太太在右门口对他挤挤眼，好像说：“别管，让她

1　原刊无“秦，”。

2　“假名假事”原刊作“价名价事”。

闹去。”[1]带着一点嘲讽的冷笑，由右门下）

马登科　（同时）别着急，院长太太，今天不是您的寿辰么？

伪组织　寿呢，什么寿？今天我非闹到底不可，我喝（拼）[2]出去了。马主任，你现在跟我找房子，我就走，我要看看到底是她厉害，是我厉害？

马登科　算了，还是过生要紧。我们大家还要吃您的寿面呢。（只想赶快了事）其实大人不见小人怪，一张铁床的事，让给她也就算了。

伪组织　谁说的？我不，我偏不。（用那支长象牙烟嘴指指点点）铁床是公家的[3]，并不是她丁疯子自己花钱买的。我用了。一个院长夫人拿一张铁床算什么？用十张铁床又怎么样？你告诉她，我不但睡铁床，将来我还要盖铁床，（略停，忽然）吃铁床，喝铁床，把公家[4]铁床拆碎了，扔在河里听响，看她把我怎么样？马主任，你们怕她，我不怕她。你赶快跟我找房子，今天不是我走，就是她走。

马登科　这又何必呢，院长夫人。大家刚搬来，都找不着房子，又不老跟机关[5]住在一起——

1　此处川版有“况太太”，另起一段。

2　“喝（拼）”川版作“豁”。

3　“公家的”原刊作“院里的”。

4　原刊无“公家”。

5　“又不老跟机关”原刊作“也不老跟医院”。

伪组织 （越劝气焰越高）不，不成，我不能白叫她[1]这么欺负糟蹋。[2]她厉害，好！了不得，我叫我们仲宣辞职，不干这个受气院长。哼！仲宣早就想回上海，不愿意干。什么好差事？一个月薪水拿不到三百块，还不及我在上海一晚上赚的多呢。

〔范急忙由右门上。

范兴奎 （匆促）马主任，专员，专[3]——（看见了伪组织直眉怒目[4]，又停住）

马登科 （想走又不能走）知道，知道。（范急由右门下。马有苦说不出，于是——）好吧，您说，您要怎么办吧。

伪组织 也好，（急转直下）我叫你们在下边的人好办事，头一件，我马上要把那张床再搬回来。

马登科 好，好，我们想办法。

伪组织 第二件，我要她当着你们诸位大家的面，对我三鞠躬，叫我三声院长太太，承认自己是错了。

〔龚况二人互相对视微笑。

马登科 （伸伸舌头）好，好，都好办，还有呢？

伪组织 还有——哦，我要她房里那许多又长又宽的白布单子，叫她拿，拿三十条来。

---

1 原刊无“她”。

2 “糟蹋”底本作“糟糙”，据川版改。

3 “专员，专——”原刊作“监理员，监——”。

4 “直眉怒目”原刊作“怒目看他”。

马登科　（开始不耐）您还有么？

伪组织　还有——

〔谢宗奋忽又由右门急上。

谢宗奋　马主任，伤兵同志们派代表见梁专员，专员现在马上请你去回话。

马登科　哦，不得了！（翻身就走）

伪组织　（一把拉住他）哦，我想起来了，马主任——

马登科　对不起，您留着以后说吧。

伪组织　（又拉着他）不，我要她今天晚上酒席筵前当众斟酒，替我招[1]——

马登科　（冒火）哦，我的天，咱们回头说。（摔开就跑到了门口）

伪组织　马主任——

〔忽然范兴奎非常威严地由右门走进。

范兴奎　（立在门口打起帘子）梁专员到。

〔秦院长现在套上一件马褂，十分恭谨地由右门上。

秦仲宣　（对着门外，微微弯腰）专员，这就是我们第一办公室。

伪组织　（满腹冤曲，要来申诉）仲宣！

秦仲宣　（怒目看她，她不敢再说话，院长转向已经立起的诸公务员[2]）立正！（大家肃立）诸位先生，这位是梁公仰梁专员。（半晌，门外专员十分令人摸不着头脑，肃静中每个都不自

1　“招”川版作“招待”。

2　“诸公务员”原刊作“诸人”。

在。一刻，院长首先低声说）您，您不进来么？（突然把耳朵伸向前）哦，是的，是的，我们先看旁的地方。（不自然的笑了一声）嗯，是，这就是马主任。

马登科　（对右门外的专员深深一鞠躬[1]）专员，在下马，马登科。

〔仿佛门外专员已向前走去。

秦仲宣　（低声）登科，你先陪着，我就来。

马登科　是。

〔马登科连忙由右门随门外的同事们陪去视察。

〔大家才安心坐下，院长气嘘嘘地盯着伪组织。

伪组织　（喘了一口气）什么，他就是——专员？

秦仲宣　（指着）你！我真不明白你为什么偏偏在这个时候当着他，跟丁大夫乱吵？

伪组织　谁知道是他？他脸上写出来他是专员啦？——穿着个破军装，笨头笨脑地在旁边傻望着。

秦仲宣　（急出了汗）你这种话，别再嚷[2]好不好？

伪组织　（撒娇）你管不着！（对大家笑嘻嘻地）我心里想，哪儿抓来这么一个乡下佬跟我们当勤务呢。

〔孔秋萍忍不住捧场似的笑了一声。

秦仲宣　（对孔）不要笑，这个时候有什么笑头？

1　“一鞠躬”原刊作“鞠了一躬”。

2　“嚷”原刊作“嚷嚷”。

伪组织　（当众卖弄[1]）你刚才为什么只看——我一眼，就陪着这个家伙走了，你为什么连帮着我说一句话都不帮？[2]你这个没良心的东西，你不要以为我老了，你不耐烦了。（腰一叉[3]）我告诉你，今天不是我走，就是她走。

秦仲宣　（忽然）你别再放屁。

伪组织　（再没想到）什么？

秦仲宣　快上楼，少跟我丢脸，龚小姐[4]，请你陪她去。（伪组织被这当头一捧打得头晕脑涨，昏昏糊糊地叫龚小姐扶持着走到了门口）快走！

伪组织　（忽然转身，但为龚拦住）我跟你拼了！（大哭大闹）你这个死不了，没良心的老东西，你跟我摆的什么臭官架子[5]？

秦仲宣　（同时）快走，快走！

龚静仪　（同时）上楼再说，我们上楼再说。（立刻把她连说带劝地由左门推了出去，然而不住地听见——）

伪组织　（在外面嚎啕大哭）你不要以为你是院长，你不能欺负我。哦！爸爸呀，当初为什么不听你的话，嫁给这么一个死（顿足）东西。我真瞎了眼了，我是图他什么呀？[6]（被龚小姐劝

1　原刊无“当众卖弄”。

2　此处原刊有“（故在人前显本领）”。

3　原刊无“腰一叉”。

4　“龚小姐”原刊作“龚先生”。

5　“臭官架子”原刊作“臭架子”。

6　原刊无此句。

着推着，走上楼梯，哭声渐远）哦，爸爸，你听见了没有？我的爸爸，你听见了没有？他当院长就变了心了。[1]

秦仲宣 （同时）该死，该死，这是闹的什么？（一肚子的别扭）登科简直昏了头，怎么会催药的公文到现在还没有发。我真不明白。诸位先生，你们这办的是什么事？

〔马登科忙由右门上。

马登科 （对况）公文？档案！档案！十三号的、六号的、二十九号的。

秦仲宣 怎么？

马登科 （帮着况同翻函牍）这位专员老爷真怪。（停手）他仿佛什么都明白。（对况）快找。（况立刻找出来许多函牍）

秦仲宣 怎么，他现在就要查看？

马登科 （匆忙收点公文）嗯，嗯。——我听一个伤兵说，前天就在此地看见他。

秦仲宣 （大吃一惊）什么？

马登科 嗯，前天，此地。（查清公文，点出一份对况）这不是，这不是！要十三号的，（况在乱翻）少十三号的。（况连忙又取出一份）这不——对，我的老兄，请你拿十三号！（况又拣出一份）

秦仲宣 （愣住。忽然对孔谢）表格，表格，各种表格，叫你们赶的表格，拿出来，都拿出来。

---

1 “你听见了没有”以下原刊无。

孔秋萍　（同时）是，是。（大家立刻查表格）

〔一霎时，表格、文件一齐都堆在马登科身上。秦马二人正要出去。

秦仲宣　（止住马）现在他干什么？

马登科　他要找丁大夫谈话，他——

秦仲宣　（急了）他说什么！

马登科　他——

〔范由右门上。

范兴奎　院长，专员现在药务处，请院长立刻就去。

秦仲宣　知道，（对马）他说什么？

马登科　他对我笑笑，呆头呆脑，简直不知道他要说什么？

秦仲宣　唉，闷死人！（对马）走吧！

〔马与秦由右门下，后随范兴奎。

孔秋萍　况先生（鬼头鬼脑）您过来，我告诉您一件秘密。

况西堂　别闹了，我心里烦。

龚静仪　（对谢）对梁专员印象如何？

谢宗奋　（欣欣然）我喜欢他。[1]

孔秋萍　过来呀，况先生。

况西堂　（慢慢过去）什么事？

孔秋萍　（得意地）您知道那封催药的公文怎会落在丁大夫手里？

况西堂　怎么？

1　“**龚静仪**　（对谢）”以下原刊无。

孔秋萍　您猜猜，丁大夫怎么会就知道公文没有发？

况西堂　是谁做的？

孔秋萍　您猜猜。

况西堂　谁？你说。

孔秋萍　（轻轻指着自己）就是在下。

况西堂　（没想到）是你？

孔秋萍　哼，我看那个混蛋还威风还在签到簿上乱签到不？[1]

况西堂　屁！（指着）[2]你真是个活妖孽！

——幕急落

1　此句原刊作“哼，我看那个混蛋还威风不？”，川版作“哼，我看那个混蛋还威风？还在签到簿上乱签到不？”。

2　原刊无“（指着）”。

第二幕

这是丁大夫的诊断室。（实际上在医务忙迫的时候，其他的医官们[1]也来占用）我们看到的只有切成三角形的半间屋子。三角右边墙有一面半洋式的大窗，悬挂着净洁的白布窗帷。窗外是走廊，对面立一堵高墙，阳光由上斜射下来，仿佛离着午刻不久。靠窗近台口是一扇门，直通天井。窗与门之间，放着一把半旧的长背椅子，上面堆起一盒饼干和几叠洋装的医学书籍。椅子旁边有一只敞开的木箱，似乎等待这许多书籍同屋子里丁大夫的其他零碎一并放在里面。窗前和墙平行正放一张米黄色的旧书桌，上面铺着白布，很整齐地放着文具、听诊管、玻璃水杯、体温表、火酒瓶、橡皮手套、棉花和一两本医学杂志。一两件亮晶晶的纯钢钳铗泡在白瓷盒里也摆在桌上。桌后窗前立一把圈椅，椅内斜置丁大夫自己的一个紫绒靠垫；坐在里面，半面向观众，和椅子左手边一张凳上的病人可以很亲切地诊询。

正对观众，两墙交缝间，竖着一只简单而粗重的白色医用器具柜。从那土制的玻璃看进去，一排排的外科用具：麦粒钳子、带钩镊子、平刀、开张器、子弹钳子、探针以及其他更精微的器械都陈列在纱布罩盖的架板上。这大半是丁大夫个人携来的器具，现在还未曾

1 “医官们”原刊作“医生们”。

装箱的。柜顶放着两大玻璃缸的红汞水同紫色液体的过锰酸钾[1]，下面各垂一铗塞好的橡皮长管。柜之左立一硕大的圆桶消毒器。更左贴近左墙是一架高长的木制诊床，上面铺放着被单枕头，和医生的白实习服。床前有一张圆凳，床下暂时搁放一只皮箱。床旁是一扇门，通到[2]里面的诊疗室、手术室、病室等等。近门靠台前是一对白瓷面盆，各放铁架之上。架上有三四瓶升汞水、来苏水、酒精、碘酒和纱布药皂之类。架下是存蓄开水的铁壶。

屋中气象，整洁简朴，墙上只挂一份大日历和一只旧温度表。

开幕时，秦院长形色焦灼，在窗前望望阳光，又来回踯躅，仿佛在等待什么。他现在换了旧蓝布罩袍，外面套上一件旧黑马褂。

由左门走进来夏霁如小姐，一位随丁大夫学习的看护，活泼而又胆小，是个不十分知悉事故的女孩。她穿着看护的白色制服，手里捧着白瓷盘。

秦仲宣　（回头）怎么样？跟丁大夫说了没有？

夏霁如　（并不重视院长的尊严，走向中间器具柜）她现在还在开刀室，不能见人。（接着打开柜门，钳出里面的器具）

秦仲宣　（无可奈何叹一口气）好，夏小姐，你把她这封辞职信退给她吧。（递出信）

---

1 “过锰酸钾”原刊作“过猛化钾”。

2 “通到”原刊作“通入”。

夏霁如　（把手里的东西一举，表示无法再拿，半笑着）请你放在桌上。

秦仲宣　你就说，我特意到这儿来挽留她。

夏霁如　晓得。

秦仲宣　并且坐在这儿等了她半点钟。

夏霁如　知道。（欲由左门下）

〔外面有摇铃声，由远渐近。

秦仲宣　还有，（由书桌上拿起一封信）这是我留的一个便条，请她看完，务必多考虑，多帮忙，不要走。

夏霁如　（嘴一撇）晓得，放在桌上好了。

〔夏匆忙由左门下。

秦仲宣　（为人轻浮[1]，深致不满）哼。

〔范兴奎一手摇铃，一手推开右门上。

范兴奎　院长，该办公了。

秦仲宣　（不耐烦）知道，你这样子来干什么？

范兴奎　饭前您不是吩咐我下午办公，各处摇铃么？

秦仲宣　（才想起。忽然冒起无名怒火）嗯！接着摇！

范兴奎　是，（立刻接着摇了一下，突然停住，低声）院长，专员又到各处办公室去看啦。

秦仲宣　（烦躁）见了鬼，走！

〔于是一前一后，院长整好衣服，施施然走在前。老范莫明

---

1 “轻浮”原刊、川版作“轻忽”。

其妙，大摇铃铛，傻傻然随在后，二人走出右门。

〔铃声渐行渐渺，慢慢隐约听出远处唱起一段愉快的歌词：“我们都是神枪手，一颗子弹打倒一个仇敌……”是一个童音初变的男孩子，满腔欢欣地在高唱。歌声步声很快地移近耳边，仿佛他踏着拍子大步走来，旁边还随着人，和他谈话。

〔阳光已经直照门上，忽然右门大开，走进来丁昌同胡医官。

〔丁昌——丁大夫的独子——现在只有十七岁。但是身体高壮，圆润透红的脸，大眼睛，粗眉毛。阔厚的嘴唇，笑起来露出两排整洁的牙齿。蓦然看去，他仿佛是个成人，略处久些，就感出里面还是一个赤子的童心。慷慨而勇敢，好谈话，好笑，好遗失东西，好穿破旧的衣服。抗战之后，他和同学组织战地服务团，走了战区里许多穷苦地方。四五个月的现实教育使他不只脸上挂了风霜，心里也多增强了对于中国目前社会的认识。他非常爱她的寡母，更爱他所朝夕研致的“真理”。活泼而顽强的眼神里望得出是他对于中国将来的肯定。在他母亲所给与他的培养“独立的精神”的教育下，他锻炼出自信和一副强健的筋骨。他现在穿一身普通兵士的棉大氅，里面是一件臃肿的军服棉袄，外面紧紧束好他母亲赠给他的一副讲究皮带。他围了一条深蓝色绒围巾，很短。胸袋前有白布章，[1]插了万年笔[2]和小笔记簿。

〔他现在敞开了大氅，手里拿着军帽，虽然很有威风地大步踱进，但满脸还是一片稚憨的笑容。

〔随着后面是胡医官。他约有三十四五，精神顽健，身体不高。在同事中他非常钦佩丁大夫。他是一个老实、谦虚而自己无什么推动能力的平庸医官[3]，然而在这个医院里，他的医道已经使他列入佼佼之流。他可以成为一个极负责任的医生。有了适当的领导，他也可以引去出生入死，做出自己都会不能相信的英雄事迹。他穿着军装，外面套上医士的白布外衣，外衣口袋里也有一副听诊管[4]。他十分和蔼地和丁昌交谈。

胡医官 （愉快地望着他）走累了吧？你来得真好，刚出太阳，你就来了。

丁　昌 （丁昌简称——把帽子放在桌上，望看窗外）嗯，嗯，怎么，胡医官[5]，你们现在也跟上学似的，大家办公，也是摇铃？

胡医官 （点头，斜眼笑笑）嗯，嗯。今天特别！——好，你在这里

1　此处原刊有“并且”。

2　“万年笔”川版作“自来水笔”。

3　“平庸医官”原刊作“平庸医生”。

4　“听诊管”川版作“诊听管”。

5　“胡医官”原刊作“胡大夫”。

坐一坐，我去给你找她来。

丁　昌　（拉着他）不，我等一等好。

胡医官　不要紧的。（又走）

丁　昌　（又拉转他）不，我等等。

胡医官　为什么？

丁　昌　我母亲给人看病，她总不愿人打搅她的。（顺便坐在桌旁的凳上）

胡医官　（和蔼的目光）你当然是例外。

丁　昌　（憨笑）不，不例外，不例外。（不自觉翻翻桌上的杂志）

胡医官　（非常喜欢他）你又胖了。

丁　昌　（放下杂志）嗯，——我们又要走了，胡大夫。

胡医官　上哪儿去？

丁　昌　华北——山西[1]。

胡医官　去那么远？

丁　昌　（欣欣然）这次打游击[2]。

胡医官　（拍拍他的肩膀）小心，别叫日本兵把你们这帮小孩子们逮去。

丁　昌　（不在意他的话）胡大夫，我跟你商量点事。

胡医官　好，什么？

〔由右门走上孔秋萍。

1　“华北——山西”原刊作“河南”。

2　“这次打游击”原刊作“加入学生军”。

孔秋萍　（非常秘密）胡医官。

胡医官　有什么事？

孔秋萍　梁专员不在此地？

胡医官　不在，怎么？

孔秋萍　您看，糟不糟？太阳又出来了。

胡医官　我知道出来了。

孔秋萍　（煞有介事）我听说，秘密消息，日本飞机一百二十架已经，已经进了省界啦！

胡医官　干什么？

孔秋萍　（万分严重）空，空袭。就要空袭！您看这个小县份，什么防空设备都没有。（先见之明）我早就说过，别出太阳，别出太阳，一出太阳就危险。您看，今天刚——

〔马登科由右门上，不知从哪里也弄来一件蓝布棉袍穿上。

马登科　丁大夫呢？胡医官。

胡医官　在病房里看病呢。

孔秋萍　（殷殷勤勤）马，马主任，您知道现在有消息，有严重的消息么？

马登科　（轻藐地[1]）早知道，要有空袭。县政府有电话来，说有五架日本飞机过了黄县——

孔秋萍　（代人操心）那么专员，我们应该——

马登科　院里的汽车早上好了油。一有警报，专员还不是一样拍着

1　原刊无“轻藐地”。

屁股就跑。

孔秋萍 （自己突然觉得重要起来）不过[1]我怕飞机不只[2]五架，我听说——

马登科 （毫不理会，转过头去）胡医官，请你再去看看丁大夫。

胡医官 她不愿意见，有什么办法。

马登科 梁专员已经请她好几次啦。

胡医官 她说她就要走，留着工夫要多看病，不愿意再跟官儿们谈废话。

马登科 （一愣）其实，哎，真走了倒也好。

胡医官 （老老实实）我倒看不出来丁大夫走了，对医院有什么好处。

马登科 胡医官，你们大夫只懂得开刀，剜大腿，不明白我们办事人的难处。您看她早不走，晚不走，偏偏等梁专员刚到了，要见她，今天又非走不可，你看这多么叫人为难。

胡医官 （不理他，翻着杂志）

孔秋萍 （又搭讪）其实，马主任，她走就走得了。

马登科 （不理他）胡医官，顶糟的是，我现在还不知道，她跟伤兵已经谈了些什么？

胡医官 哼，她根本就不许我们告诉伤兵，“她要走”。

马登科 真的，说回来，丁大夫为人究竟厚道。

胡医官 我想她没说什么也不是为着个人吧。她说她怕伤兵同志听

---

1 “不过”原刊作“不”。

2 “不只”原刊作“不过只”。

了院里办事的情形[1]伤心。

马登科 哦——

胡医官 再我想要是真告诉了他们，伤兵一定闹起来，不会让她走的。

马登科 （摇头）没办法，没办法。哼，这位专员非见她不可，而这位大夫说什么也不愿意见。我们夹在当中，这两个人不见不好，见了也是不好。

孔秋萍 （听得津津有味，不觉插进去）其实不见倒也省事。

马登科 （望望他，又回头对胡医官）就是这个专员怪，从早上到现在，足足四点钟，看了不知多少东西，查了不知多少地方，除了吃一顿三大碗的白米干饭，谈了两句淡话，此外一个字也不讲，一点意见也不说，真是闷得你叫祖宗。

孔秋萍 哼，说不定他根本什么也不懂。

马登科 （翻白眼）你懂！屁，你在这儿插的什么嘴[2]，还不抄你的表格去。

孔秋萍 我——

〔孔斜瞪了马一眼，口中仿佛念念有词，噘[3]着嘴由右门下。马坐在诊断床侧的凳子上。

胡医官 （对站在窗前的丁昌）怎么样，你说，你要商量——

---

1 “院里办事的情形”川版作“院里这样腐败”。

2 “屁，你在这儿插的什么嘴”原刊作“你这个屁，这儿有你什么事”。

3 “噘”川版作“㧐”。

马登科 哼，胡医官，无怪乎院长老说要回上海去。真，做这种不大不小的官[1]，是没什么意思。（又倚坐在诊断床上）咳，没法子，等她，等——，等丁大夫出来。（掏出香烟）

〔丁昌半鄙视地望着马登科笑了笑。索性不在他面前和胡医官谈话。这时由右门范兴奎手提两只肥母鸡，一只火腿，抱着一盒大红寿蜡走进来[2]。

范兴奎 （笑嘻嘻地）马主任，你，你在这儿。

马登科 （蓦地立起）什么事？什么事？你抱[3]这些东西来干什么？

范兴奎 这是县政府何军法官[4]何太太派人送来的，说不知道院长太太今天过生，马上买礼又买不着——

马登科 明白了，明白了，那你送给后院院长太太看好了。

范兴奎 ——是啊，我去啦，可是院长太太到现在连颗米粒都还没有吃[5]呢！

马登科 怎么？

范兴奎 一直大哭大闹，从床上哭到床下，从床下又哭到床上，谁劝都不成。来拜寿的太太们，她都不理，这两只母鸡[6]她更不管啦。

---

1 “官”原刊作“事”。

2 “走进来”川版作“由右门走进来”。

3 “抱”底本作“把”，据川版改。

4 “何军法官”原刊作“何法官”。

5 “吃”川版作“下肚”。

6 “这两只母鸡”川版作“这些寿礼”。

马登科 你把这礼物退回去好了。

范兴奎 送礼的人说什么也不肯拿回去。

马登科 叫他等着好了。

范兴奎 刚才我偷偷地跟院长说——

马登科 （佛然[1]）谁叫你现在跟院长说？

范兴奎 （卑笑）是啊，院长骂了我一顿，叫我交给您。看该给多少赏钱，给他多少赏钱。

马登科 （把烟盒一关）妈的，这做的是什么官[2]，简直是他妈的当家婆！（狠狠地）走吧！

范兴奎 哦，还有，马主任。（放下那两只肥母鸡[3]）还有，东门外几家绅士送来两张酒席票。（正要从口袋里掏出来）

马登科 （大声）晓得！别在这里多噜嗦[4]，出去算！

〔马登科气忿忿地由右门走出，后面老范也十分不高兴，蓦地从地上倒提起那两只受难的肥母鸡[5]，也横着眉眼跟着出去。

丁　昌 胡医官，他们这是干什么？

胡医官 谁知道。

---

1 “怫然”底本作“拂然”，据川版改。

2 “官”原刊作“主任”。

3 “那两只肥母鸡”川版作“那肥母鸡、火腿、大红寿蜡”。

4 “噜嗦”原刊作“啰嗦”。

5 “肥母鸡”川版为“肥母鸡等寿礼”。

丁　昌　真的，我母亲要走么？

胡医官　（沉重地）嗯。

丁　昌　究竟为什么？

胡医官　你不懂。（忽然）我问你，你刚才要跟我商量什么事？

丁　昌　（沉思）什么？

胡医官　你刚才？

丁　昌　（又转到欣快）哦，胡医官，我们想捐一些绷带、纱布还有一些药品，你能想法子么？

胡医官　（善意地取笑他）战场还没有到，你已经想着要受伤了么？

丁　昌　唔，到了山西[1]，这些东西我们总是有用的。

胡医官　那你为什么不找你的母亲？

丁　昌　她，她现在要捐得来这些东西，她会给此地的伤兵，不会给我的。

〔左门外面喊着胡医官，胡应声，走到左边。同时，门略开，一个女看护探出半身。

女看护　胡医官，一百六十七号的伤兵，伤势[2]很重，请你现在去一趟。

胡医官　好，就去。

女看护　（缩回头）好。

胡医官　喂，你看谁来啦？

1　“山西”原刊作“前方”。

2　“伤势”原刊作“伤口”。

女看护 谁?

胡医官 我们的小丁大夫。

女看护 小——丁!

〔那女看护跳出来，胡由左门下。进来的是一个胖圆脸，大手大脚的女孩子。她非常活泼，红润[1]的脸上浮泛出同情和稳重，身材不高，而异常壮硕。她原和丁昌一同在战地服务团工作，现在留在医院，从丁大夫学习简单的战地治疗，是丁大夫得力的帮手。她名叫陆葳。

丁　昌 陆葳!

陆　葳 你怎么还没有走?

丁　昌 没有车。你在这儿好么?

陆　葳 好，忙得很。

丁　昌 (十分亲热)你又跟我母亲学了几手?会开刀了么?

陆　葳 吓，哪有那么快。我告诉你，干妈来了信了?

丁　昌 干妈?

陆　葳 嗯。

丁　昌 (愉快地)哪个干妈?安徽的?还是河南的?

陆　葳 (笑着)自然是河南的那个。你忘了我们服务团到了沧庄，演戏宣传，你摔伤了，大家把你抬在那个顶可爱的乡下老太婆家里——

丁　昌 哦，我的张干妈，谁说忘了?(伸手)信呢?

---

1 “红润”原刊作“润红”。

陆　葳　不在手边。回头拿给你看，我要照护一个病人，就来。

丁　昌　好，我等你。

陆　葳　哦，（沉重）你母亲从早上工作到现在，还没有吃午饭呢？回头她来，你最好——

〔左门外丁大夫在呼唤。

丁大夫　陆小姐，请你来。

陆　葳　哦，（对昌）她叫我，回头见[1]。

〔陆由左门下。丁大夫匆忙由左门上。她穿着实习服[2]，头上戴了白布帽——头发完全藏在里面——口鼻罩满消毒白纱套，几乎只露一对眼睛。两手紧套着橡皮手套，她进门就脱下一只。她后面跟随第一幕出现过的那位诚朴可爱的伤兵。她一眼就望见丁昌。

丁　昌　（乐极）妈！

丁大夫　（慈恺地）别拉我的手，昌儿。（她一面脱那一只橡皮手套，一面指着他）我方才就听说你来了。（走到盆前洗手，回头，欣慰地）你怎么并没有走？

丁　昌　（跟过去）今天我们才有车。

丁大夫　（失望）什么？你今天还走？

丁　昌　嗯。

丁大夫　几点钟动身？

1　“她叫我，回头见”原刊作“再见”。

2　“实习服”川版作“手术衣”。

丁　昌　三点半。

丁大夫　这么晚还走？

丁　昌　我们要在晚上赶到小庄，明天清早好跟大队出发。

丁大夫　（望着他，慢慢揩手）哦。（把纱布放在铁架上）

丁　昌　妈，你为什么还不吃饭？

丁大夫　（把口罩取下，微笑）哪个说的？

丁　昌　有人告诉我。

河南伤兵（不得已）丁，丁大夫。

丁大夫　（对伤兵）对不起。（对昌）昌，我就来。（对伤兵）他在哪儿？

河南伤兵 就在外面。（伤兵由左门下，丁随在后）

丁　昌　（跑上去）妈，你不吃一点东西？

丁大夫　我现在吃不下。

丁　昌　可是——

〔陆由左门上。

陆　葳　丁大夫，（急促地）请你立刻看看吧。

丁大夫　好。——昌，我就来。

〔丁大夫由左门下。

丁　昌　（拉住正要走的陆葳）陆葳，怎么回事？

陆　葳　一个小伤兵，大腿受伤，中毒，从老远抬了来。

丁　昌　（关心地）不重吧？

陆　葳　很重，治不好，腿会断的。

丁　昌　一定痛得很。

陆　葳　那怎么会不，我看他很难过。这孩子一声不哼，他直要丁大夫来看。

〔胡医官由右门持一电报上。

胡医官 丁大夫呢?

陆 葳 在看病。

胡医官 她真该休息一下。

陆 葳 胡医官，纱布眼看着又不够了。

胡医官 （意在言外）哼，怎么会够！怎么会够！

丁 昌 （对陆）我母亲已经把这些（指椅上的书籍）东西都装箱了?

陆 葳 你已经知道?

丁 昌 嗯。

胡医官 （递出电报）丁昌，这是从上海来的电报，发给丁大夫的，请你交给她。

丁 昌 好。（接下，看了看[1]把电报放在口袋内[2]）

〔胡由右门下。

丁 昌 （沉思）真的，她预备到哪儿去呢?

陆 葳 不晓得。

丁 昌 她不会灰心吧?

陆 葳 她不应该灰心。

丁 昌 （摇头）我母亲脾气躁得很。

---

1 “看了看”原刊作“看一看”。

2 “口袋内”原刊作“袋里”。

陆　葳　（看着他，严重地[1]）你不晓得。

丁　昌　（忽然）你呢？

陆　葳　你母亲到哪儿，我到哪儿。

〔丁大夫由左门上。

丁　昌　那小伤兵怎么样？

丁大夫　（半向昌，半对陆）他大腿里还有碎片，慢性中毒，时候太久，需要立刻开刀。陆小姐，请你把开刀室再预备好。

陆　葳　怎么，您还动手。

丁大夫　嗯。

陆　葳　我看找胡医官吧。

丁大夫　他也忙，他有他的事。

陆　葳　要不，找刘医官[2]替您一次。

丁大夫　这是我的事。我在这里多久，我就做多久的。

陆　葳　是，丁大夫。

丁大夫　你告诉夏小姐，把我叫她装箱那一套针同麻药再拿出来。

陆　葳　再拿出来？

丁大夫　嗯，这个小伤兵病得太久，营养不足，我怕他心脏太弱，回头你们预备大腿局部麻醉。收拾好，立刻来叫我。

陆　葳　是，丁大夫。

〔陆由左门下。

1　“严重地”原刊作“摇摇头，叹气”。

2　“刘医官”原刊作“刘医生”。

丁大夫　（长嘘一口气，把口罩放在桌上）昌，现在我们可以谈一下了。

丁　昌　（拿起桌上的玻璃杯）你不喝杯水？

丁大夫　好。（昌走去倒满，把水杯递给她）

丁　昌　（抱起饼干筒）饼干？

丁大夫　（摇手）我不想吃。（喝[1]一口水）昌，这次你[2]一定到山西[3]去了么？（坐在圈椅内）

丁　昌　（不得已）嗯，妈。

丁大夫　（放下水杯）你为什么不早些来看我？

丁　昌　我们办壁报到村子里去宣传，简直没有一点工夫。

丁大夫　（忽然）咦，我上次给你做的棉袄，你怎么没有穿？

丁　昌　（着慌）那，那棉袄（望着母亲）——

丁大夫　（握着他的手，轻轻点着他，会心地笑起来）是又送人了[4]？

丁　昌　（忸怩）嗯，我看林重没有衣服穿，我就，我就送给他啦。

丁大夫　（两手轻抚着丁昌的大手掌）我的大方孩子，那么你自己呢？

丁　昌　（憨厚地）我，我当然有衣服穿。

丁大夫　（不觉查看他的衣袖）哦，昌，我的[5]羊毛衬衣呢？

---

1 “喝”底本作“渴”，据川版改。

2 原刊无“你”。

3 “山西”原刊作“河南”。

4 “了”底本作“勒”，据川版改。

5 “我的”川版作“你的”。

丁　昌　（支吾）我，我没有穿。

丁大夫　（摇头）你不要骗我，那羊毛衬衣——

丁　昌　（诚直地）我送给一个伤兵了。

丁大夫　（略微有些责备的口气）丁——昌！

丁　昌　妈，你要看见他，你也会把你的衣服脱了给他的。

丁大夫　（立刻拍着他的肩）昌，我不是责备你不该这么慷慨。可是昌儿，天气很冷，（摸摸他的破棉军服）你穿得这么少，你不知道我看见了（低头）心里——多么难过。

丁　昌　我，我不冷，姆妈。

丁大夫　（突然很快地走去诊床前，拖出床下的皮箱，拿起一件厚绒衣服）昌，你把这个穿上。

丁　昌　（走过来，笑）真的，我不冷。

丁大夫　你拿去。

丁　昌　我不。

丁大夫　妈要你拿去。（递出绒衣）

丁　昌　（望着母亲，慢慢接下）可是姆妈，你穿什么？

丁大夫　我可以买。

丁　昌　（傻傻地）我，我也可以买。

丁大夫　（笑起来）你拿什么买？——哦，我上次给你的钱，你还有多少？

丁　昌　还有——

丁大夫　（仁慈地）问你还有多少？

丁　昌　（说不出来）我，我——

丁大夫　（看出他的神气，点着他）又都送人了吧？

丁　昌　没，没有。

丁大夫　那么——

丁　昌　（连忙）这次没有。

丁大夫　（忽然明白）那么（爱得不忍深责他）你——是——丢——了。

丁　昌　（似笑又不敢笑，瞥了母亲一眼，立刻低下头来）嗯。

丁大夫　（管不住自己，仍旧笑出来，指他[1]）你这个丢三落（读如“辣”）四，最像爸爸的孩子！

丁　昌　（也笑着）那天我明明放在这个兜里[2]，第二天，我一摸——

丁大夫　（温和地申斥，一半笑容）不要说了。（走到书桌，由抽屉里取出一搭钞票）这是九十块钱，昌，放在身上。

丁　昌　（不肯接，似笑非笑地望着母亲）我[3]不是跟你要钱来的。

丁大夫　（温和地瞪了他一眼[4]）知道，你总是有理由的。（又走回丁昌身旁）这次我跟你放在里面的口袋里，（手伸进他的棉袄里面，仰头望着他）万万不要再掉了。（摸着，眨眨眼）咦，这——是什么？（慢慢由里面口袋里掏出来）

丁　昌　（不好意思，立刻抢过去）糖，——花生。

丁大夫　你几岁了，口袋里还放这些东西？

---

1 “指他”原刊作“对他”。

2 “这个兜里”原刊作“这儿里”。

3 “不肯接”以下原刊作“（不接）我又”。

4 原刊无“温和地瞪了他一眼”。

丁　昌　（笑嘻嘻）这是前天下乡，我们跟老百姓开联欢会吃了剩下的。（不觉坐在诊床上，把一颗花生丢在嘴里，其余的放在大衣口袋里）

丁大夫　昌，坐好。（仍将钱一叠一叠放入他的衣内）昌，钱在里面口袋。记着，左口袋放了一半，右口袋放了一半。

丁　昌　（憨态）嗯，知道，知道。

丁大夫　（把他衣服整一整）好了，昌，站起来让我看你一下。（丁昌立起，雄赳赳地）居然也像个小兵了。（指着）丁昌，现在我要严重地跟你开一次谈判。

丁　昌　（吃一惊）谈判？

丁大夫　嗯。

丁　昌　好，妈。

丁大夫　（沉重）你这次要走得很远。

丁　昌　（急忙）我一定跟你常写信。

丁大夫　你别说这些话，我不是不让你走。

丁　昌　（眼里笑笑）妈，刚才一说谈判，真吓了我一跳。

丁大夫　昌，你很像你的父亲，你跟他一样地慷慨，一样地勇敢。你的父亲是我顶好的伙伴，他死后十几年，你一直是我唯一的——（略停，慈恺地）好朋友。（昂头）慷慨的事，我不反对你做；勇敢的事，我不反对你做。现在你到前线去，我决不愿哭哭啼啼地阻止你。但是（忽然柔弱下去）在我看不见你的时候，你应该晓得照护自己。你自己最低限度的温暖，需要，你不应该再叫几千里以外的（略停，望着他）这个老朋友为你担心。

丁　昌　（一直在低低应声，现在忍不住默默地流出来泪水）嗯，——嗯，——嗯。

丁大夫　昌，（凝望着他）我们是不是好朋友？

丁　昌　是，妈。

丁大夫　那，（拉起他的手）你答应我，为着不叫我夜晚念着你睡不着，你要好好地照料自己。有了什么病，你立刻给我打电报，不要像上一次，摔伤了那么重，都不给我知道。

丁　昌　一定。我们老百姓都非常好的。那次摔伤就是一个顶可爱的乡下老太婆把我照护好的。后来她非要我拜她做干妈，其实，我们待她并没有一点好处。

〔夏小姐由左门上，拿洗脸架上的消毒药水。

丁大夫　（点头）嗯，乡下有的是这种可爱的好人。（忽对夏）夏小姐，收拾好了没有？

夏霁如　还没有。（拿起药瓶）哦，丁大夫，（走到桌上拿信）这是院长刚才留下的信。

丁大夫　嗯。（接下信，拆着）

〔夏由左门下。

丁　昌　（看出母亲读信的神色）妈。

丁大夫　（读完，把信一团，扔在桌上，厌恶地长嘘一声）

丁　昌　我听说你要走。

丁大夫　哪个告诉你的？

丁　昌　（随手拿起那团纸，又扔到桌下纸篮内）是不是为着这个医院[1]太黑暗了。

丁大夫　（勉强）没有，没有。

丁　昌　你说过你永远不许灰心的。

丁大夫　当然不。

丁　昌　那你为什么要走？

丁大夫　我（停）——

丁　昌　我看见，你把你的东西都要装箱了。

丁大夫　（沉重）嗯，我是要走。

丁　昌　（觉得应该早晓得）那你怎么不告诉我？

丁大夫　（叹一口气）有许多事情我不愿意告诉你。

丁　昌　（低声劝慰）[2]闷在心里不更难过么？

丁大夫　我，我不想谈。（走到桌后圈椅坐下）

丁　昌　（慢慢追去，悯然）妈，你现在瘦多了。

丁大夫　（摇头）没——有。

丁　昌　（满怀同情）我知道你受了许多打击。

丁大夫　（望着前面，声音低微）没——有。

丁　昌　（低声）你——失望了。

丁大夫　（噙住眼泪，更低）没——

丁　昌　（恳切，音略低[3]）告诉我你的痛苦，妈。

1　“医院”原刊作“地方”。

2　此处原刊有“为什么”。

3　“音略低”原刊作“略音低”。

丁大夫　（不语）。

丁　昌　（痛苦）妈，我们两个不是顶好的（略低）——好朋友么？

丁大夫　（晶莹的泪珠静静流在颊上）

丁　昌　（慢慢）妈，你哭了。

丁大夫　（抬头，[1]沉痛的低声）我不相信我们中国会没有办法。这么多勇敢的兵士，这么多有希望的青年，这么多可靠的老百姓！昌，你觉得我们这个国家真没有希望了么？

丁　昌　（昂首）当然不！

丁大夫　然而（摇头）一看到[2]这些腐败的官吏[3]——

丁　昌　（迅速）那是一时的，也是极少数的。

丁大夫　（摇头）[4]你怎么知道一定是极少数呢？

丁　昌　妈，你又怎么敢说一定是大多数呢？你要看事实。（兴奋）只看到一个特殊的现象就下了普遍的定论，这是不正确的，并且极容易造成失败主义者的理论根据的。

丁大夫　（闪出一丝笑影）你在哪里学会了这许多新名词？

丁　昌　（不理她）我上次介绍你的《抗战必胜》，你读了没有？

丁大夫　我忙得很，只看了一半。

丁　昌　你应该读完！（热烈地）并且读了一遍还要再读！再读！（下

1　原刊无“抬头，”。

2　“一看到”原刊作“看到”。

3　“官吏”原刊作“东西”。

4　“摇头”原刊作“缓缓地”。

面的话说得异常诚挚而流畅，讲着走着，做着手势）这本书会增强你对于抗战的认识；认识正确，你才能有坚强的信仰，（着重）这信仰就是我们抗战必胜的根据。（指着）妈，你是我们的技术人才，你必须有正确的世界观念、社会观念，更要紧的是正确的政治认识，你才能够广大地发挥你的力量，（一句比一句有力，逐渐嘹亮）你才不会为一时的情感所左右。你才不失望！不悲观！持久地为我们的新中国服务，直到我们打胜了为止！（突停，不知觉已走到左门前）

丁大夫　（为她儿子的充沛的精神所激动，满心喜悦，抑制地）昌儿！

丁　昌　干什么？

丁大夫　（立起）过来。

丁　昌　（走过去）怎么？

丁大夫　（突然紧握他的一双手臂，颤声）我的儿子！

丁　昌　（颟顸地脱离开母亲的手）妈，我的话，你——你相信么？

丁大夫　（肯定地）相信？

丁　昌　（笑着）那么，你失望么？

丁大夫　（愉快）我没有说我失望。

丁　昌　那你到哪儿去？

丁大夫　我到别的[1]伤兵医院去。

丁　昌　（憬悟）你——不是到上海？

1 “别的”原刊作“正式的”。

丁大夫 哪个告诉你？

丁 昌 我以为——哦，刚才从上海来了一个电报。（从袋内[1]取出[2]递给她）

丁大夫 给我的？（收下电报拆看）

丁 昌 什么？

丁大夫 上海的朋友给我法币三十万元办医院。

丁 昌 你去么？

丁大夫 你想我会？

丁 昌 那怎么办，妈？

丁大夫 （把电报交给他）你替我按地址复个电报，说（沉吟）——

丁 昌 说什么？

丁大夫 说“伤兵救护忙，不能去”。

丁 昌 真不去？

丁大夫 自然。

丁 昌 （大喜）我的妈妈，我知道你不会叫我失望的。

丁大夫 （笑着[3]）我希望我永远不叫你失望，我的小先生！

〔陆由左门上，口鼻蒙上了纱布，一手还拿着丁大夫的纱布口罩，一手拿着消过毒的橡皮手套。

陆 葳 开刀室已经预备好了。

---

1 “袋内”原刊作“桌上”。

2 原刊无“取出”。

3 此处原刊有“紧握他的手”。

丁大夫　好，我洗了就来。（到铁盆架旁洗手）

陆　葳　丁——（用手指着白衣口袋里）干妈的信。

丁　昌　在哪里？

陆　葳　你自己拿，我的手消毒了。

〔丁昌从陆的白衣口袋里取出信件。陆走到铁盆架旁，帮助丁大夫消毒，戴好口罩同白帽。同时胡医官由右门上。

胡医官　丁大夫，您看见那封电报了么？

丁大夫　（忙碌着）嗯。

胡医官　你真要走么？

丁大夫　走。

胡医官　您走了，（眷眷地）这些伤兵会想念您的。

丁大夫　我也是[1]舍不得他们。

丁　昌　（读着信笑起来）有意思。（对陆）张干妈硬说我们给她照的相片，不是她，是她的亲家。

丁大夫　（望丁昌，转对胡）胡大夫，以后丁昌给我的信暂时请你转一下。

胡医官　是。

丁大夫　听见了没有？昌？

丁　昌　嗯，听见了。

丁大夫　昌，你还能待多久？

丁　昌　（看表）二十分钟的样子。

1　“也是”川版作“是也”。

丁大夫　昌，你走吧。

丁　昌　（听见，蓦然）妈!（放下信，跑到她面前）

丁大夫　（缓缓地）走吧，不要误了车子。这个手术不是一会儿完得了的。

丁　昌　嗯。

丁大夫　（忍住眼泪）快——去——吧。（凝望他，半晌）

丁　昌　（蓦然）我走了。（拿起帽子就向右门走）

丁大夫　喂，你的绒衣服?

丁　昌　哦。（回来一句话不说，抓起绒衣，手背顶着鼻孔，低头快步走出）

胡医官　[1]丁大夫，我替你送送他。

〔胡医官迅速由右门追下。

〔丁大夫呆望门口，陆为她戴好白帽，罩上口罩。

〔秦院长由右门匆匆上。

秦仲宣　丁大夫。

丁大夫　（没想到）哦，你——

秦仲宣　丁大夫，可拜望着你了。丁大夫，您看见我留的信了?

丁大夫　（点点头）

秦仲宣　您是我们医院的台柱。您是义不容辞，非帮忙到底不可的。

丁大夫　（摇头）

〔陆葳静静地由左门下。

1　此处原刊有“（十分感动，突然）”。

秦仲宣　不过，丁大夫，至少梁专员，您得见一见。

丁大夫　（依然在悲感）我要去看病。

秦仲宣　请你无论如何要委曲一下。

〔范兴奎由右门威风凛凛地走上。

范兴奎　梁专员到。

丁大夫　（对院长）对不起，不陪了。（丁转身就走）

秦仲宣　（追了两步）丁大夫！

〔丁大夫由左门下。

〔几乎同时梁公仰由右门上，后面跟随马登科。秦院长还在望着左门。

范兴奎　（大声）专员到。

〔梁公仰是一位五十七岁的老青年，穿一身旧灰棉军服，外套一件旧黄军呢大衣。脚下是一双式样笨重，而且蒙了尘土的长统黑皮靴。他体大胸圆，紫红的面色，微微透着苍老。鼻翼饱满，大嘴上有些斑白髭须。光顶，发根也是苍白的。他略微驼背，举止仿佛笨缓，但实际遇了大事，他行动走路既准且快。他目光含蓄而有神采，却他第一个印象并不引人注意。除非细细端详，一般人总看不出在他自然的收敛中，蕴藏着多少智慧、经历、了解和做事的精力。他眉毛粗长，但有时笑起来，十分慈祥。他深知中国官场的人情世故，然而遇见他所痛心疾首的事情，他又忍不住恶毒地讽刺，甚至于痛骂，毫不假借。他有些远视，口袋里带一副椭圆金丝老光镜。

〔他稳步踱进来。

范兴奎　（又大声）专[1]——

梁公仰　（指着范）这位同志是谁？

范兴奎　（莫明其妙）范，范兴奎。

秦仲宣　院里的勤务。

梁公仰　（斜眼望着他）他又吓了我一跳。

马登科　（殷勤）怎么，专员受惊了？

梁公仰　（很厌恶这里的官气）以后请马主任不要叫他老跟在我后面，可以么？

马登科　（莫明其妙）是，是。

梁公仰　（朴实地笑了一下）我是个乡下人，进一个门他就这样一叫，我倒没觉得威风，总是他的威风把我先吓了一跳。（秦马尴尬地随笑）院长，我是说的老实话。

秦仲宣　（对范）哪个叫你老跟着后面？还不快走。

范兴奎　是，院长。

〔范由右门下。

梁公仰　（四面望）这屋子看看倒还坚固，还整齐。

秦仲宣　是，我们把前面顶好的房间作为伤兵同志住的[2]病房。

梁公仰　（含蓄的讽刺）你们诸位的家眷住坏的。

马登科　（得意）是，是。我们自然住——

1　“专”原刊作“监”。

2　原刊无“伤兵同志住的”。

秦仲宣　（究竟院长懂得察言观色）是，职员家属住在院里只是暂时的。最近就要在外面找定房子，一两天就搬。

马登科　（这才明白）是，一两天就搬。

梁公仰　那就很好。（忽然）丁大夫呢？

秦仲宣　她出去了。

马登科　她看见您来，反而出去了。

秦仲宣　刚才派人找了她三趟。

梁公仰　（一面参观[1]，一面揣度丁大夫的性格）嗯。

马登科　三趟她都故意地不见专员。

梁公仰　哦。

秦仲宣　这种名医平时就态度傲岸，时常不听长官的[2]调度。

梁公仰　（沉稳地）我看这也看哪种人来调度她吧。哦，丁大夫现在正做什么？

秦仲宣　（故不做声）嗯——

马登科　不晓得她又躲到哪里去了？

〔陆葳匆忙由左门上。

马登科　喂，丁大夫呢？

陆　葳　（进门就拿她的器具）在开刀室。

马登科　你告诉她，专员一直在等着她，让她立刻就来。

陆　葳　她没有工夫。

1　“参观”原刊作“察视”。

2　原刊无“长官的”。

〔陆立刻由左门下。

马登科 您看她手下的人见着长官都这样不知规矩。

梁公仰 （不理他，对院长）听说她要走，是么？

秦仲宣 据说，有这么一说——

梁公仰 为什么呢？

马登科 据登科想，总是嫌此地生活太苦，要回上海。人家在上海，有家有业。您想（羡慕）上海，上海，好，那多舒服！这个小伤兵医院[1]，又在内地，衣食住行都非常简陋。她又是个妇道，您想哪有不想回去的道理？

梁公仰 秦院长的意思呢？

秦仲宣 这种猜想大概是不错的。

〔况西堂抱着一堆表格由右门上。

况西堂 专员，陈秉忠就在外边。

秦仲宣 （吃了一惊）他来干什么？

况西堂 专员吩咐的。

梁公仰 请他在外面候候。

况西堂 （对院长）院长说是把表格拿过来。

秦仲宣 专员，请，请您过目这一部分的表格。

况西堂 （指点着）这一张是医院设备的统计表格，这一张是关于伤兵人数同床位——

马登科 这是医院里最准确的统计。

1 “小伤兵医院”原刊作“小小伤兵收容所”。

梁公仰 我看这些东西，还是不看吧。（随便问似的）院长，现在医院床位有多少？

秦仲宣 （含糊其词）有五百多。

梁公仰 五百几？

秦仲宣 （没想到问，只好乱说）大概有五百七十几张。

梁公仰 五百七十几？

秦仲宣 大概是五百七十四五吧。这——这要查表格。

梁公仰 我看不用了，我方才数了一下，是四百八十六张。贵院的表格上面写了有六百——（看表）六百二十四张，这中间很有出入的。

秦仲宣 （只好发挥，对况）这是哪个调查的？

况西堂 （圆滑之至）马，马主任知道。

马登科 这是——

梁公仰 我看其他的问题还多，暂时我们先不要追究这些。那么，现在院里还有多少空床？

秦仲宣 满满的，恐怕是一张空床也没有。

梁公仰 哦，今天早上有一位太太在这间屋子前面要的那张铁床，不知秦院长算在里面没有？

秦仲宣 （佯为不知）哪个太太？

梁公仰 秦院长没注意到一位拿着象牙烟嘴的太太？大声大叫铁床是非拿回去不可？

秦仲宣 哦，是的，是的。（向马登科）马主任，这要切实地查查！

马登科 是，是。

秦仲宣 查查这是哪家的太太？怎么能任意动用公家的东西？

马登科 登科非清查不可！

梁公仰 那位太太的口气很凶，我看秦院长无妨派两个兵把守一下。不然，一张铁床要回来，又搬回去，这手续似乎很费周折的。

马登科 （呆头呆脑）不至于，不至于。

秦仲宣 （瞪了马一眼）

梁公仰 （讽刺地）不至于，那就很好。（忽然）关于前月贵院增加[1]经费的呈文，已经转给我看过。哦，这篇文章是哪位先生写的？

秦仲宣 就是况西堂，况秘书。

况西堂 （鞠躬）专员。

梁公仰 先生的文章写得非常之好。

况西堂 您多夸奖。

梁公仰 理由也很充足。

秦仲宣 （找着机会）专员，您晓得上次由南京搬来所用的迁移费用早已超过预算，以后仲宣设法腾挪开支，才勉强应付。后来伤兵一天一天地增多，病床要添，医务人员要加，病房不够，药费也不足。[2]每月的经费总是东挪西补，寅吃卯粮——

梁公仰 嗯，你用的人是很不少。

秦仲宣 不但用人多，而且待遇也尽可能地提高。因为仲宣所收集

---

1 “贵院增加”原刊作“贵院请求部里补助”。

2 “您晓得上次由南京”以下原刊作“您晓得公家的补助费有限，”。

的都是国内的专门人才，医官们固然都有非常好的学识，职员们也都是将来国家的干员。[1]事情多，一天忙到晚，真是事浮于人，在在都需要经费增加，才能办好。

梁公仰 在秦院长的意思，仿佛凡事只要有钱就可以办得好？

秦仲宣 当然这也不尽然，不过——

梁公仰 如果，就照您的意见，每年增加[2]二十五万的经费，是不是像马主任这样的人才还要多请几个呢？

马登科 专员！

秦仲宣 固然像马先生不一定算是了不得的人才，然而像他这样干练的人——

马登科 院长。

梁公仰 好，那么，我就几件事实谈谈。修缮费项我看已经用了八千元，我看十间屋子有九间屋子是漏的。[3]

马登科 回专员，此地房子太坏，[4]再，这都有账可考的。

梁公仰 好，回头把账拿来。

马登科 （狼狈）是，专员。

梁公仰 秦院长，我听说医药不大够用？

秦仲宣 是的。每月领下的棉花纱布，简直不够一千多伤兵的支配。

---

1 “医官们固然”以下原刊无。

2 “增加”原刊作“由部里再补助”。

3 此句原刊作“公家补助费项下我看已经用了八千元，都是怎样用了的？”。

4 “此地房子太坏，”原刊作“自然都是正用”。

梁公仰 不过就这一点点的棉花纱布，我听说还有人拿去缝衣服，做蚊帐[1]。这是怎么回事呢？

秦仲宣 这是他们胡造谣言。

梁公仰 陈秉忠。

〔陈由右门上。

陈秉忠 梁专员。

梁公仰 我希望陈先生看在国家分上，对我说句实话。

陈秉忠 是的，专员。

梁公仰 纱布每月从上边领了多少？

陈秉忠 二百磅。

梁公仰 你实际领了多少。

陈秉忠 多则一百九十磅，少只有一百八。[2]

梁公仰 其余的呢？

陈秉忠 秉忠没见到。

梁公仰 在哪儿？

陈秉忠 听说是——（望马登科）

梁公仰 请你尽管说，我负责任。

陈秉忠 听说是马主任的太太拿去缝帐子了。

马登科 （大怒）你放屁，你血口喷人。

梁公仰 马先生，现在不是你教训下属的时候。

---

1 “缝衣服，做蚊帐”原刊作“糟蹋”。

2 “多则一百九十磅，少只有一百八”原刊作“一百九十磅”。

马登科 回专员，（振振有词）名誉是人的第二生命。现在是登科性命攸关的事。登科要质问他，叫他拿出证据来。

梁公仰 要证据？

马登科 嗯。

梁公仰 （从从容容）我想不用他，我就可以给你证据看。陈先生，请你找一位住在此地的医官[1]，（拿出衣袋内的纸片）叫，叫刘（拿眼镜盒）——

陈秉忠 刘从善，是么？

马登科 （气馁）秉忠！那，那，我看就——

梁公仰 （放下眼镜）如果你认为不必证据你也可以满意，那么我们就再谈别的。院长，马先生是什么主任？

秦仲宣 管理庶务。

梁公仰 （爆发）一个管理庶务的人，医药、纱布都要经他的手，催药行文也要经他看，这样越权做事，职责不分，不知贵院行的是哪种制度[2]？（院长默然）陈先生，你下去，请你找一位谢先生来。

陈秉忠 谢？

梁公仰 （看纸片）叫谢宗奋。

〔陈由右门下。

---

1 “医官”原刊作“医生”。

2 “不知贵院行的是哪种制度”原刊作“贵院既然受了公家的补助，难道不知道公家的行政制度吗”。

况西堂 （看见风头不对）回专员，西堂还有些稿件要办，怕不能多侍候啦。

梁公仰 况先生，别忙走，坐一坐。一会儿你老兄也要帮一点忙的。

况西堂 （不安）是，是。

梁公仰 听说马主任在外边大做生意？

马登科 （一味否认）没有，没有。

梁公仰 这又何必客气，院长也似乎很发财。

秦仲宣 不知道专员意中指的什么？

梁公仰 有人说现在县里米贵，仿佛院长很有功劳。

秦仲宣 （局促）专员似乎说我们现在囤米？

马登科 这是万万没有的事。

秦仲宣 （对梁这种不讲情面，调查他个人的“私事”，十分不满）这一类的事情，即或有，恐怕也是个人的经营。似乎——

梁公仰 对的，怎样发国难财，才算犯法，政府法令并没有详细规定。可是挪用公款来发国难财，是不是政府可以过问呢？[1]

〔谢宗奋匆忙由右门上。

谢宗奋 专员。

秦仲宣 挪用公款？[2]

梁公仰 谢先生，我问你，据你知道[3]是不是在西门城外，我们院里

1 “**秦仲宣** （对梁这种不讲情面，调查他个人的“私事”，十分不满）”以下原刊无。

2 原刊无“**秦仲宣** 挪用公款？”。

3 “据你知道”原刊、川版均作“你所知道”。

租了一所最大的仓库？

谢宗奋 是。

梁公仰 公家的？私人的？

谢宗奋 公家的。[1]

梁公仰 里面放的什么？

谢宗奋 米。

马登科 （抢说）伤兵同志的服装。

谢宗奋 米。

马登科 （大声）伤兵同志的服装！

梁公仰 马主任不必争执，我自己看过，倒是谢先生说得对[2]——米。

秦仲宣 不过，（只好狡辩）专员，实际上那房子是仲宣个人出钱租的。

梁公仰 谢先生，你说实话。

谢宗奋 院长，（耿直）这不能欺骗专员，这是公家出钱租的房子。

马登科 这个，你能胡说八道么？

谢宗奋 专员，会计室有出纳账单可查。

梁公仰 好，谢谢你。你可以下去。

〔谢由右门下。

梁公仰 那么，况先生，看见方才两位同事的榜样，我非常希望你老先生也照样帮忙。

---

1 “**梁公仰** 公家的？”以下原刊无。

2 “说得对”原刊、川版均作“说的”。

况西堂 是，是。[1]

梁公仰 现在这个机关里，究竟人浮于事，还是事浮于人？

况西堂 这个，（推托了事）西堂不大清楚。

梁公仰 好，我说清楚点，你以为这个机关闲散的职员[2]多不多？

况西堂 （含糊）呃，没，我想没有。

梁公仰 真的么？况先生，我不大喜欢人说昧心之论的。

况西堂 （又怕累了自己）专员，要真是有，我恐怕这也是一般的现象。

梁公仰 我看倒不是一般的现象，恐怕只有贵院才真是出类拔萃的。（开门见山）况先生，你所知道拿干薪不做事的人有没有？

况西堂 （不愿开罪同事）大概没有吧。

梁公仰 那么，每天在楼上喝酒、打牌，整日不到办公室的先生们，这是哪些人呢？

况西堂 那，那——

〔范由右门偷偷上。

范兴奎 （对院长严重地做手势[3]）太太！（指着屋顶，仿佛说："闹得厉害，请快看看。"）[4]

秦仲宣 专员，仲宣略微有点事，想——

梁公仰 我看还是请你老兄候一刻。

---

1 原刊无"**况西堂** 是，是。"。

2 "闲散的职员"原刊作"冗员"。

3 "严重地做手势"原刊作"严重低语"。

4 "太太！"以下原刊作"太太现在闹的利害。"。

秦仲宣　是。

〔范由右门下。

梁公仰　（对况）那，那怎么样，况先生？

况西堂　（逼出来）那是有的。

梁公仰　这有多少人？

况西堂　呃，有些人。

梁公仰　有些？

况西堂　呃，很有些人。

梁公仰　有多少？

况西堂　差——差不多，——

梁公仰　况先生，请你说话肯定一点。我问你有多少是我们[1]院长的远亲近戚？

况西堂　那——这些人里，多多少少——似乎都有些关系。

梁公仰　况先生，不要把个人当作我们的上司。只要你认清国家是我们的主人，国家对于真做事的公务人员[2]，决不会不保障的。

况西堂　（第一次受这样盘问）是，是。

〔况逡巡由右门下。

梁公仰　院长先生，（冷笑）你说经费太少，不能办事，我看照这样做法，经费增多，更不能办事。

秦仲宣　（恳诉）仲宣一时有些失于检点，有些地方总是要请专员多

1　原刊无“我们”。

2　“公务人员”原刊作“人”。

多担待。

梁公仰 院长先生，贵院搬到此地有几个月了？

秦仲宣 也就是三个月的光景。

梁公仰 我真猜不出在这一百天的工夫，院长先生办了什么事情。第一，房子绝对不够用，病室差不多都是一碰就要倒的破屋子。人用的又滥又多，而伤兵治疗还是集中在少数的医官[1]身上。（沉重）院长，许多事情并不是要钱做，而是要人，拿出精神来做的。但是现在，是公事，就放在那里，没有人管；而私事，就一来一大帮。多少不负责、不守法的大事，我先不多谈。我在贵院[2]暗地观察了三天，最可怕的气象，是委顿、迟缓，又乱，又慢。这种毫无法制，紊乱缓慢的行政现象，是非彻底改革不可的。

秦仲宣 以后我们立志要在专员指导之下努力改革。

梁公仰 （闪闪眼，缓和地）院长，什么时候搬到后方来的？

秦仲宣 在南京沦陷前两个半月。

梁公仰 哦，前两个半月就搬了。

秦仲宣 是的，到了此地，仲宣才由代理升为院长。

梁公仰 是呀，我正不明白先生升了院长，还是因为当初搬的时候，搬得快呢？还是因为现在做事做得慢呢？

秦仲宣 （悻悻地）回专员，迁移也是奉上边的命令。再者，这个医

---

1 “医官”原刊作“医生”。

2 川版无“贵院”。

院也有相当历史，而且许多人才都是仲宣多方物色——

梁公仰 什么人才，我怕你先生所物色的，不过是一群奴才就是了。[1]

〔远处锣声，人声乱响。有一个人在窗外喊：“警报！警报！”

马登科 回专员的话——

〔孔秋萍急由右门上。

孔秋萍 （异常慌张）专员，专员。

秦仲宣 什么事？

孔秋萍 外面有警报。

秦仲宣 警报？

孔秋萍 （喘气）街上的人乱跑，——大批日本飞机，——一百二十架！

秦仲宣 专员，我已经跟您预备好汽车，请专员立刻——

〔况西堂由右门跑上，况太太提着小皮箱、小包袱，以及零零碎碎，随在后面。外面锣声大作。

况西堂 院长，警报！紧急警报[2]！

〔梁镇静地站在一旁。

况太太 紧急警报，马主任，你们还不快跑，（忽然看见梁专员，愣了一下，对其夫）快走，西堂。这个地方是目标！

〔先由右门下。

况西堂 专员！我看——

况太太 （复入）快走，少啰唆。（一手把况西堂拉出去。孔随下）

---

1 “**梁公仰** 是呀，我正不明白先生升了院长”以下原刊无。

2 “警报”底本作“紧报”，据原刊改。

秦仲宣 （急慌）专员上车吧。

梁公仰 你们有多少辆汽车？

马登科 多少辆？

梁公仰 先生们走了，这些伤兵同志怎么办？

马登科 （失措）我，我们派人负责。

〔范由右门跑上。

梁公仰 谁，哪个？

范兴奎 院长，太太吞了鸦片烟了，请您赶快看看。

秦仲宣 专员，我去一下就来。（不等应允——）

〔院长立由右门下。

范兴奎 马主任，马太太请您赶快去一趟。

马登科 专员，我。（一面说，一面想走）

梁公仰 （厉声）马主任，（马只好静立）吩咐所有的勤务，把重伤同志抬到附近坚固的民房。

马登科 是。

〔谢宗奋，陈秉忠跑上。

谢宗奋
陈秉忠 （同时）专员。

梁公仰 （简捷有力）西边房屋一震就倒，赶快把里面的轻重伤兵，背到房东的屋子。

马登科 （连声答应）是，是。

梁公仰 陈秉忠，你请院长立刻就来，照料指挥。

陈秉忠 是。

〔陈由右门下[1]。

梁公仰 谢宗奋，叫号兵吹号。召集全体职员、医官[2]，大家一齐动手。

谢宗奋 是。

梁公仰 好，我们走。

〔梁与谢、马由右门下。外面人声锣声乱糟糟一片。龚小姐由右门跑上，接着集合号吹起。

龚静仪 （大叫）喂，诸位看护小姐，你们晾的那些白布单赶快收起来。紧急警报，飞机要来了。（到左门大喊）

〔陆葳由左门上[3]。

陆　葳 请你不要乱叫，隔一间屋，还在开刀。

龚静仪 （慌张[4]）警报！你们的白布单。

陆　葳 已经有人在收拾，你不要乱喊。

〔她连忙拿起消毒喷管，向墙上四处喷洒。

〔外面孔太太呼喊而来，拿着大衣、钱包。

孔太太 （由右门进）秋萍，秋萍，死鬼，你上哪里去了。龚小姐，你看见我们秋萍没有？

龚静仪 没有。

孔太太 这个死鬼！不得了，鬼子飞机，就来轰炸，房东大大小小

---

1 “陈由右门下”原刊作“由右门下”。

2 “医官”原刊作“医生”。

3 “陆葳由左门上。”原刊作“陆葳忙由左门上。”。

4 原刊无“慌张”。

都跑干净了。（说着向右门跑）

〔院长气呼呼地由右门上。

秦仲宣 专员！

孔太太 院长看见我们秋萍没有？

秦仲宣 不知道。

〔孔太太下。

秦仲宣 （对龚）专员呢？

龚静仪 没看见，太太怎么样了？

秦仲宣 这个死女人！到现在还在装死卖活，同我玩这一套！

龚静仪 鸦片烟没吃？

秦仲宣 哼，她？

〔忽然飞机轰轰作响。[1]

秦仲宣 （仰望）糟，飞机来了！

龚静仪 来了，（仰望惊惧）已经在头上！（颤声，埋怨）警报不到两分钟，飞机就到了头上，这办的是——

秦仲宣 别作声！（静默。[2]看见陆还在工作，低声）喂，陆小姐，你在干什么？

陆　葳 消毒。丁大夫开刀，放不下手，她怕那边屋子经不住震动，叫我赶紧把这间屋子预备好。

〔远处隐隐轰然一响，陆惊回头。伪组织披头散发由右门跑进。

1　此处原刊有“陆虽有惊慌，但仍力持镇静，匆匆工作。”

2　原刊无“静默。”。

伪组织 仲宣，要死啦，你！你还不快走。

秦仲宣 别再喊。

〔陈秉忠由右门跑上。

陈秉忠 院长，专员现在领着勤务抢搬病床。请你立刻就去。

〔陈由右门下，院长跟随在后。

伪组织 （拉他）你别去，仲宣。

秦仲宣 别拉着我。

伪组织 （顿足）我不叫你去。

秦仲宣 （大叫）滚开！

伪组织 （大哭）死鬼，你这个没良心的死鬼。

〔院长后面拖着伪组织，伪组织后面有龚小姐推拥，一同乱挤出去。

伪组织 （在外面大嚎）死鬼，我去死吧，你们叫飞机把我炸死了吧，我今天左右是不想活着的了。

〔忽然近处轰然巨响，外面突然静寂，[1]接着四周又有两声炸弹的声音。屋子的玻璃乱震。

〔夏小姐[2]颤抖着由左门跑上。

夏霁如 小陆，那边屋顶乱颤，满，满屋子是土。丁，丁——

陆　葳 病人怎么样？

夏霁如 丁，丁大夫把他盖好，要把他搬，搬这屋来，接着弄完。

1　此处原刊有“陆一人在屋也颇惊惧。”。

2　“夏小姐”川版作“夏霁如”。

陆　葳　（爽快）那么，走！

夏霁如　我，（怯弱）抬，抬不动。

陆　葳　（着急）可现在哪里找人去？

〔梁专员已脱却大衣，满头尘土[1]由右门急上。

梁公仰　丁大夫呢？

〔陆夏二人转眼望着这闯进来的陌生人。

夏霁如　丁大夫？

陆　葳　（忽然灵机一动，对夏）好，就是他！（对梁）走，老头！请你帮帮丁大夫的忙。

梁公仰　我？

夏霁如　（笑着[2]指梁）就是你。（拉着梁向左门跑）

〔梁，陆，夏一同由左门出。

〔外面轰炸的声音陆续在响。

〔丁大夫由左门跑进，还穿着方才动手术的白衣服等等。

丁大夫　（大开左门，对外）快搬！——危险！——稳一点，老头儿。——不要太着急，别碰着病人的腿。

梁公仰　（在外面应声）丁大夫，您放心。

丁大夫　好，好。（回头走到铁架前连忙洗手）

〔由左门进来梁与陆二人[3]抬着担床，上卧小伤兵。小伤兵面

1 “尘土”原刊作“灰尘”。

2 原刊无“笑着”。

3 “由左门进来梁与陆二人”原刊作“由左门进来梁与陆、夏三人”。

色黧黑，两颊凹进。一双澄清透明的大眼睛嵌在瘦削的脸上，浑厚诚恳，异常动人怜悯。夏随在后面一手托着面上遮盖了净纱布，里面摆满应用手术器具的白盘，一手持着放好两只药缸的铁盘。

丁大夫　（对梁）放在床上[1]。（对梁、陆）还要亮，拉开窗帘！把床拉过来。[2]

梁公仰　（一面推床，一面[3]对丁）小心飞机扫射。

丁大夫　不要紧，对面墙很高。（对梁、陆）床拉当中！[4]（床放好）

〔轰然一声，陆悄悄到铁架侧赶紧洗手消毒。

丁大夫　（到小伤兵面前）怕不怕？（夏恐慌地把东西放下，神色不安[5]）

小伤兵　不怕。大夫们，你们快去躲躲吧，我不要紧。

〔飞机声略远。

丁大夫　痛不痛？

小伤兵　（咬牙）还好。

丁大夫　就差一点了。略微忍耐一下，你的腿就保住了。

小伤兵　知道，忍得住。

丁大夫　陆葳。

陆　葳　（拿起器具盘）这里。

---

1 “床上”原刊作“当中”。

2 “（对梁、陆）”以下原刊无。

3 原刊无“一面推床，一面”。

4 “床拉当中！”原刊作“还是要亮，靠近窗户。”。

5 “神色不安”原刊作“四面瞻望”。

〔丁继续动手术，陆在旁端着上铺白纱布满放外科器具的白盘。梁静静走到铁架旁洗手消毒。

丁大夫 夏小姐，药。

〔远处轰炸声。屋内人偶尔不觉抬头瞻望，但立刻又继续工作。[1]

夏霁如 （怯弱地）嗯，丁大夫。（伸出右手紧握着的药缸，左手还掌着铺了纱布的空盘）

〔丁大夫敏捷地施行手术。陆葳全副注意把一件一件的器具，递在她手里。丁用过又转向夏，放入她所捧持的空盘里。

〔静默中只听见金属的器具碰击铁盘铿铿作响。

〔飞机声又近。夏恐怖地望陆一眼，陆也不由得向屋顶瞥视，却——[2]

丁大夫 （同时低微而急促，对陆）陆葳！[3]——靠后边站。——（不抬头）拿去！（夏用盘接下）拿去。（忽然附近轰然一声，夏失手将全副器具落在地上。屋中人全停手，屏息呼吸。[4]丁略回头，又镇静地把镊子递给她，低促地）拿去！（夏颤巍巍地拾起空盘接下）

夏霁如 丁，丁大夫，飞机又，又在头上。

---

1 原刊无此句。

2 原刊无此句。

3 “陆葳！”原刊作“被单提高”。

4 原刊无此句。

丁大夫　（力持镇静，[1]不理她）现在几点钟？

〔飞机声更响。[2]

夏霁如　（没听见，吓得眼泪流下来）丁，丁大夫，飞机就在我们头上轰炸。

丁大夫　（轻轻呵责）夏小姐，病人！

〔轰然巨响！梁立刻跑到窗前，丁也停止了手术。[3]

夏霁如　（大惊）房子塌了。

小伤兵　（着急）丁，丁大夫你们走吧，我不要紧。

丁大夫　（实无办法，忽瞥见梁，急促地）你快来！（梁走近，丁扬头点着）那边洗手！

梁公仰　消过毒了。

丁大夫　（对夏）你走，交给这个老头儿。后院有个石洞。

〔夏把药瓶器具交给梁，连忙由右门下。

〔飞机仿佛就在头上绕，全体在紧张的镇静中望着[4]丁继续工作。

丁大夫　几点钟？

梁公仰　（看表）两点半。

丁大夫　（低声向梁）麻醉的力量怕不够了。

梁公仰　（对小伤兵，温和地）你痛么？

1　原刊无“力持镇静，”。

2　此处原刊有“除了丁大夫，屋中人都不觉向外面望望”。

3　此句原刊作“大家俱停止呼息，昂头探望。丁大夫也停了手。”。

4　原刊无“全体在紧张的镇静中望着”。

小伤兵 不。（眼泪流下来）

梁公仰 你哭什么？

小伤兵 （十分感动）大夫，你们走吧。不要管我，死了一个兵，多的是。死了你们，我们打仗弟兄们就——

梁公仰 不要哭，小同志，（和蔼地）你比我们要紧！

丁大夫 （温存地）怎么，现在痛么？

小伤兵 有一点。

丁大夫 （温笑着）不要动就好了。（对梁）老头儿，抓紧了他。（低声）跟他说话。

〔以后对话中，飞机声渐远，陆在旁勇敢地微笑，不时望着他们。丁大夫继续工作。

梁公仰 （说闲话似的）小同志，你家里有谁呀？

小伤兵 爹，妈。

梁公仰 还有谁？

小伤兵 哥哥，嫂嫂，我的奶奶。

梁公仰 （慈恺地）你几岁啦？

小伤兵 十七。

梁公仰 你在家顶小？顶大？

小伤兵 顶小。

梁公仰 （回忆，蔼然）我有个顶大的孙子就跟你一样大。

小伤兵 （感到亲切）他在哪儿？

梁公仰 谁？

小伤兵 你的孙子。

梁公仰 在前线。

小伤兵 干什么？

梁公仰 打鬼子。

小伤兵 （不觉笑问）你怎么舍得？

梁公仰 （欣快的同情，在眼里闪一闪）你奶奶怎么舍得？

丁大夫 （忽然笑着立起来，对小伤兵）还痛不痛？

小伤兵 不痛。

丁大夫 （把最后的一件器具丢在梁的盘内，高兴地）已经好了。

陆 葳 他的腿？

丁大夫 我想可以没有问题了。

小伤兵 （数月的痛苦，失望，以为决不能治好——颤声）真——好啦？

梁公仰 （点头）嗯。

小伤兵 大夫，我——（嘤嘤[1]哭泣起来）

丁大夫 （安慰）不要哭。小兵也不许流眼泪的。

陆 葳 好好调养，半年以内，一定可以跟好人一样。（小伤兵还在抽咽）

丁大夫 不要哭，小心你的伤口。

梁公仰 （低沉的声音）这个孩子从心里感激你。

丁大夫 记着，我的孩子，好了以后，再上前线的时候，你务必要来看我一趟。

小伤兵 （点头）我一定，大夫。

---

1 原刊无“嘤嘤”。

梁公仰 小孩子，丁大夫不许你哭了，静静躺着，不要再想，也不许再说话了。

小伤兵 嗯，嗯。（安静下去。丁大夫走去洗手）

陆 葳 （松弛，微笑[1]）飞机声音听不见了。

丁大夫 （叹口气）这帮官们[2]不知又捧着那位专员跑到哪里去了？（回头）谢谢你，老先生，这次你帮了我很大的忙。

梁公仰 （走过来，谦和地）丁大夫，让我自己介绍一下——

〔夏一面喊，一面由左门跑上。

夏霁如 （大喊）丁大夫，丁大夫，手术室，震，震坏了。

丁大夫 怎么？

夏霁如 前院靠西的病房也塌了。

丁大夫 （跳起）那我们的伤兵？

夏霁如 幸亏伤兵早已抢抬出去了。

丁大夫 哪个搬的？

夏霁如 专员搬的。

丁大夫 怎么讲？

夏霁如 说是专员带着院长、职员，在两分钟以内抢着搬走的。

丁大夫 两分钟？

夏霁如 （点头）嗯！

丁大夫 梁专员？

---

1 原刊无“松弛，微笑”。

2 “官们”原刊作“东西”。

夏霁如　（点头）嗯！

丁大夫　（莫明其妙[1]）怪，我们看看去。

〔丁与夏由左门跑下。

梁公仰　小同志，不难过了吧？

小伤兵　不。

〔外面足步声，人声乱作。从窗外看见许多职员，勤务在走廊上跑过。

梁公仰　（对在床侧的陆葳）好好地照护他，我就来。（正要走）

〔院长由右门跑上，后随谢宗奋、陈秉忠、胡医官及其他医官[2]、看护、职员等。

秦仲宣　专员没有受惊？

陆　葳　（望梁）专员？

〔陆欣快得不知若何是好，蓦地由左门跑下。[3]

谢宗奋　（亢奋地）专员，是您把他们都救了？

梁公仰　伤兵同志没有受伤？

秦仲宣　一个也没有？

胡医官　可是专员，前院病房差不多都倒了。

梁公仰　（坚决地）好[4]，那么就请院长告诉住在院里所有的职员家眷，

1　原刊无“莫明其妙”。

2　“医官”原刊作“医生”。

3　此句原刊作“陆立刻惊喜地由左门跑下。”。

4　“（坚决地）好”原刊作“好，（坚决地）”。

太太小姐，让[1]他们赶紧腾房。限他们在明天正午以前，一律搬出！

秦仲宣 一律搬出？

梁公仰 嗯，把房子让给[2]伤兵同志们[3]住！

秦仲宣 是，是，不过以后——

梁公仰 以后？你们在此地不会多久。（突然）我奉了中央命令，要把这个医院重新改组[4]。公务员们[5]，负责的，继续工作；不负责的，或者查办，或者革职。政府要在半个月以内把这个医院改为前线伤兵医院。

〔大家互相惊视。

秦仲宣 （喘气）回到前线？

梁公仰 大规模地组织救护站、训练班、医疗队，积极扩大战地的救护工作。

谢宗奋 （忍不住）好！

梁公仰 （兴奋地笑着）[6]我再告诉你们一个更好的消息。就是从现在起，三个月之内，我们前线必定打一个最大的胜仗！这个胜仗以后，我们长期抗战，最后必胜的基础，就稳稳地打定了。

---

1 “让”原刊作“请”。

2 此处川版有“现在的”。

3 “伤兵同志们”原刊作“病人们”。

4 此处原刊有“改归部立”。

5 “公务员们”原刊作“职员们”。

6 此处原刊有“好？”。

〔丁大夫由右门急上，后随[1]夏。

丁大夫　（满心惊服感佩地[2]）专员！

梁公仰　嗯。

丁大夫　（看完这个奇迹归来，非常感奋，走到面前）谢谢你！老先生！两分钟的工夫，你做了我们在此地四个月的事情！

梁公仰　（同样敬重）丁大夫。

丁大夫　对不起，我方才一直没有——

梁公仰　（不肯让她说出抱歉的话，恳切地）丁大夫，政府派我彻底整理这个医院，改归部立[3]，调向[4]前线。我希望丁大夫不离开此地，跟我一同服务。

丁大夫　（感愧）老先生——

梁公仰　（微笑）我希望，我还不会老得不能同丁先生合作。

丁大夫　（突然发现这个人跟她所想的完全不同，诚恳地）我愿意跟老先生学习做事的精神。

梁公仰　那么你不走？

丁大夫　不！

梁公仰　谢谢你。（对秦）秦院长，请你预备伤兵册子、开支账目。我所知道关于贵院的其他种种，我们在今天晚上彻底详谈。

1　此处原刊有“陆与”。

2　“满心惊服感佩地”原刊作“带着惊服的神色”。

3　“改归部立”川版作“限定时间”。

4　“调向”原刊作“调回”。

秦仲宣　是，专员。

梁公仰　（忽然）马登科呢？

秦仲宣　在后面。

梁公仰　请你对他严加看管。事情未了结之前，不准他私自行动。

秦仲宣　是，专员。

梁公仰　你们先下去。

大　家　是。

〔院长与谢等由右门下。

〔同时梁走到书桌前，由棉衣里面笨重地掏出一小卷文件。

夏霁如　（躲在丁大夫背后，低声）丁大夫，他就是专员。

梁公仰　（取出眼镜，正想戴上，偶然听见，慈祥地微笑）不像么？

夏霁如　（摇头，天真地微笑着）你不像个官。

丁大夫　（从心里说出，低低）这才是中国的新官吏。

梁公仰　（把眼镜慢慢戴上，坐在桌后圈椅内）警报还没有解除吧？

陆　葳　没有。

梁公仰　（翻着白眼，从眼镜上边望过去）丁大夫，请坐。（丁走过去）这是我所想的关于医院改革的计划，（和蔼地）我们乘这个时候来研究一下，好么？

丁大夫　好，梁专员。

〔丁大夫端坐在桌旁凳上。二人相对肃静研读。陆夏悄悄地走到小伤兵旁边替他整理。

——幕徐徐落

第三幕

××省立后方医院[1]，经过政府的梁专员那次彻底改革后，在短时期之内就开赴前线的后方，努力坚苦的救护工作。

从那时起到现在，整整一年有半。医院里的行政人员易旧换新，变动很大。工作中，多少惨痛的牺牲，使人们在不断的经验与学习里逐渐树立一个合理的制度。这制度有了守法的长官偕同下属来遵随，大家工作的态度和效能，也慢慢入了正轨。现在院里的公务人员，权责划清，系统分明，而且勤有奖，惰有罚，一年来，奉公守法，勤奋服务的风气，已经启导造成，虽然勇于负责的进取精神，还有待培养。

1 “省立后方医院”原刊作“私人医院”。

第一场

是二十八年[1]六月间，离“端阳节”还有半个月的某日。前线的后方，某县城中。

晨九时许，在医院内一间留作杂用的屋子里。此屋右门通医院的一个简单的化验室。左门通储蓄着医官们随身外科用具和药品的屋子及更远的事务办公室等。中间通外面，有小道直达医院的大门。中门两旁各有一嵌镶玻璃的旧纱窗，现在望见外面灰沉沉的天空，有些郁热欲雨的模样。右窗前横放一张支好的空帆布床，上面铺着一张印花布单，十分洁净。床之前靠着左门，有一个小凳。凳旁立一只白洋瓷桶，是暂时贮放消毒后的纱布绷带用的。右门侧靠近观众处，立一木制洗脸架，架上挂着毛巾，放着脸盆、肥皂等物。左窗前是一只木椅，椅前横放一张旧书桌。桌上有一把旧茶壶，两只杯子，和简单的西洋文具、墨笔纸张等。桌旁有一个转椅，坐在里面是十分忙碌的胡医官。在不断由辽远战地传来的隆隆炮声里，正同立在一旁的谢宗奋赶办把轻伤伤兵转送后方的事。天气热，事情忙，二人一面办公，一

1 “二十八年”川版作“一九三九年”。

面拭汗。桌前有一小凳，左门侧近观众处，贴着墙有一条长凳。

从开幕到闭幕，远远前线炮声一直不断，院内人员东出西进穿梭似的奔忙着，抢办战地内紧急的各种救护工作。

这是改组一年多后的医院在前线的后方工作的紧张情况。一切新旧人物性格的介绍和变迁，都铺叙在第二场。

胡医官 （拭着满头大汗，急翻一叠一叠的病历表和伤势统计卡片，对谢宗奋指着）这个送后方，这个送后方，这个送后方，这个也送后方。这个留院，这个送后方……

谢宗奋 （随着胡的话，句句点头作答，同时在桌上另外一角紧跟在纸上记着号数）嗯，好；好，嗯；知道，嗯……

胡医官 （又拭着汗，喝一口水）这个留院，这个送后方，这个送后方，这个留院。（突然遇见了一个需要斟酌的情形）这个——

谢宗奋 怎么？

胡医官 （抽出那张纸）这个回头问丁大夫。（又急忙地点下去）这个留院，这个送后方，这个留院，这个送后方，这个留院，这个送后方，这个送后方，这个送后方。

〔徐护士——一个加入了医院已有一年开外的青年——急忙忙由中门上。

徐护士 （急促地）胡医官，前线下来伤兵，就要到院——

胡医官 （抢答）知道，就去。（立刻更忙迫地低头又——）这个送后方，这个送后方，这个也送后方。

徐护士 （同时跑到左门前，推开门向内喊）陆先生，陈副主任请你立刻到药房领药。

里面陆葳 晓得，就来。

外面喊 徐护士，二十一号病房要人，快去。

徐护士 来了。

〔徐立即向中门走。

胡医官 （同时）这个也送后方。好,（把文件一推）我们点清。

谢宗奋 （简捷）点清——（又低头，忙翻看看有无错误）

胡医官 （追到中门口，几乎从门外才拉住徐护士）喂，等等，徐护士。（徐转身走回）赶紧告诉黄医官，温副院长请他立刻到第八急救站。

徐护士 是，胡医官。（返身[1]又走）

胡医官 （迅速）等等，还有。（徐又停住，胡忙从身上拿出一小记事本，连连翻找）

〔李有才——院内办公室一个新听差——由左门上。

李有才 谢先生，况先生说五件公文完全办好，等您看完就发。

谢宗奋 （愉快地）办得好快！我就去。（还在忙着清理）

李有才 徐护士，洪主任请你。

徐护士 （点头）弄完就走。

〔左门内隔一间屋子况西堂喊人的声音：李有才。

李有才 来了。

---

1 “返身”底本作“翻身”，据川版改。

〔李忙由左门下。

胡医官 （同时，好容易翻到手）就是这张，（嚓一声撕下，交给徐）这四件大事，要在三天以内完全办妥，请黄医官到第八急救站转告站长。

徐护士 嗯，好。（迈出一步[1]）

胡医官 （叮嘱）告诉他三天以内。

徐护士 知道。

胡医官 完全办妥。

徐护士 晓得。

〔徐由左门走出。胡又连忙拉开抽屉找他的东西。

谢宗奋 （连翻，拍一声，把纸本合起，对胡）完全不错，回见。（向左门走）

〔同时由中门上护士甲。

护士甲 胡医官，陆看护呢？

胡医官 （回头，指）右屋里。（又低头忙找）

〔护士甲由右门下。

〔同时，光行健——一个生气勃勃的青年职员，由通办公室的门上。

光行健 （光行健简称——手持着公文，拦住走到左门的谢宗奋）副院长在哪儿？

谢宗奋 （回头）轻伤病房。

---

1 “迈出一步”原刊作“走一步”。

〔谢由左门下，光正要向中门下。

胡医官　（拿起一叠纸单，忙追过来）光先生，您等等，这几张单子，请你现在签字。

光行健　实在对不起，让我把这件公事办完再签。（立即想走）

胡医官　（拦住笑说）不，不，你来吧。你忙，我也忙。现在不做，我们又是一天见不着面。（硬把那一叠纸单塞在他的手里）

〔光只得接下，铺在[1]桌上，忙看，忙签。

〔陆葳由右门上。

陆　葳　胡医官，药领来了，放在化验室。（陆向中门走）

胡医官　好。

〔陈秉忠也忙得一身大汗，急由中门上。

陈秉忠　（拭着汗对陆）别走，陆先生。（转头对胡）胡医官，洪主任告诉我，请你立刻就去——

胡医官　立刻去。（望望光，乘空又在桌上记下一点事情）

陈秉忠　（对陆）陆先生，请你再去领药。

陆　葳　刚刚领过。

陈秉忠　不，又是一次。

陆　葳　（笑着）你好麻利。（“快”的意思）

〔陈点点头由左门下。同时陆正向中门走。

胡医官　陆小姐，十个急救站，就要送下来伤兵，你找夏小姐赶忙预备病房。

---

1 “铺在”底本作“扑在”，据原刊改。

陆　葳　夏霁如昨天晚上跟丁大夫到白石渡医疗站去了，现在还没有回来。

胡医官　那么，你就请陈看护替办——现在就办。同时通知庞医官、顾医官、赵医官。

陆　葳　是。

〔陆由中门忙下。

胡医官　（回头）完了么？

光行健　（抬头）就完。（又忙看，胡又乘空记下应办的事情）

〔谢拿着公文由左门上，后随李有才。

谢宗奋　李有才，你告诉洪主任，这件公事孔录事抄得又快又准，没有错误，我现在要找温副院长商量事情，回头再跟他细细说明。快去！（谢向中门走）

〔李应声连忙由中门跑下。

胡医官　（看光已经办完，拿起单子）谢谢，（立朝中门抢在谢的前面跑下）

光行健　（看见谢要走出，慌忙拾起自己的公文夹，追上去）老谢，对不起，你让我先见他，我的公事忙。

谢宗奋　（指着光，举起公文）老光——

〔徐拿着文件由左门跑上。

徐护士　（对光）好极了，你还没走。

光行健　（回头）什么？

徐护士　（拿出那公文）前线紧急电报。（递给他）

〔谢立刻转身欲下[1]。

光行健 （一面接下，拉着谢恳求）老谢，你等等，你一商量就是半天，我的公事——

谢宗奋 （狡黠而愉快地翻翻眼）你的公事忙，我的公事也不缓，对不起，我先走。

〔谢由中门忙下。

徐护士 怎么样？

光行健 （无可奈何，看了那紧急公文一眼，连忙——）回去，办。

〔光由左门下，徐正预备向中门走。

〔夏霁如由中门上，她穿一件雨衣，沾满了尘土，提着丁大夫的药包同手术箱，进门就连忙放下。

徐护士 （欢喜地）夏小姐，你回来了。

夏霁如 （笑着）回来了，丁大夫开了一夜的刀，我们一晚上都没睡。

徐护士 丁大夫呢？

夏霁如 （指着）又到病房看病去了。（点点他）她可正找你。

徐护士 （缩缩脖，做个怪相）你怎么早不说。

〔徐忙由左门下。

〔陆非常兴奋地一路喊着“小夏”，由中门跑进来。

陆　葳 小夏，我告诉你一个好消息。

夏霁如 什么？

陆　葳 胡医官说我们军队要在端阳节左右攻下黄县。

---

1 “欲下”底本作“欲上”，据原刊改。

夏霁如　（跳起）端阳节？

陆　葳　还有十五天！——好不好？

夏霁如　好！那我们可以庆贺反攻胜利，吃粽子！

陆　葳　（笑问）那你现在还饿不饿？

夏霁如　不饿。

陆　葳　累不累？

夏霁如　（昂头）不累。

陆　葳　怕不怕？

〔远远一声震耳的巨炮。

夏霁如　（“啊！”地叫一声，但又故意挺住，仿佛是全不在意的模样。笑着）——不怕！

〔胡忙由右门跑上。

胡医官　你们快来！前线下来的伤兵已经到院。

〔她们正要动——

——黑场，急幕。

（幕落下即启[1]，紧接第二场）

---

1 “黑场，急幕。”以下川版作“暗转”。

第二场

幕再启时，已是十五天后“端阳节”，那一天，晚八时左右，仍在那间屋子里。从正中两扇嵌镶玻璃的旧纱窗里望出去[1]，一片黑黝黝，不见星空，寂静中只听见从远处医院的一条小河里，不断地传来单调的蛙鸣。

左边书桌上，放着一盏明亮的带罩的洋油灯，灯下望见夏霁如——那个容易笑又容易哭十分女性的小看护——坐在桌旁的转椅内，时而扑在桌上画画，时而咬着笔尖，扬头想想，不知道做些什么。在光线较为暗淡的角落里，陆葳——身着白看护衣服，她还是那样胖胖的、一张愉快的脸——立在床前小凳旁，从凳上的灰白瓷桶内，取出一堆一堆消毒过后的旧纱布条，非常熟练地缠成一卷一卷的可用的白绷带。

外面蛙声清亮地传入耳鼓，陆葳欣欣然在工作，一面轻轻低唱着。

屋内十分恬静。

---

1 “望出去”原刊作“望出”。

夏霁如　（微笑，一面仿佛回忆，一面写。用铅笔点着写在纸上的日期和次数）九十一、九十二、九十三,（声音又低下去，几乎只能自己听见）……

陆　葳　（缠着旧绷带，耐不住热，拿起手旁一张硬卡纸扇了两下）奇怪，到了晚上，天气还这么热。

夏霁如　（望了望她，又数，不知觉还是朗读出来）九十九、一百、一百〇一、一百〇二——

陆　葳　（缠捆那一堆一堆的旧绷带，看夏神气活现，仿佛做着一个极端严重的事）喂，夏，你在闹些什么?

夏霁如　（不理她）一百十一、一百十二、一百十三、一百十四——

陆　葳　（有些好奇，放下手里的绷带，走到夏面前）你究竟数的些什么?

夏霁如　（忙得很，铅笔摇一摇，换了手指又点着。念念有词，渐速渐响地，一口气读下来）一百二十三、一百二十四、一百二十五、一百二十六、一百二十七、一百二十八、一百二十九、一百（微停）三十!（嘘出一口长气，笑容可掬）完了!

陆　葳　（一直在旁边看着）什么完了?

夏霁如　（高兴，用手一比）整整一百三十个人。这是丁大夫上一个月施行的手术次数,（十分骄傲地笑着）旁边都有我!

陆　葳　（故意逗弄她，近前望一下她所写的，又摇摇头）不对，不对。差九次，小姐。是一百三十九次。

夏霁如　（天真地气起来）你瞎说，你骗我。

陆　葳　（笑着指指她）我告诉你，可你先不要哭。

夏霁如　（气得又笑起来）谁哭了，讨厌！

陆　葳　（慢条斯理）五月底我从第九医疗站回来，你正病。

夏霁如　（忙说）嗯，我就在五月三十一号病了一天。

陆　葳　对了，就在那一天，丁大夫又割治了九个伤兵。那一天，（毫无恶意地仿效她方才的语调，神气，也十分骄傲地笑着）"旁边都有我！"

夏霁如　（好笑，好气，就追过来）你讨厌！你坏人！（陆在前面跑）我要打你。

陆　葳　（跑着笑着）你别跑！小心——

夏霁如　（笑着停住，头一歪，叉着腰，仿佛一个纵容惯了的孩子）我要打你。

陆　葳　（笑着指她）小心，你刚吃了一大堆甜粽子！好容易今年的端阳节过得这么快活，别到明天你得了盲肠炎，又病了。

夏霁如　讨厌！（追上去）你这个讨——厌——！（"鬼"字未说出来——）

〔右面的门里——

丁大夫　（在内喊）夏小姐！

夏霁如　（听见呼唤，但已脱口而出）——"鬼！"

丁大夫　（在内）夏小姐！

夏霁如　（回头）嗯，丁大夫。（伸伸舌头，指着陆，睨笑）我要是挨了骂，我就找你。

〔夏由右门下。

〔陆又回到桶前工作，刚刚拿起绷带，徐护士，一个非常乐天、脸上微微有些瘢疤的保定人，由中门走进来。他才二十八岁，有一对眯缝小眼，塌鼻子，一双扇风的耳朵，好说好笑，高起兴来，他会做种种把戏，——譬如他的耳朵会动，舌头能舐到鼻尖等等，——引着朋友们哈哈。……他会讲故事、说笑话，有时可以热闹到脱下衣服，把他在徐州突围时受的创伤，边讲边指，大说特说。院里几乎没有人不喜欢他。然而他做起事来，那笑脸就突然冷峻异常，任何人再逗弄他，他白眼一翻，可以把人瞪得冷了半截。他天性甚厚，时常做出许多动人的“傻”事情。现在他穿一件离膝盖还有半尺，颇嫌短窄的白护士衣，中间由上到下有一串扣襻，左边缝上一个红十字，头上戴一顶非常小的白布帽，前面还露出一两绺乱头发。配着他的怪模样，十分尴尬可笑。他拿着一把断了的四吋换药镊子走进来。

徐护士 陆先生，丁大夫呢?

陆　葳 在化验室。

徐护士 （把那断了的换药镊子一举）你看！我真不好意思再请丁大夫签字取新的了。

陆　葳 （望了一下）怎么，又断了?

徐护士 你看二十天，坏了四把换药镊子！（气忿忿地）这镊子简直就像玻璃做的。

（递给她）

陆　葳 （拿着推敲一下，忽然笑起来）哦，是它呀！怪不得了。我从前一个月用坏了十把。

徐护士　怎么？

陆　葳　这还是前年，二十六年[1]下半年买的。

徐护士　（愣住）前年？

陆　葳　（笑着）嗯，那个时候，我跟丁大夫刚到这个医院里来。

徐护士　（大为不满）唉，不管它哪年买的，一个铁家伙，会这么不结实，这才怪呢。

陆　葳　这有什么怪？这本来是从前那个秦院长购置的东西。

徐护士　（睁大眼睛，才晓得）哦，那个撤职查办的，那个家伙？

陆　葳　嗯。你不是在台儿庄打完了胜仗以后才来的么？

徐护士　嗯，怎么？

陆　葳　这个家伙在台儿庄大胜前三个月，就叫梁给赶跑了。

徐护士　（又不觉拿起那只镊子，敲了几下）你看，这种贪官污吏买的东西！真该枪毙！

陆　葳　（忽然）你为什么不跟他们要好一点，经用的镊子？

徐护士　（故意做一种令人发笑的委曲相）他们说：现在在前线，离着后方太远，一时运不到，只好先把从前的旧东西拿来将就将就。

陆　葳　这是谁说的？

徐护士　陈秉忠——陈副主任。

陆　葳　你没跟温副院长提过么？

1 “二十六年”川版作“前年”。

徐护士　（眨眨眼）他说过，这次罗院长到重庆[1]，顺便就要办大批东西来。

陆　葳　我怕在重庆[2]罗院长接办后方医院就够忙的，说不定找不出时间来办这个。

徐护士　（摇摇头，故意做出一个傻样子）那谁知道。（忽然低声）陆先生，您知道梁专员什么时候从山西[3]回来？

陆　葳　不知道，怎么？

徐护士　我问问。（仿佛说一件可笑的事）那个老头儿又跑到院里来问啦，现在还没有走呢。

陆　葳　谁，哪个老头？

徐护士　（两眼一翻，玩笑地）就是说他自己是专员的哥哥的——（急说）那个老头。

陆　葳　（早听说）哦，他——呀。

〔夏由右门上。

徐护士　（又是那个鬼样）夏小姐，丁大夫还在——

夏霁如　（高兴见他）徐护士。

徐护士　还在化验室里忙？

夏霁如　嗯。

陆　葳　（笑问）挨说了么？

1　“重庆”川版作“盛城”。

2　“重庆”川版作“盛城”。

3　原刊无“从山西”。

夏霁如　（洋洋自得）没有，当然没有。

徐护士　（短嘘一声，嘴一咧，神气活现）丁大夫现在脾气可好多了。我记得我刚来[1]的时候，错了一点，慢了一点，（舌头不由得围着唇边一舐，立刻用手一指，瞪大眼睛，非常严厉地）"徐护士！"（又斜着眼慢吞吞钟摆似的点着头，异常幽默地）接着就是一顿大斥呕[2]！

陆　葳　（从心里叹出一口气，慢慢地）她变多了，近来脾气越过——越像老太太啦。做错了事，她现在顶多看你一眼，（摇摇头）再不说什么了[3]。

徐护士　（总是说老实话）不，我愿意她骂我一顿。我弄错了，她那么看我一下，我，我老替她（非常不过意地笑笑）怪委曲似的。

夏霁如　（拍手）对了，对了，她一那样，我就想哭。我简直不愿意叫她那么难过。

徐护士　（也说到心坎上脸上浮起被了解的笑容）对，对，我有时候恨得我自己，直打自己的嘴巴。心里头（满腔情感，表达不出）就那么一股子，（笑）说不上来的那么一股子劲儿。（诚挚地）我一直想：她一天到晚这么忙，我们为什么还给她做错了事，叫这个老太太也心里头不舒坦呢？

---

1 "刚来"原刊作"刚一来"。

2 "呕"川版作"哦"。

3 "了"底本作"勒"，据川版改。

陆　葳　徐护士（慢慢摇头）你不明白，（沉重地）她现在很想——丁昌。

夏霁如　（低声）小丁大夫？

徐护士　（也低下去）她儿子？

陆　葳　嗯。（提到这件事自己就仿佛老成了许多）丁昌这个孩子，就这点怪，做什么事都勤快，就是懒得写信。

徐护士　我听说她的儿子在山西一带打游击[1]。

夏霁如　（忙说）嗯，去年一月去的。

陆　葳　他打了[2]一年半的游击，就跟他母亲来了三封信。你想做母亲的，心焦不心焦。

徐护士　（十分同情，几乎要骂）那这个孩子是怎么回事？

陆　葳　（连忙解释）不，他非常爱他的母亲。为着他的母亲，说要他死，他就能立刻死的——那么一个人。但是（双手一挥）他不好写信，有什么法子？

夏霁如　（也为丁大夫，替着她的儿子说话）说不定他很忙。

陆　葳　那倒是，他现在升了队长，带二三百人。不过，（微有喜色）有时候，他也托人带个口信，带点小东西给他的母亲。可那个时候，我，（不由咬一下嘴唇）我又最怕看（突停）——

徐护士　（关心）怎么？

陆　葳　（悲哀地）他母亲就——你看丁大夫平时那么一个坚强的

1　“在山西一带打游击”原刊作“在前线”。

2　“打了”原刊作“这”。

人！——她就一晚上睡不着，在床上（摇着头）翻来覆去。

夏霁如 哦，哦。

陆 葳 （缓慢而幽沉地）我偷偷看见她一个人在擦眼泪。

夏霁如 （泫然欲泣）陆，你别再说下去了。

徐护士 （回忆）可是没听见她提过她儿子的话。

陆 葳 （摇摇头）不！不！她从来不说的。

〔温宗书，现在的副院长，由左门上。他人瘦长，面色白净，穿一身整洁的制服；背略弯，戴一副白金[1]的无边近视镜；生得眉清目秀，文质彬彬，如果他不穿公务员的制服，十分像一个终身研究考据之学的学者。他做事按部就班，有条有理，说话也很斯文，声音微尖，行动略带一点女气。他是一个医科大学毕业的学生，年约三十三[2]，看得出来很正直也无习气，对自己分内的职务可以[3]做得胜任愉快，但办起紧迫的要公，总缺少一点推动的能力和果断的气魄。他是承平年代一个循规蹈矩的好官，但在非常时期，独当一面，需要剑及履及的爽利精神时，他就算不了充分尽了职责的抗战官吏。他拿一搭十分齐整的公文夹，腕上有手表，胸袋里插着水笔、铅笔和记事本，袋旁挂着医院的证章。

1 “白金”川版作“白色”。

2 “三十三”原刊作“三十一二”。

3 “可以”原刊作“他可以”。

温宗书　（温文有礼）夏小姐，四十号房间有一个伤兵，仿佛也在“打摆子”，你去请庞医官赶快看看。

夏霁如　好，我去。

温宗书　（微笑着警告她）别再把老百姓送来的粽子给他们乱吃了[1]。

夏霁如　（顽皮地笑了一笑）知道。

〔夏由中门下。

温宗书　哦，徐护士，你拣几十个好粽子，给那些受伤的日本俘虏们，看他们吃不吃？

徐护士　是，副院长。

〔徐由中门下。

温宗书　（对陆，指右门[2]，客气地）丁大夫在里面么？

陆　葳　嗯。

〔陆一人又裹卷纱布。

温宗书　（走到右门，轻叩，低声）丁大夫。

丁大夫　（在里面）谁？哪位？

温宗书　温宗书。

丁大夫　（在里面）请候一候，我就出来。

温宗书　是，丁大夫。（自己找一张凳子坐下，翻开那带来的公文夹，抽出铅笔在上面画着记号）

1　“别再把老百姓送来的粽子给他们乱吃了”川版作“别忘了，老百姓送来的粽子，伤兵同志吃得太多，要闹肠胃病的”。

2　“指右门”原刊作“指左门”。

〔静默中蛙声一阵一阵传进来。

〔丁大夫由右门走出来。她拿着一支严密封口、上面贴好白纸签的试验管，里面半蓄深红的血液。灯光下，我们几乎认不得她。她鬓角已生了斑白的发丝，眼圈微微凹进。昔日圆润的下巴，显然地有些尖削突出。前额刻画一条一条细细的皱纹。嘴角微垂，仿佛更冷静坚定。原来一对明亮的巨目[1]，锐利逼人，如今在悲悯而又蕴蓄智慧的眼神里，射出异常[2]慈祥温和的光彩。面上几乎总在忍耐地微笑着。这一年半决非常人所能忍受的劳碌，辛苦和忧患几乎使她突然老了十年，但神态气质又比从前确实深邃厚重，平易近人。长时期的坚苦的奋斗和她无穷尽的对正义的支持，已经逐渐把她琢出一个稀有的美丽的灵魂[3]。

〔她穿一件淡黄色细纹布的旧袍[4]，外面还是套着一件敞开的白试验衣。着一双灰线袜，和圆口黑礼服呢的平底鞋，胸前悬好一管黑丝线穿的自来水笔。

丁大夫 （蔼然微笑）温先生。

温宗书 （立起来）丁大夫，您还在工作？

丁大夫 嗯，（举一举试验管）在验血。（亲切地）这是第十九个人的

---

1 “巨目”川版作“眼睛”。

2 川版无“异常”。

3 “已经逐渐把她琢出一个稀有的美丽的灵魂”川版作“使人感到她心里面藏着一个稀有的美丽的灵魂”。

4 “旧袍”原刊、川版作“旧旗袍”。

了，真巧，十九个人都是A型、B型，同AB型的，没有一个是O型的。

温宗书 丁大夫预备给病人输血么？

丁大夫 不，我预备着，我怕万一来了重伤同志需要输血，我总知道院里有哪些人的血，可以用的。（对陆）陆葳，你把这个试验管拿去登记。

陆　葳 是，丁大夫。

〔陆持试验管由中门下。

温宗书 （取出几份表）这几张表请丁大夫签字。

丁大夫 嗯。（接下看一看，低头签字，一面说）罗院长不知他什么时候回来？

温宗书 我想在一个月以内可以回来。

丁大夫 （瞥见一张医务报告单，惊讶）什么？全院害疟疾的已经到了百分之二十八？

温宗书 嗯。

丁大夫 怎么会这几天工夫又增加了百分之八？

温宗书 （毫无办法）是啊，我正想找黄医官专门负责这件事，想法子。

丁大夫 温副院长，（温和而严肃地）这种恶性疟疾是我们院里一个异常严重的问题。

温宗书 （也十分忧虑）嗯，一天一天地蔓延，简直猖狂得不得了。

丁大夫 不知道我上次同您提过的几种方法，——不知您办了没有？

温宗书 都在办，就是（摇头望望丁大夫，无力地苦笑）丁大夫，您知道，在这种二十分[1]艰难的客观环境下，办起来（摇头）简直是——

丁大夫　没有效果。

温宗书　嗯，没有成效。（想不出路来，忽然）要不，明天我们再开一次会讨论一下？

丁大夫　（容忍，微笑）不用了，会开得很多了。（有力的含蓄）我们现在还是设法拼命做吧。

温宗书　是。

丁大夫　（忽然回头，和蔼地笑容）那么让我好好想一想。（坚决）我们必定要在最近找出一个有效的方法，一面防止蔓延，一面继续医治。我们现在特效药少也罢，我们的设备不好也罢，（鼓励地）我们不管，想办法！

温宗书　（老老实实）是，好。那么关于您上次说的卡车问题——

丁大夫　哦。温先生，我听说这一两天前线又要继续反攻？

温宗书　我方才到团部，也说是今明两天附近就会发生战事。

丁大夫　（沉稳）我计算在最近期内，万一我们三十个急救站同时送来轻重伤兵，那时候，我们院里是绝对容纳不下的。

温宗书　（铅笔轻轻敲着公文夹，慢慢地）是啊，我也在想，现在院里的容量，必须又得调整一下。就是（喟然）现在客观的物质条件不好——

丁大夫　（具体的意见）现在应该赶快把院里轻伤伤兵尽量输送到后

1　“二十分”川版作“十二分”。

方，不能耽搁。

温宗书 是，是，我也这么想。就是（又固执地回到他心目中的难题）目前运输困难，（摇头）客观的条件太坏，我想，（微顿）明天一早，再到县政府弄弄人[1]看，可是——那些个轻伤伤兵——[2]

丁大夫 我昨天已经跟傅医官、庞医官，把该转院的伤兵都分别检查[3]了一下。

温宗书 那，那，（嗫嚅）我一面叫人造册子，跟军部接洽转院，同时设法（微顿，有些犹豫）尽力找运输工具。回头梁专员到院的时候——

丁大夫 （欣喜）什么？梁老先生今天晚上回来？

温宗书 您不知道？

丁大夫 他就到？

温宗书 （不像丁大夫那样踊跃）嗯。回头我见着他，看有什么更好的办法，（微顿）再跟他请示一下。再见。

丁大夫 再见。

〔温宗书由中门下。

丁大夫 （高兴）陆葳！

〔陆由左门上。

---

1 “人”川版作“车”。

2 川版无“那些个轻伤伤兵——”。

3 “检查”底本作“检察”，据川版改。

陆　葳　（急说）丁大夫。

丁大夫　（笑着）梁老先生就要回来。

陆　葳　真的？

丁大夫　嗯。

陆　葳　今天就回来？

丁大夫　就到，就要到！

陆　葳　（不禁替丁大夫喜）那，那，（突然）说不定丁昌的消息他会——（忽然看见丁大夫的脸色，顿停）——

丁大夫　（摇头，拍着她的肩膀，哀惋地）好好地干，我的孩子。我们不能叫这个苦干的老头儿有一点失望的。

陆　葳　嗯，丁大夫。

〔徐由中门上。

徐护士　丁大夫，前线又送来十五个受伤的日本俘虏。

丁大夫　好，我去看。

徐护士　他们现在在西院。

丁大夫　（走了两步，停住）徐护士，我叫你再去看十号房间那个，年老的日本俘虏——

徐护士　您说那个五十多岁的松井什么郎？

丁大夫　你去看了没有？

徐护士　看了，很重，[1]我怕他——活不长。

丁大夫　（同情的声调）你把我的暖水瓶给他送去。

1　此处原刊有“（严重）”。

徐护士 您自己的？——

丁大夫 嗯，陆葳，（哀戚地）这个日本人昨天忽然给我写字看，说（沉重）他的小儿子，在东战场上（幽缓）打，打死了。（不能自止，一手放在酸辣辣的鼻上）

陆　葳 （低下头）

〔丁大夫默然由中门下。陆随着出去。

〔河畔青蛙断断续续叫了几声。

徐护士 （忽然想起一件事，到中门口，低声，招手）陆先生，陆先生。

〔陆又走进来。

陆　葳 什么事？

徐护士 那个乡下老太婆又把那只肥母鸡自己给丁大夫送回来了。

陆　葳 丁大夫不肯收，你不知道？

徐护士 我跟她说了。

陆　葳 你告诉她，跟她看病是国家出的钱，给老百姓看的。

徐护士 我就是照着丁大夫这个意思说的，可是这个老太婆挺倔，她说管它是谁花的钱，她非要给她治好了病的这个女医官一只肥母鸡吃不可。

〔况西堂由中门上，他穿一身洗久褪色、式样古老、厚山东绸的窄紧短制服。上面钉着白扣，裤管很小，脚下一双蹩蹩扭扭的黑皮鞋，穿得非常不自在。人更清癯，甚至瘦得有些可怜相。灯光下，走起路来，婆婆娑娑，颇见老态。他托着笔墨纸张、眼镜盒子，慢慢走进。

况西堂 陆小姐，对不起，我就在这里办一会儿稿件。（陆点头，况就开始在桌上摆他的文件，一面琐琐碎碎）我房里的菜油灯实在不亮，这半年来眼睛一天比一天不好。（笑得使人可怜）嘿，嘿，我，我就借此地（指着，颇羡慕的样子）的洋油灯——呃，（小眼睛眨一眨，依然幽默地）揩揩油。（坐下）

徐护士 那怎么样？陆先生？

陆　葳 那我不管。

〔陆由中门下。

况西堂 （慢慢打开墨盒，戴上眼镜）节过得如何，徐护士？粽子吃了多少？

徐护士 粽子倒没吃多少，这一顿炸酱面[1]可把我“撑”（“胀满[2]”的意思）饱了。

况西堂 炸酱面[3]？

徐护士 四乡老百姓送来四个肥猪，八袋子面，您没吃着？

况西堂 哦，哦，哦，吃了，吃了。（喟然）就是我的牙咬不大动。

徐护士 （听不进这个人的诉苦，又兴奋地）我们老百姓真好。你帮他一次，他谢你十次。

况西堂 嗯，嗯。（办他的稿件）

徐护士 （见他不答话，走到中门，迈出一步望去，忽然回头对况）

---

1 “炸酱面”原刊作“杂酱面”。

2 “胀满”原刊作“胀饱”。

3 “炸酱面”原刊作“杂酱面”。

什么，梁专员已经到了。

况西堂 嗯。

〔徐由中门下。

〔朱强林——专员的勤务兵——由中门提着一个小铺盖卷上。朱强林只有二十岁上下，胖圆脸，大脑壳，十分天真可喜。台儿庄大捷之后，他一直随着梁专员东奔西跑，走了不少地方。他不甚明了所谓官场的礼节，梁专员从不肯这样教他。他平时对专员你我相称，在路上一桌吃饭，荒店里一个炕上睡觉。在他眼里，梁是一个最和善可亲的老人，他死心塌地为他做事，毫不觉得他是个什么了不起的官吏。此人看去仿佛很傻，实际他的天资不低。不过因为他直率、本色，没有一点老随从兵的习惯，给我们的印象，既有趣味而又新鲜。现在他一身尘土，脸上也满是灰尘，像从土堆里爬出来一样。

〔他头也不回，一直走进。

况西堂 （抬起头，认出是"老朋友"）你也回来了？

朱强林 （粗粗的声音）回来了。（把那铺盖卷放在行军床上）喂，你告诉他，这是他的铺盖卷。

况西堂 （莫明其妙）谁的？

朱强林 梁专员。

况西堂 嗯。

朱强林 （走到中门口，笑着）咦，进来呀你！

〔中门走进了梁公祥，梁专员的远房哥哥。他有六十三四，瘦小身材，算不得十分健壮。穿一身土布灰长袍，外套一件深紫色的老式马褂，上面还是黄铜扣襻。他脚下是黑布鞋、白布袜，很熨贴地绑着一副窄条腿带。头戴一顶古色古香、精妙绝伦的台湾草帽，从进门到走出，不见他脱下。这个人有些乡气，不过既为专员之兄也就勉强做出一种“皇亲国戚”的气派，然而进了大门以后，看见机关皇皇堂堂，人多事忙，又惶惶然仿佛有些迷惑。他来此已有一星期，专候他的令弟到来，为他谋事。他心里认为一个弟弟，哪怕是远房的，也是同族、同宗、同一个血统。身为大官的弟弟，应该为他以及他的子女找生活[1]，这是古往今来的天经地义。他耳闻多少“一人成佛，鸡犬升天”的故事，所以也就理直气壮，毅然决然，投奔到此。此老人懵懵懂懂，了无教养，一脸乡愚的昏聩之气，却又性情倔强，肝火甚旺，一言不合，就能拂袖而走。

〔他提着三四个大小包包，是梁专员的远亲近戚和他自己带来的一些土仪，颟顸走进。

朱强林　（十分自然地）你找梁公仰？

梁公祥　（想不到这个小人直唤专员的名字，翣眼）我是找梁专员。

朱强林　你见过他么？

梁公祥　（望望这个小人）从，从前见过。你——你是他的？——

朱强林　（不明白）我是他的勤务兵。

1　“找生活”原刊作“谋生活”。

梁公祥 （一面奇怪，这小小勤务这样没有礼貌，一面胆壮起来）那，我是他的哥哥，叔伯哥哥。

朱强林 （老头的话并不给他什么印象）你叫什么名字？

梁公祥 （土头土脑，略有些生气）不给你说过，我叫梁公祥。

朱强林 （傻笑）好，我跟你叫他来。（指床前的凳子）你坐。

〔朱由中门下。

〔梁公祥四面望望，把带来的土仪放在凳下，随着端然坐下。

况西堂 （对像“老年人”的老年人，总不免有些好感）你老先生是专员的令亲？

梁公祥 （满面春风）嗯，梁专员是（十分客气）我的贱弟。你先生？——

况西堂 我在此地做事。

梁公祥 （冒然）过五月节还忙衙门的事？

况西堂 （苦笑）过什么节哟。（用手一摺[1]桌上的茶杯）你老先生喝茶呀。

梁公祥 （立起来又坐下）不用，不用，在店里头喝饱了。

况西堂 来了几天了？

梁公祥 （说家常话）上十天了，找了好几趟，都说我那弟弟还没回来。

况西堂 是，梁专员忙得很。

梁公祥 （听不懂，但颇得意）这些衙门都归他管？

---

1 “一摺”原刊作“一挪”。

况西堂 是的。

梁公祥 （忽然）他手下有不少当差吧？

况西堂 （诧异[1]）嗯。

梁公祥 （十分好奇，而且得意）有那么个——多少？

况西堂 （察觉专员之兄颇为乡愿，于是也就顺口胡说，依他的口气）总有个百八十来个人吧。

梁公祥 （情不自禁）他的官真不算小了。

况西堂 （觉出此人实无可谈，于是答应一声）是的。（再不寒暄）

〔朱由中门上。

朱强林 你等等，梁先生有事。

梁公祥 你跟他说了么？

朱强林 没有，找不着空。他一会准会到这屋里来，你总认识他？

梁公祥 不，（犹豫）我，我们有二十多年没有见面了。

〔外面谢宗奋的声音：（他一向喜欢这个小勤务兵）朱强林，饭好了。

朱强林 嗯，来了。

〔朱由中门下。同时由中门上来谢宗奋。谢穿一身灰军服，身体较前健硕，精神饱满。

谢宗奋 （望一望）咦，梁专员不在这里？

况西堂 没有，你找他干什么？

谢宗奋 我听说他正要找我。

---

1 “诧异”原刊作“突觉诧异”。

况西堂 我倒是刚才见了他一下。

谢宗奋 （关心）怎么样？

况西堂 他下了车就先看公事去了。

谢宗奋 （赞美地）这个老家伙真可爱，做起事来，像一条牛。

况西堂 （嗟叹）也怪，人家的精神总是那么好。

〔由中门跑上来孔秋萍，手里拿着杂志室的图画刊物，兴高采烈，十分活跃。孔秋萍最近自觉颇为“转变”，时常读“新”书，说“新”话，谈他认为“进步”的新思想。他觉得要追上时代，不但自己内容要革新，而且外表也要革新，所以第一先剪了平头，因为分头似乎不大“正确”，秃头确实又难看。他自己一切都觉得大有改革，诚如他所说：都“颇为时代”，但不知为什么，仿佛那俗伧之气更显明地挂在脸上，固然一般人都承认他确实比从前努力从公，多做了事情。他穿黄哔叽的旧制服，质料很好，但不十分合身，脚下也穿一双黑皮鞋，但又尖又亮。人还是那副肮脏相。他进门就大喊。〕

孔秋萍 况先生，况先生，我听说梁专员的乡下哥哥又找他来了。

谢宗奋 干什么？

孔秋萍 问问，这次我可得看看。

谢宗奋 你想看他？

孔秋萍 嗯，看看[1]究竟是个什么怪样？

---

1 此处原刊有“这个老家伙”。

况西堂　秋萍兄，这位老先生就是！

梁公祥　（从黑暗的角落立起）哦，这位是——

孔秋萍　（非常窘迫）孔，孔秋萍，（强笑）您，您请坐，（那位老先生又兀自块然坐下。谢况见孔秋萍那种尴尬样子，不觉对笑。孔忽然回头）谢先生，梁老专员，这一趟山西[1]大概辛苦坏了。我刚才看见他，混身上下都是土，人像个老庙的泥判官。他那个小勤务兵跟我谈，沿途上都睡的是破店土屋子，两个人招了一身，都是跳蚤。（摇头）真苦！真苦！这真比我们办救护站苦多了。

谢宗奋　（不理他，对况）况先生，现在院里一共有多少救护站？

况西堂　丁大夫一个人就办了十六个。连罗院长自己带了一批人办的（看着呈文）总共有三十个救护站，十四个医疗站，二十一个手术治疗队。我正在赶着办一个报告呈部，请再派一大批卫生人员来此地任用。

〔天气热，那个独自坐着的乡下老头，对他们谈话逐渐不感兴味，仿佛在火车站上等车的样子，倚着墙昏昏睡去。

谢宗奋　其实现在下来的伤兵远不及前一年多。

况西堂　到重庆以前，罗院长跟丁大夫计划过，说要每一个伤兵、每一个俘虏都能有（想试试自己的新文章对人印象如何，依然是读排偶文章的语调，念着他手里一个草稿）“最周到的看护，顶完善的治疗”。

1　原刊无“山西”。

谢宗奋 （进前一看，哑然失笑）怎么？白话公文？

况西堂 （含糊）嗯。

谢宗奋 况老先生，您现在要写白话公文？

况西堂 （有些忸怩）我，我现在开始随便练练。（恧然，苦笑）简直有点写不出来。（抓着头，低声，认真地）听说不久又有再用白话写公文之说。

谢宗奋 真的？

孔秋萍 不会吧。

况西堂 （喟然长叹）难说，难说，抗战才两年，改旧革新，变动就非常之大。只看当初那些旧人物，旧习惯现在还留存下多少？那么，这种（故作他所谓“新人物”鄙视“文言”的腔调，手一挥）文言文嚜，还用来写公函！（感慨系之，不住摇头）这早晚要取消，我看也是意料中事呕[1]。

谢宗奋 （颇同情于这个过了将近三十年书案生涯的老公务员，沉默不言）

孔秋萍 （又有发挥的机会）本来是的，用白话写公文，是最清楚，也最明白。前两天（本性难移）丁大夫不就跟我说过么？（很得意地）她说：“孔先生——”（插一句）她一向跟我非常客气的，说，“孔先生，——”

〔况西堂究竟不大爱听，低下头写他的呈文。

谢宗奋 （烦恶，岔开）喂，小孔，你太太回了娘家之后，常有信么？

1 “呕”原刊作“吧”。

孔秋萍　不常来信,（高兴）好得很，我在此地很快活。（又觉嘴上发痒[1]，但和一年前的吹嘘用语，大不相同）我现在读书、做事，研究许多，许多问题，非常长进。谢先生，你看我现在的思想，呃,（冒然）正确得多了吧?

谢宗奋　（笑着）嗯，嗯，嗯。

孔秋萍　（非常得意）我自己也觉得，现在思想行为都颇正确。仿佛离开了女人，呃，离开了后方，脑筋就像清楚得多了似的。我老早说过，妇人女子成事不足，败事有余。你看，从前那位老小姐龚女士嘴上说得多呱呱叫，一听说医院要调到前线，立刻什么病啊、事啊，自动辞职，说什么也干不下去了。

况西堂　（不觉放下笔）喂，你们知道马登科的消息么?

谢宗奋　不是还在监狱里么?

况西堂　他出来了。

孔秋萍　（惊讶）好快！他都出来了?

况西堂　先生，期满了！一年都过了四个月了。

孔秋萍　（幸灾乐祸）一年的有期徒刑，真像怪短的似的。

况西堂　他给我来了一封信。

谢宗奋　他有信来?

孔秋萍　（急忙）说什么，说什么?

况西堂　他说他现在做西药生意，非常赚钱，问我入不入股。一本

---

1 “发痒”原刊作“又痒”。

万利，四个月他已经赚了两万块钱。

孔秋萍　嗐，你别听他的，他瞎吹！

况西堂　也许不，昨天我内人来了一封信，说在重庆大街上看见他跟，跟一个女人手拉手上了汽车，听差，汽车夫，简直非常阔气。

孔秋萍　（又改了态度）哦，老马也许是真有两下子。

况西堂　（严重地）不过有一件事，也非常地奇怪。

孔秋萍　什么？

况西堂　我内人信上说：（低声）那个女人的背影，非常像——伪组织[1]。

谢宗奋　（不信）伪组织[2]？我们那前任院长不是早就逃到上海，当汉奸去了么？

孔秋萍　他一个人偷偷逃到上海做汉奸、当伪官，那里多的是年轻的漂亮姑娘。他还要这个抽鸦片烟的半老徐娘干什么？

谢宗奋　（想想不觉失笑）这个汉奸院长也是天生的伪组织命。刚刚逃开了身边这个伪组织，又跑到上海，就那个伪组织去了。[3]

孔秋萍　（忽然有了心得）这就对了，老马这个堕落分子一定就是找伪组织[4]弄来的钱，做国难生意。这个可好，两个人住在一道，一个舅母，一个外甥——

1　“伪组织”原刊作“这个”。

2　“伪组织”原刊作“这个”。

3　“**孔秋萍**　他一个人偷偷逃到上海”以下原刊无。

4　“伪组织”原刊作“这个”。

况西堂　（截断他的话）秋萍兄，关于女人名节的事，没有根据万不可乱说。尤其是这种不，不人伦的事，我最痛恨。我什么都可以新，只有这一样，我新不来，我看不惯[1]。

孔秋萍　那么，你不信？

况西堂　这种禽兽的事情——

孔秋萍　那我告诉你，（又是秘密）从前那个汉奸院长还在这儿的时候——

谢宗奋　（不耐烦）你们谈吧，我走了。

孔秋萍　（拉着谢，知道他不爱听）谢先生，别走，别走。我们不谈这个，不谈这个，不谈这种——不正确的事情。

谢宗奋　（失笑）孔先生，有什么贵干？

孔秋萍　谢先生，（似乎非常热烈）你看我现在工作精神如何？

谢宗奋　（只好——）很，很努力。

孔秋萍　跟新来的这些公务人员比得上比不上？

谢宗奋　（无足轻重地点点头）也还赶得上。

孔秋萍　抗战之后，我这样的人还有饭吃不？

谢宗奋　嗯，有，有，有。

孔秋萍　（颇为高兴）那么，你再批评，批评我。

谢宗奋　（对他毫无办法）我看，没有什么可批评的。

孔秋萍　不，你再检讨，检讨我。

谢宗奋　我看你什么都好，就有一样，实在要不得。

1　“我看不惯”原刊作“我新不来”。

孔秋萍 哦，(大惊)什么？

谢宗奋 就是（慢慢地）先生的话——（一字一字地）实——在——太——多。

孔秋萍 （没想到谢又这样直率）哦，哦，——（不像方才那样起劲，然而——）那么，我，我的行为上还有什么不，不正确的地方没有？

谢宗奋 （点点头）有一样。

孔秋萍 哦，也有？

谢宗奋 （指他手里拿着的图画刊物）赶快把你手里这本画报，还给杂志室。这是公家的东西，你不应该拿出来看！

〔谢宗奋带着半讽刺的笑容由中门下。

〔孔愣在那里，若有所失。静默中只听见那老头儿倚墙熟睡，发出香甜的鼾声。

孔秋萍 （看着他，忽有所感，似乎对着况发牢骚，其实是沾沾自喜）唉，还是这种乡下人福气，不思不想，说睡就睡。

〔况西堂望一望，又转过头去。

〔外面青蛙渐渐又聒噪起来。

孔秋萍 （慢慢又挨到况身旁）况先生，你给老马回信没有？

况西堂 （忙着起稿，天气又热，非常烦躁）没有。

孔秋萍 你预备怎么个回法？加入多少股子？

况西堂 我？

孔秋萍 （颇心动）这种西药买卖做好了倒也是一本万利。

况西堂 （冷冷地）我没有钱，我不想赚钱，我不加入。

孔秋萍 （没想到又一个钉子，只好搭讪着）对的，对的，——这个对的。

〔况又低下头起文稿。

〔孔确实无聊，正想走出中门，忽然——

〔外面苍老的声音：（愉快地）不用，不用，我自己来！

〔梁专员满头大汗，一手拿着干毛巾，一手提一吊桶凉水，意态自若：由中门大步走进。十八阅月的奔波辛苦，在他脸上，仿佛一掠而过。除了额上皱纹略微加深，简直留不下痕迹。他生气勃勃，充沛的欣喜之情，从心底浮上来。热汗涔涔的面上，眼神那样愉快地笑着。两年的抗战，使他更相信自己的认识毫无错误，增加他对民族国家极端乐观的信心，虽然做起事来有时荆棘载道，耗费他不少的血汗。他穿一身蒙了尘土的草黄哔叽军服上身，里面是中式粗布衬衫和一件贴身长袖汗衣。下面是卡机布[1]的马裤，脚下还是那双笨重的长筒黑皮靴。

孔秋萍 专员，您怎么自己提水？（动手）我来替您提。

梁公仰 不用，不用，我自己来。（走到洗脸架旁放下水桶。这时况收拾桌上的笔墨纸张，预备出去）不用走，况先生，（豪放地）我们两个"就乎"一个灯。你做事，我洗脸。

况西堂 是，是，（又坐下）

〔梁把水倾入盆内，背上痒，扤了两下。

---

1 "卡机布"川版作"卡其布"。

孔秋萍　我跟您叫勤务来，——朱强林！

梁公仰　不要叫他，这个孩子跟我走了两天没得睡觉，叫他先歇会儿，你去吧。

孔秋萍　是，是。

〔孔由中门下。这时那老头儿，才警醒过来，昏昏然揉着眼睛，仿佛不知到了什么地方，又四面呆望着。

梁公仰　（脱下军衣，放在床上，笑着说）今天真热。

况西堂　（以为对那老头儿说话，看出不是，才——）是，是。您这一路还好吧？

梁公仰　（兴致淋漓，答非所问）好，好，好。雨水多，收成好，今年又是一个大丰年。

况西堂　现在那边战争？

梁公仰　打得好，各方面都打得好！（刚要洗脸，身上又着痒，扤了两下，率真地笑着）真是——奇痒！（只好脱下衬衫）

况西堂　是，听说住在店里跳蚤很多？

梁公仰　（拿起衬褂，凑到灯旁边）嗯，嗯。（于是不理他，十分专心在衬衫里寻找什么）

〔静默。那老头儿，还木然在那里等待。

况西堂　（看见兄弟二人还不交谈，非常纳闷，终于忍不住对那老头儿）喂，老先生，这，这就是——呃，呃——

〔朱强林提一只马灯由中门上。

梁公祥　（好容易看见那勤务进来，立起，非常气愤）我，我叫你找的人呢？

朱强林　（莫明其妙，对专员）我给你拿来一个马灯。

梁公仰　放在那里。（朱将马灯放在桌上）

梁公祥　（跑到他面前，大气）人呢？梁专员呢？

朱强林　（忽然明白）梁先生，这位先生是，是你的哥哥。

〔朱强林由中门下。

梁公祥　（呆望着梁一会，不相信的声音）——公——仰？

梁公仰　（立起来，也认了一刻）哦——你来了？

梁公祥　（见着亲人）公仰，你——你接到我的信了么？

梁公仰　看见了。（早已明白来意）我以为你等不了，早回家去了。

梁公祥　没见着你，我怎么能够回去呢？（叙旧）你老多了，我简直不认识你了。

况西堂　（立起）专员，我走了。

梁公仰　不，坐，坐。（逐渐准备）我们说说家常话，又不是公事。

况西堂　我已经办完了。

梁公仰　那么请你告诉温副院长一声，说我就要看病房，我一会还有要紧的事跟他谈。

况西堂　是，专员。

〔况由中门下。以后对话中，梁专员一直在很自如地洗脸，在他的土布褂里，翻来覆去，捉一种使人发痒的小虫，直到穿好了衣服，梁公祥走出门为止。

梁公祥　（不胜羡慕）你现在管的人真不少了。

梁公仰　嗯，不少，你这一向在哪里？（又低头洗他的脸）

梁公祥　我这一房前五年就搬到大通县了。（取出身旁那几件土仪）

这是从我们那个小地方带来的几件土东西。（指着）这有的是刘外公送的，有的是四房保生的孙子送的，有的是大姑太家的守寡媳妇，替她那个刚做事的儿子送的。（举一举）这两包是顶好的白木耳同阿胶，是我跟我那老三特意买来给你吃补的。

梁公仰 你为什么不在家里好好当老太爷？跑到这么个危险地方来干什么？

梁公祥 什么老太爷哟，一打仗，人家做买卖赚钱，我做买卖就亏本。再不出来做事，简直连一碗稀饭都快喝不成了。

梁公仰 哦。

梁公祥 （历数他的功绩）你离开了老家快三十年，你这一房的祖坟总是我告诉崇明派人打扫，去年我还寄回去一笔钱，说清明烧钱纸，你房里大儿媳妇的坟也要烧到。

梁公仰 （拧毛巾）哦，哦，很好。

梁公祥 （没想到反应这样冷淡，还是数流水账似的讲下去）前年，祠堂要重修，大家问到你，我还替你写一次捐。

梁公仰 哦。（拧起来又擦）

梁公祥 （看他不提，只好自己说）公仰，你看见我的信了么？

梁公仰 看见了。

梁公祥 那两张履历呢？

梁公仰 也看见了。

梁公祥 怎么样？公仰？（理直气壮）现在我们明水梁家就你一个人最发迹。（他用力誉扬）现在年头不好，我们不吃你还吃谁呀？

梁公仰 （把手巾放在盆里笑着）那么，你看，我不在这儿？你要怎么个吃法呢？

梁公祥 （不幽默）我并不说要花你的钱，你随便叫此地的什么院长，给一个小事不是一句话？

梁公仰 （故为诧异）哦，你是要谋差事！（拿起衬衣）

梁公祥 （眼一翻）在我信里，我托人写得清清楚楚的。

梁公仰 那你能做什么事情？（坐在灯旁翻那衣服的领子找——）

梁公祥 （爽性）你想，我这么大年纪的人，还能做什么事呢。随你叫他们一个月批给我一二百块钱就成了。

梁公仰 （不动声色）一二百块钱？

梁公祥 是多，是少，随便你。（似乎已经不成问题）可是至少也得九十元，要不，这年头，柴贵，米贵，少了简直是没法养家。

梁公仰 （又翻一下衣服不抬头）我看——

梁公祥 （十分热衷）怎么？

梁公仰 （拍一下，忽然捉着了一个——）可是，可以的。[1]

梁公祥 （欣喜）可以？

梁公仰 （放在灯前照照，慢吞吞地）除非有一天我自己开个私人银行。（狠狠一手把那个小虫儿碾碎。快意地对祥笑了一下）弄死了一个！

---

1 “可是，可以的。”原刊作“可是可以的”。

梁公祥 （毫无办法）要是不成，也，也可以。不过我家老三无论如何你这个阔叔叔要帮一帮忙。

梁公仰 他在哪里？（依然又翻他的衣服）

梁公祥 就在路上，一两天就要跟你这叔叔请安来。

梁公仰 他也要找事？

梁公祥 年轻人总得做事，磨炼磨炼[1]啊。

梁公仰 （仍一本正经地低头慢慢寻找）好得很，他要多少钱一个月？

梁公祥 我看八十块钱一个月就差不多了。

梁公仰 （不觉抬头，笑了一下）他要的倒不多。

梁公祥 （也谦虚）本来小孩子，才二十岁，还算是当学徒的时候。

梁公仰 （又低下头找）那他会些什么？

梁公祥 （被人问住）他，他会——

梁公仰 会敲算盘么？

梁公祥 不会。

梁公仰 会写字么？

梁公祥 呃，不，不多。你知道他的母亲死得早，我又一直在外面做小买卖。

梁公仰 （抬头想想）那么他会扫地么？

梁公祥 他又不是个傻子。可扫地有的是听差（未说完）——

梁公仰 （摇摇头）这里没有什么听差，差不多的事都是自己干。不

1 “磨炼磨炼”原刊作“历练历练”。

过，我听说病房里倒是要人扫地打杂。要是你老三愿意，我想我可以替他问问，大概是六块钱一个月，自己管吃，公家管住。

梁公祥 （始料不及，突而愣住）公——仰——（望见他了无愧色，依然在灯下做他的事，不觉怒气冲天，忽然一言不发，低下头一把就拿起他带来的土仪）

梁公仰 （仿佛毫不觉得，把衣服又凑在灯前照照，仍旧不动声色，慢悠悠地）但是也得等“空”（“空额”的意思），没“空”不成。

梁公祥 （气忿忿地走到梁面前，唾沫四溅）公仰，我们梁家没有你这个呆子！人家告诉我，你手里一个月出进几百万，你一个钱不拿，穷到祠堂都修不起不讲，你现在连——

梁公仰 （猛拍一下，一手打在衣领上，梁公祥突然愣住，他欣欣然又捉着了一个）咦，又一个！（立刻碾死）

梁公祥 （意识恢复）现在连，连自己的侄子——

梁公仰 （把小褂一抖，祥又在望着他，他穿在身上，对他的老哥非常满意地笑了一下）这一下[1]，可舒服了。

梁公祥 （忽然想起一件大事，非常有把握地）公仰，上半年崇明就来找过你。

梁公仰 （系扣子）嗯，他回去了。

梁公祥 （大为惊讶）什么，他也回去了。

---

1 “这一下”原刊作“这一下子”。

梁公仰 （又拿起他的旧军服）我叫他回家种地去了。

梁公祥 （大气）公仰，他是你的儿子啊！

梁公仰 （很平淡地）我知道他是我的儿子！

梁公祥 你——（觉得此人病入膏肓，一怒由中门走下）

〔梁若无事然，愉快地穿好他的军服。

梁公仰 朱强林！（从袋里掏出一个极旧的钱包[1]）

〔朱由中门上。

梁公仰 （拿出钞票）我给你十五块钱。

朱强林 （取下傻傻地）嗯。

梁公仰 我这位本家哥哥还忘了[2]一件东西。（指凳下一包土仪）

朱强林 （立刻）那我追去交给他。（转身提着东西就跑）

梁公仰 （摇手）别，别。（十分幽默，低声）他现在大发肝气。（笑着）他会连东西带钱扔在你脸上的。（掏出一个揉旧了的印着红签条的小信封）你明天早上按着这上面的地址，把这十五块钱同这包东西交给他。说我送他一点路费，劝他赶快回家。此地离前线太近，说不定一两天就会打起来。

朱强林 嗯，嗯，嗯。（就走）

梁公仰 喂，你看丁大夫现在干什么，有工夫请她来一趟。

〔丁由左门上，手里还拿着诊听管，朱见她来了，由中门下。

---

1 “钱包”原刊作“破钱包”。

2 “忘了”原刊作“忘下”。

丁大夫　（非常欣喜）老先生！（把诊听管放在口袋里）老先生！

梁公仰　（和蔼地笑着）丁大夫，这一向好？

丁大夫　（亲切）好。您最近身体好？

梁公仰　（生意畅然）好，好，吃得，喝得，怎么样？（低下[1]声音，仿佛对自己的女儿问话）这两个月，丁昌有信来了没有？

丁大夫　（低下头）没有。

梁公仰　（安慰）不要紧的，山西[2]那边打得非常好。（微笑）前两个月我在山西[3]托人把丁昌的相片带给你，你收到了没有？

丁大夫　看见了。

梁公仰　（怃然）可惜我没见着他，听说他身体很结实的。

丁大夫　是，老先生。

梁公仰　最近这帮人办事如何？

丁大夫　（昂头）很好。

梁公仰　负责任？

丁大夫　可以说。我觉得每个人都奉公守法，按部就班地办事情。

梁公仰　都十分满意么？

丁大夫　呃——

梁公仰　（近前）怎么？

丁大夫　十分？（沉思）这就很难说。

1　“低下”原刊作“低缓下”。

2　“山西”原刊作“河南”。

3　“山西”原刊作“河南”。

梁公仰 哦？那么，我们听听。看看有哪些不能令人十分满意的地方？

丁大夫 （眨着眼，想想，仿佛说明很困难，一面笑着）这，这非常不容易讲。事实上，院里的事情都在办，该进行的也都在进行。就是实际做起来，总仿佛（略顿）缺少了点什么。其实蓦一看也找不出来什么错，就是仔细想想，又觉得（微顿，用手在空中绕一绕，似乎在找什么字）这机器上面的螺丝不，不够紧，里面缺少了一种——（微想）一种更热（略顿）更强的，嗯——

梁公仰 （凝望）推——动——力——量，对么？

丁大夫 （点头）嗯，嗯。是这个意思。（笑起来）我真不知道怎么说，老先生晓得我有时说话不明不白的。

梁公仰 （鼓励）不，不，不，你对，我明白，我明白你的意思。那么，回头，让我这个老工匠看看，看看这个机器的毛病，究竟在什么地方？

〔胡医官手持电棒由中门上。

胡医官 （进门就喊）丁大夫！（忽见梁，鞠躬示敬）梁专员，温副院长等您参观病房，他现在在病房里等着呢？

梁公仰 好，我去一下，我们回头谈。关于四月以后大反攻的情形，我有多少好消息报告你们。（到桌上提起马灯，预备出去）

胡医官 是，专员。

丁大夫 （追上去）老先生，谢谢您前两个月特意送给我那两句话。

梁公仰 （笑着）有道理么？那两句话？

丁大夫　（肯定）嗯，有道理。

梁公仰　（父亲似的鼓励）好。

〔梁笑嘻嘻地由中门下。

胡医官　（摇着头赞叹）这老头真可爱。

丁大夫　嗯，——什么事？

胡医官　刚才第八急救站送来急信，说站上有两个重伤兵，非常危险，要我们立刻派人救治。

丁大夫　陆小姐！陆小姐！

〔陆葳由左门上。

胡医官　干什么？

丁大夫　（简捷）走。

胡医官　我已经弄好汽车，我就预备去。

丁大夫　不，这不是你的事，自然我去。（转身）陆小姐，请你立刻预备药箱。

陆　葳　是，丁大夫。

〔陆由左门下。

胡医官　（劝阻）明天还有重伤伤兵要到，丁大夫，您明天的事不会少的。

丁大夫　但是今天晚上的病人？

胡医官　那只是少数。

丁大夫　（仁慈地）不，我们看一个伤兵跟一群伤兵是同样的重要。并且路不算远。坐着车，我可以在半夜两点钟赶回来。

胡医官　丁大夫，（有些着急）今天说不定就会反攻，第八急救站离前线太近。

丁大夫　那不是更该去么？

胡医官　那么，我陪您去。

丁大夫　为什么？

胡医官　（找理由）那边我许久没到，我也要去看看。

丁大夫　也好，两个重伤，我们一人一个，更可以快一些，（叫）陆小姐！

陆　葳　（在里面）就弄好。

丁大夫　好，我们收拾收拾，从那边出去。

胡医官　好。（跟着走两步，忽然——）丁大夫，方才梁专员说有道理的那两句话是什么？

丁大夫　（和睦地）他告诉我们，要："存心时时可死，行事步步求生。"（果敢地微笑）对么？

胡医官　（也勇敢地）对，丁大夫。

〔丁、胡快步由左门走下。

〔况西堂拿着刚调来的一本已经归档的卷宗，与陈秉忠匆匆由中门上。陈秉忠现穿灰色公务员制服，一双方头皮鞋。人依然那样瘦，却态度似乎略微轩昂一点。

陈秉忠　（急忙）什么事？什么事？

况西堂　梁专员又在发脾气了。

陈秉忠　为，为什么？

况西堂　大概是温副院长做事又出了什么错。

陈秉忠　（想想自己的事）是不是因为现在金鸡纳霜——

况西堂　（一面急翻着卷宗）不止，还有什么蚊帐，同什么卡车问题。

陈秉忠　哦，哦，那么？我在这里——

况西堂　刚才温副院长也叫你在这里等他。（急忙）你去请光先生来，哦，还有谢先生。

陈秉忠　怎么？

况西堂　专员叫他们。

陈秉忠　好，那么，我，我们就在外面等着啦。

况西堂　好，好。

〔陈走到门口望见。

陈秉忠　（回头对况）专员他们来了。

况西堂　（望一下，又急忙翻他的卷宗）

〔温宗书手持电棒，梁专员拿着医务报告表同由中门上。梁低头不语，温在一旁哓哓解释。

温宗书　（素来小心谨慎）梁专员，现在客观的物质条件太，太坏。离着前线近，不只是蚊帐没有的卖，连顶坏的冷布都没有法子买。战事紧，后方的东西运不上来。您当然也知道，这半年固然天天打胜仗，物质上的供给，一直是不十分充足的[1]。

梁公仰　（极力忍耐，点头）嗯，我晓得。

温宗书　况且，（老老实实，一句一句）这个地方非常潮湿，天气热，蚊子多，又靠着一条臭河水。而现在又缺乏大量的特效药

1　原刊无“，这半年固然天天打胜仗，物质上的供给，一直是不十分充足的”。

品。这一点金鸡纳霜，省俭着用还嫌不足，[1]加以现在轻伤伤兵，又缺乏卡车向后方运。客观条件这样坏，以至于一个传染一个，一个传染一个——

梁公仰 （指着手里的报告表）到现在这里恶性疟疾，几乎占了百分之三十。

温宗书 但是，（无力地苦笑）有什么办法，梁专员？在这种客观条件之下——

梁公仰 （爆发）客观条件！客观条件！我不明白，如果这种客观条件永远不变，是不是温副院长就让这个病蔓延下去。一直到这个前线伤兵医院变成了前线疟疾医院？

温宗书 （谨谨慎慎）前天罗院长倒是来电提到，他正在催办药品，设法弄大批蚊帐。[2]

梁公仰 他在重庆[3]，先生。离着此地几千里！我们现在要快，要解决目前，要现在就有。

温宗书 （软弱[4]地）但是现在哪里会有，梁专员？

梁公仰 （忽然）你用公函催了没有？

温宗书 催了。

梁公仰 打了电报去了没有？

---

1 原刊无“又靠着一条臭河水。而现在又缺乏大量的特效药品。这一点金鸡纳霜，省俭着用还嫌不足，”。

2 原刊无“，他正在催办药品，设法弄大批蚊帐”。

3 “重庆”川版作“盛城”。

4 “软弱”原刊作“弱弱”。

温宗书　打了。

梁公仰　在哪里?

温宗书　况先生，上月的卷宗。

〔况将卷宗摊在桌上。

温宗书　（指着）这是五月十一号的催药呈文，五月十七号的催请蚊帐的呈文，这又是一次催请呈文，这是五月二十号请发卡车的呈文，这三个是在六月发了的紧急快电。这是复文。

梁公仰　（看完了，不语）嗯。

温宗书　您看（有了理由）发了电报，也写了公函，但是事实上，战区广，医院多，政府大量购办医院用的药品，也不够充足分配，——这就是我们现在的客观条件，您看有什么办法，有什么办法?

〔半晌。况轻轻咳了一声。

梁公仰　（[1]慢慢抬起头来）温副院长，您知道一个旧式官僚，同一个抗战的官吏有什么分别没有?

温宗书　（含糊而老实地）不知道。

梁公仰　我告诉你，一个旧式的官僚，有了公事，只知道写呈文，打电报，文字功夫做完了，办到办不到，就以为尽了最大的责任。

温宗书　那么，新式的官吏?

梁公仰　新式的官吏，我告诉你，（忽然涌起全身的精力，举着他的

1　此处原刊有“满面阴霾”。

大手）是要拿起我们这一双手，在任何艰难困苦的情形下，非把这件公事（拍桌）办到不成的。

温宗书 （软弱地）梁专员，那不是明明做不可能的事情么？

梁公仰 （怒目）怎么叫不可能？（像一只鸷鸟逼视一个无力的鸡雏，雷滚似的一气说下）你从上面一时领不来，你该找省内医药管理处；省内医药管理处要不来，你该找动员委员会；动员委员会弄不来，你要找人民团体；人民团体捐不来，你该求殷实商家；殷实商家借不来，你再托人写文章在报纸上喊。要！要！要！要我们的蚊帐！卡车！金鸡纳霜！哪怕这三件东西你要从地里面挖出来，你得完全办到，你才算完！

温宗书 （气为所夺，几乎无声）那么这种客观的——

梁公仰 光行健！

〔光行健，一个穿着军服，精神饱满的青年公务员，由中门应声而进。

光行健 专员。

梁公仰 你现在弄部车子赶到黎县，设法弄蚊帐。回头我告诉你怎么找人。

光行健 （有力）是。

梁公仰 谢宗奋！

〔谢由中门上。

谢宗奋 是，专员。

梁公仰 你现在赶到济南府去办金鸡纳霜，带着介绍函件立刻就走。

谢宗奋 是！

梁公仰 况先生。

况西堂 专员。

梁公仰 你告诉陈秉忠叫他把底单交给他们细看，同时请你立刻办公函。

况西堂 是，专员。

梁公仰 关于那卡车运输的事（略斟酌）——

温宗书 （仿佛被他鼓舞起来）专员，非要试一下，我可以去。白溪的军部[1]，我有认识的人。

梁公仰 （望着他，微顿，信任地）好，你去，我限你们在天亮以前回来报告。

〔谢，光，况三人由中门下。温正走了两步。

梁公仰 （忽然追上去，诚恳地）温副院长，（慢慢[2]拉起他的手，紧握着）你是一个真想做事的人，让我们一起打倒这种艰难的客观环境。

温宗书 （感动）是，专员。

〔他由中门下。

〔辽远战地似乎传来轰轰的炮声，附近有野犬在吠，十分苍凉。

〔梁正拿起表格，长嘘一声，陆由左门上。

---

1 “军部”原刊作“司令部”。

2 “慢慢”原刊作“沉稳”。

梁公仰 （抬头）丁大夫呢？

陆 葳 已经跟胡医官到第八急救站去了。[1]

〔隐隐巨炮作响。

梁公仰 咦，这不是炮响？

陆 葳 听说我们军队已经开始反攻了。

梁公仰 （欣然）好！好！

〔梁昂头由中门走出。

〔陆拿起卷好的绷带，走到桌前，把洋油灯转灭。

〔屋内暗下去。辽远战地上不断传来轰轰的巨响。

——第二场闭幕

幕落后即启[2]

---

1 “**梁公仰** （抬头）”以下原刊无。

2 “第二场闭幕”以下川版作“暗转后接第三场”。

第三场

这已是深夜将尽的时分。依然在那间屋子里。远远重炮声轰轰不断。桌上点着洋油灯，对面马灯放在洗脸架上。梁专员，领扣松开，一夜未睡，在屋内缓缓踱来踱去，时时从衣袋内掏出怀表望望，仿佛等待什么。扑倒在桌面上的是睡着了的朱强林，微微发着鼾声。陆葳坐在空空的帆布床上，睁着眼睛，似乎也在听着什么。间或炮声稍停，屋内死一般地沉静。陆悄然立起，走到窗前谛听，梁也停止走步。但不一刻炮声又陆续传来，梁又默默踱着疲乏的步子。

陆　葳　（回头，同情地望着梁）您，您还不睡一下？

梁公仰　（摇头）不。

陆　葳　我看打开铺盖躺一躺吧。（走回床前，拿他的铺盖）

梁公仰　不，我不困。（微笑着）你去睡，不要等了。

陆　葳　（笑）我也不困。

〔远处一声更近的巨炮声。

朱强林　（忽然震醒，望一望，傻笑）炮更响了！

梁公仰　嗯。

朱强林　（坐在那里，揉着蒙眬的眼睛）几点了？

梁公仰　四点三刻。

陆　葳　（严重地）丁大夫已经出去了八点钟[1]了。

梁公仰　嗯。（忽然提起马灯）朱强林，你不要走开。

朱强林　嗯。

〔梁由中门下。远处炮声不断。

朱强林　（打着呵欠，一面笑说）这一阵炮放得倒像过节。

〔夏持烛由中门上。

夏霁如　（低声）陆葳！陆葳！

陆　葳　怎么？

夏霁如　（瑟瑟然）我有点怕。

陆　葳　怕什么？

夏霁如　他们一夜都没有睡？

陆　葳　怎么？

夏霁如　说是看样子，怕我们反攻不大顺利。

陆　葳　你别听那个姓孔的话。

夏霁如　（怯怯地）怕很危险，——你听，炮声不是越响越近了么？

陆　葳　那，也，也许因为——

〔徐护士由中门持电棒进。

徐护士　夏小姐，专员呢？

陆　葳　出去了。

1　“八点钟”川版作“八个钟点”。

徐护士 天快亮了，温副院长还没有回来。

夏霁如 （低声）你有什么特别的消息没有？

徐护士 （规避）没，没有。

夏霁如 真的没有？

徐护士 没，没有。（望望）你们为什么不睡？

夏霁如 你为什么不睡？

徐护士 （缩缩脖）今天是，是我[1]轮班。

夏霁如 （笑着）那，那我们也轮班。

陆　葳 （沉稳）我们在等着丁大夫。

徐护士 （非常关心）丁大夫走，有谁跟着？

陆　葳 胡医官，还有两个护士，同一个车夫。

徐护士 他们带了家伙没有？

陆　葳 你说枪？

徐护士 嗯。

陆　葳 没有——怎么？

徐护士 （闪烁）不怎么。

陆　葳 徐护士，你一定有什么消息？

徐护士 没有。

夏霁如 你说？

徐护士 我，（隐隐约约）我听说——

陆　葳 嗯——

---

1 “今天是，是我”原刊作“今天该我”。

徐护士　我听说，（低声）前面打到了两点钟，战况忽然不明。

夏霁如　战况不明？（恐惧地望着陆葳）

陆　葳　（默然）

徐护士　没有一点消息。团部也不肯说出什么理由。

〔炮声渐响。

陆　葳　（突然）这是谁说的？

徐护士　庞医官刚才摇长途电话问的。

〔远处又一声轰然的响声。

夏霁如　（怯惧）你听，炮声更近了。（几乎要哭）

徐护士　（抚慰）不要怕，也许这都是谣言。

〔忽由中门进来了[1]孔秋萍，一手还系着纽扣。

孔秋萍　（慌慌张张）你，你们知道严，严重的坏消息么？

夏霁如　什么？

孔秋萍　我刚才听说现在县政府已经，已经完全搬完[2]了。

夏霁如　（求助的神气）陆葳！

徐护士　（不大相信）为什么？

孔秋萍　反攻不顺手，日本兵已经离城只有（手一比）三十里。

〔炮声隆隆。

陆　葳　三十里？

夏霁如　（急忙）陆葳！

1　“进来了”原刊、川版作“上来了”。

2　“搬完”原刊作“撤完”。

孔秋萍　你听这远远大炮，一听就是日本的平射炮，（有声有色）他们的机械化部队，说到就到。这糟了，一定糟了，我知道，我知道。

朱强林　（实在忍耐不下）你知道个屁！

孔秋萍　（确未想到）你？

朱强林　（点头，瞪眼）我。

孔秋萍　有话好说，你怎么出口伤人？

朱强林　（挺胸）你再在这个时候胡说八道，我就把你当汉奸，（把拳一伸）一拳头擂死你！

孔秋萍　（外强中干）你，你敢，你敢！

〔朱撸起袖子慢慢上前，孔慢慢退后，被逼到墙角。

〔梁专员异常严肃，提着马灯，由中门上。

徐护士　专员。

〔朱一回头，孔连忙乘空溜走。

梁公仰　朱强林，你去把院里顶好的车夫叫醒一个，叫他预备好车子。

朱强林　嗯。

梁公仰　告诉张队长，叫他派四名卫兵，带上枪械子弹，在汽车上等候。

朱强林　嗯。

梁公仰　快去。

〔朱由中门下。梁又掏取怀表望望。

陆　葳　（低声，怕问得）怎么？

梁公仰　（严重）要是在二十分钟以内，丁大夫这一帮人还不回来，我们就派人去找。

陆　葳　找？

梁公仰　嗯，刚才第八急救站来了消息，说丁大夫的车子早已离开，应该在前两个钟点回到医院。

夏霁如　（倒吸一口气）早离开了？

梁公仰　（点头）嗯。

陆　葳　那么，（突然恐惧）丁大夫，不会——（不敢想）不会失踪吧？

夏霁如　（颤声）陆！

梁公仰　不知道。奇怪。她为什么现在还没有回来。（有些着急）究竟她跟你怎么说的？

陆　葳　她说半夜两点钟准回来，因为今天还有许多病要看。

徐护士　那么，（仿佛有了预感，出了意外的不幸）现在，丁大夫——

〔夏望着徐的脸，忽然哇的一声哭起来，立刻由左门跑下。

陆　葳　（跑了一步，叫）夏霁如！（突停，与徐相顾无语）

徐护士　专员，县，县政府——

梁公仰　（沉稳有力）你告诉他们不要慌，战事越激烈，消息就越不容易明了。大胜之前总是这样，不要乱猜乱想，我刚才已经跟雷县长通了电话，他已经召集全县的自卫大队。如果消息万一不好，他预备死守县城。你把这话传给庞医官听，叫他转告院里的人们，安心工作。

徐护士　是。

〔徐由中门下。

〔炮声更响。

陆　葳　（低声）专员——

〔同时况西堂披着一件长袍，由中门跑上。

况西堂　（略喘）报告梁专员——

梁公仰　怎么？

况西堂　（惊惶之色）日本军队[1]已经到了县城附近。

梁公仰　附近？

况西堂　（指着）县城以东十五里。

梁公仰　胡说，哪里来的消息？

况西堂　谢宗奋。

梁公仰　他回来了？

况西堂　嗯，刚下车。

〔谢宗奋满身泥土，但非常兴奋，由中门跑上。

谢宗奋　（一脸笑容）梁专员，金鸡纳霜，完全办到，第一批已经随身带来，第二批明天十二点以前准时交货。

梁公仰　好，好。

况西堂　（紧张地）谢先生，你不是说日本兵[2]已经到了县城附近？

谢宗奋　是，我在良村就看见老百姓向这边逃。

梁公仰　哦！

谢宗奋　成千成百的老老少少，——

---

1 “日本军队”原刊作“敌人”。

2 “日本兵”原刊作“敌人”。

梁公仰 嗯。

谢宗奋 他们说有八百多日本的败兵[1]——

况西堂 （不相信自己的耳朵）败兵？

谢宗奋 （笑着）不是败兵，难道还是胜兵。

陆 葳 什么，我们打胜了？

谢宗奋 （奇怪）怎么，你们不知道？[2]

陆 葳 （欢喜万状，回头）夏，我们——

谢宗奋 他们说（陆又谛听）这八百多没有人统率的日本败军[3]，奸淫抢劫，在蔡家庄一带——

陆 葳 （吓昏）蔡家庄？

谢宗奋 嗯。

梁公仰 （紧接）蔡家庄不是在丁大夫回来的这条路上？

陆 葳 （慌惧，气喘）是，是，是，丁大夫，丁大夫的必经之路。

谢宗奋 怎么？

梁公仰 丁大夫正从第八急救站向医院赶回。

谢宗奋 （大惊）这怎么会？

梁公仰 （紧急）不要多问！丁大夫现在一定是路过蔡家庄。

陆 葳 （同时）（恐惧地点头）嗯。

谢宗奋 （同时）是。

---

1 “日本的败兵”原刊作“败下来的鬼子兵”。

2 此处原刊有“（况立刻由中门跑下，出去传讯）”。

3 “日本败军”原刊作“鬼子兵”。

梁公仰 我已经预备好汽车，卫队。

谢宗奋 （急忙）专员，这路我熟，我去。

梁公仰 就派你。我一面再跟县府通电话，叫自卫团派一中队，同时赶去营救。

谢宗奋 是，专员。

〔谢立刻由中门跑下，梁走去提马灯。

陆　葳 （跑上前）专员，我也去，我——

梁公仰 你别动。

〔梁由中门下。

〔外面听见远处一片枪声，甚清晰，陆突扑在桌上哭泣。

〔徐由中门上。

徐护士 （抚慰）陆小姐！陆小姐！

陆　葳 （抬头）你听说了？

徐护士 （难过）嗯。（陆又哭起来）不要难过，陆先生，不要紧的，这不会，决不会的。

〔温宗书穿一件破雨衣，一脸汽车上的油泥，兴高采烈，由中门跑上。

温宗书 专员呢？

徐护士 您回来了。

温宗书 专员呢？

陆　葳 在，在打电话。

徐护士 （看他那样高兴）您把卡车办来了？

温宗书 嗯。（压不住心中骄傲的喜悦）二十辆卡车，跟着开到。（回

身就走）

徐护士 副院长，战事情形如何？

温宗书 （回头）大胜！好，好，好！

〔温由中门跑下。

〔窗外深蓝天空逐渐显出稀微的光明。

〔枪声渐远，渐稀。战炮仍由远处隐约不断地传来，却声音逐渐轻渺。

〔远远有一声鸡鸣。

徐护士 天亮了。

〔远处汽车喇叭声。

〔夏由中门上。

夏雩如 （已经听说到关于丁大夫的不幸消息，抹着眼泪，对陆）陆葳，是，是丁大夫——

陆　葳 （点头，又扑在桌上隐泣）

夏雩如 （愣在那里，低声抽咽）

徐护士 （同情地）你们——（又说不出什么，叹一口气，正要走出）

〔梁与温由中门走上。徐让开一步，走出去。

梁公仰 好，好，办得好。

温宗书 （异常兴奋）专员，谢谢你，（衷心钦服）这一晚上的成功，完全是您的指示。

〔外面汽车喇叭声大作，随着嘈杂的人声，似乎渐行移来，大家抬头谛听。

梁公仰 这是什么？

温宗书　这一定是我们的那二十部卡车都到了。

梁公仰　（摇摇头）这不像——

陆　葳　（跳起来）不对，这是——（赶紧向中门跑）

〔中门大开，丁大夫走上，大家惊讶得发了呆。

陆　葳　（同时）（愣住）丁——大夫。

夏霁如　（同时）（吸口气）丁——大夫。

丁大夫　（和蔼地笑着）看什么？（对外面喊）先抬到这里来[1]。（对陆、夏）把行军床搬过来，赶快放正。

陆　葳　（不动）丁大夫，我——

夏霁如　（抽咽）丁大夫——

丁大夫　（慈爱地，知道她们在焦虑着她的安危）怎么啦，我的孩子们！傻站着干什么？（沉静）有病人！快动手！（陆、夏二人才惊醒，于是二人一面擦着眼泪，一面动手搬床）

梁公仰　丁大夫，你没看见谢宗奋？

丁大夫　碰见了，刚进城门，就碰到。真对不起，我晚到了三点钟。

梁公仰　你们究竟遇见了什么事？

〔外面胡医官大喊："慢慢地抬，拐弯，小心，有台阶。"

丁大夫　我们一点钟已经从急救站出发，刚一出去，就听见敌人向西败退。（回头）陆葳，你先把输血针预备好。

陆　葳　嗯。（向右门走了一半，不觉又听）

丁大夫　（立刻转向梁）车开到了白石渡，就遇见了李营长跟他的护

---

1 "这里来"原刊作"这来"。

兵，李营长受伤很重，（忽然望着都不觉停止工作来谛听的夏、陆，兴奋地笑着说）赶快工作，回头我单给你们两个人讲。

〔陆笑下，夏笑着又忙着铺床[1]。

丁大夫 （同时回头讲）我跟胡医官立刻急救了十分钟，抬上了车，他告诉我们黄县克复蔡家庄已经有日兵的溃兵——

〔胡医官由中门探出半身。

胡医官 预备好了没有？

夏霁如 快了。

〔胡又缩回头去。

丁大夫 （回一下头接着说）我们才绕着道慢慢地开回来。（立刻走到中门）胡医官，把李营长先抬进来。

梁公仰 慢慢？

丁大夫 嗯。（回头）他伤势非常之重[2]，路不平，开快了一颠簸，就会死的。

〔胡医官进来。后面随着担架上来的李营长和他的护兵赫占奎。李营长铁川，只有三十四岁，但已在军队里十二年。他身材瘦高，黑脸，大手，性情豪爽慷慨，说到做到。在军队中深得弟兄们的爱戴。有时脾气暴躁，对他所不满的人咆哮一顿。但过去就忘，第二天又从心里跟人和好。他的本性是“有恩必报”。但是怨呢，说两句就会忘得干干净净的。他

---

1 “忙着铺床”原刊作“忙铺床”。

2 “非常之重”原刊作“非常重”。

现在的军服上血迹斑斑，胸口伤处，已经绑裹起来。他咬着牙，一声也不哼，被人抬进。担架的有一个是徐护士。

〔赫占奎，年约四十五，是李营长的老护兵。满脸胡须[1]，一脸忠厚笨重的样子。他非常爱他的营长，现在一声不响，手里握持营长的手枪，只望着那睁着大眼的李营长，茫然走进。

胡医官　（指着台中的帆布床）放在床上。

〔他们把李营长放好，夏一旁看护。担架二人下。

丁大夫　（轻声）怎么样，李营长？

李铁川　（咬着牙）好。

丁大夫　（对胡）胡医官，请你跟着我来。

〔胡点头，随丁大夫由右门下。

温宗书　梁专员，关于——

梁公仰　我们到那屋里谈。

〔梁由左门下，温随后。

〔天空逐渐明亮，夏把李的衣服略微解开，李紧皱眉头，仿佛非常痛楚。

赫占奎　（将营长的手枪轻轻放在他身旁，木讷而深蓄着情感）营——长！

李铁川　（气声）赶快回去。

赫占奎　我不回去。

李铁川　（挣扎）赶快回去，告诉弟兄们，说我——好。

1　“胡须”原刊作“胡腮”。

赫占奎　（落眼泪）营长！

李铁川　妈的，你哭什么？

赫占奎　（忍不住，抽咽一声）营长你不，不成了。

夏霁如　（警告对赫）喂！

李铁川　（怒）赫占奎！

赫占奎　（挺起来）有，营长。（凑过去）你跟家里的人要，——要留些什么话？

李铁川　（缺乏气力，但仍非常肯定）没有话。

赫占奎　营长。

夏霁如　（对赫）你别再跟他说话了。

李铁川　（振起精神）快回去，告诉张营副，叫他们围攻蔡家庄，把那些狗娘养的——（着重）缴械。

赫占奎　（十分舍不得）营长，我不去，我要看着你。

李铁川　去，跟他们说：医院在这儿，叫他们冲，拼命地冲！我们有——丁大夫。

夏霁如　（劝他不说话）李营长。

赫占奎　我要守着你。

李铁川　去！

赫占奎　（几乎也要哭）我，我丢不下。

李铁川　（一时兴起）妈的，（举起手枪）我毙了你狗杂种。[1]

〔夏大叫一声，李呼痛，赫上前赶紧抱着他。

1　此句原刊作"（一时性起，举起手枪）我毙了你！"。

〔立刻丁由右门跑出，后随胡医官。

丁大夫 怎么？

胡医官 怎么？

〔梁也由左门走进，露着探询的神色。

李铁川 （泛出一丝笑影，歉意地）丁大夫，我是个老粗，叫（指着）他——去！（闭眼不语）

赫占奎 营长，（抬头求助，诚恳动人）医官们！

丁大夫 （一面安慰，一面慢慢拉开了赫）去吧，不要紧！你的营长交给我们，我保他一定不会死的。

赫占奎 （点了点头，仍贴在床边）营——长。（不见回应）

胡医官 （急了）快走！[1]

赫占奎 （全神放在营长身上，仍以为营长说话，不由得突然立正）是，营长。

〔赫跑下。

〔屋内沉静，清晨的小鸟，在窗外愉快地鸣啭。

〔陆葳悄悄由右门上。

胡医官 怎么样？

丁大夫 （正在诊听，仰头，镇定地）不要紧，他流血过多。只要立刻输血，就可以立刻见效。

胡医官 可现在哪里有合适的血？

温宗书 （摇头，十分关心）我怕再等一刻，决无希望。

---

1 “（急了）快走！”原刊作“（急了，大声）你快去！”。

胡医官　（对梁，着急的口气）可现在我们验过的血液，（快说）只有A型，B型，AB型，没有O型的！

丁大夫　（慢慢立起，沉静）不要紧，有办法。

胡医官　什么办法？

丁大夫　我——是O型的。

胡医官　什么，你的血？

丁大夫　（望着李营长）嗯。

夏霁如　您输给他？

丁大夫　（毅然）胡医官，跟我来。

陆　葳　（激动，拉着丁）丁大夫，让我——

丁大夫　你当然知道，不是任何人的血都能用的。

〔丁与胡由右门下。

〔一线晨曦由窗隙透进，中门忽开，走进来十分兴奋的光行健。

光行健　（大声）报告专员——

陆　葳　嘘，病人！

梁公仰　（沉重）丁大夫在里面抽血。

光行健　（低声）报告专员，关于那蚊帐（浮出愉快的笑容）——

——幕急落

第四幕

又过了十个月的光景。

现在那前线医院，奉命把一部分有经验、有学识并且勇于负责的人员调回××大城，办理一所规模更大的后方伤兵医院。这批人转回后方，所办的事业固然格外庞大繁杂，却推行起来，仿佛顺水行舟，进展迅速。在长期的斗争里，这小小的团体，经过千锤百炼，他们早已获得高度的韧性；“锲而不舍”，个个想做昔日的聪明人们所讥笑的“傻子”，既不怕任何艰难的磨折，也不惧任何细事的烦琐。这时我们已看出抗战中事实的迫切需要，逼使此机关的长官再不能以个人的好恶亲疏，为进退人员的标准，于是大批不得力的人员，遭受了不可避免的淘汰，而今日的干部大半是富有青年气质的人们。感谢贤明的新官吏如梁公仰先生者，在这一部分的公务人员的心里，已逐渐培植出一个勇敢的新的负责观念。大家在自己的职责内感到必须（如梁专员所说的）“自动找事做，尽量求完全”。开始造成一种崭新的政治风气的先声。

然而在一切之上，还是这个小团体，做到了一同遵守那根据事理匡定的行政制度，认真服务的事实。现在无论长官从吏都不能以一时的人事方便，对法定的制度任意违反、忽略或曲解。所以制度成，风气定，做事的效率也日见激增。大批的治愈伤兵，受了身体上和心理上的治疗与陶冶，变成更健全的民族斗士，或者转院，或者归集中管理处，或者迫不及待，自动请求提前入伍。种种表现出前因后果的事实，证明在抗战过程中，中国的行政官吏，早晚必要蜕掉那一层腐旧的躯壳，迈进一个新的时代。

是二十九年度的[1]四月某日上午十一时许，在××大城的后方伤兵医院的大楼中，一间接待室内。——这楼原是一所领事馆的旧邸，楼外颇古老，而且有些地方年久失修，日见衰颓。但楼内的屋宇，富丽宽敞，还留下一些昔日的气派。现在医院的治疗和行政部分就设在这座西式大楼里面。

接待室是一间明净透畅的大厅，阳光充足，天花板高高的。夏天走进屋来，使人顿觉凉爽。这房间一共有五个白门。直对观众，靠右是两扇可以合拢的高门，上面嵌镶狭长的厚玻璃，向内敞开，紧贴墙壁。这高门之外是铁栏杆围好的阳台。阳台下是一座宽阔的旧花园。地基高，接待室虽然在大楼首层，但从阳台望去，只看见一棵古老垂柳的青葱葱的顶梢。微风吹过，绰约闪见杨柳身后，一片明媚的花枝的尖端。现在门前米黄色的幔帷深深下垂，遮荫着直射进来的四月的好阳光。正对观众是一细藤编制的长沙发，里面有两个简单的天蓝布靠垫，沙发前横放一条低低的西式长几，几上铺有一长条白色花纹布，上面放一棕色的厚瓷烟具。长几之前，左右端，各有一只可以蹲坐的[2]圆形矮凳。正中墙上悬挂一架亮晶晶的巨钟，恬静地发出一种

1 “是二十九年度的”川版作“一九四〇年”。

2 川版无“可以蹲坐的”。

舒闲的“滴挞”的声音。中墙靠左是通楼内过道的白门，门为厚实的洋松木质，启闭时沉重缓滑，了无声响。左墙略后为一通病房的门，上面钉起一张“医师通告：不准探视”的白纸。左边墙角里有一花架，上面立一盆枝叶铺垂下来的常青草。左门侧，近观众处，有一条几，摆着电话。几前放一张小藤椅。对面右墙边近观众处立两把西式靠背椅子，略向后有一门通办公室。再后一门通手术房。这门与门之间，悬一宽大的简单日历。墙角里置一小圆桌，一个厚重的白瓷沙滤器几乎占满了这小桌的面积，旁边仅容下两只白色的细茶杯。

阳光好，阳台外，柳树荫里，鸟鸣甜畅。时而一阵风吹过来，软垂的门帷突然涨起，如海风鼓满了的轻帆。

开幕时，谢宗奋斜立在启向阳台的门侧，拉起幔帷向外眺望，红润的面容上浮出快意的微笑。他穿一件半旧的黄哔叽公务员服，沙发上放着他的大衣[1]和一顶深蓝毡帽。

静了一刻，左门慢开，缓步踱进来夏霁如。她现在依然保有那副天真的笑容，却神态大不像以前那般自然。时常眉梢间不禁显露一种不宁静的思虑，有时甚至是微漠的哀愁，使人感到这个孩子在短短的几年中已由一个人生的阶段，踏进了另一个严肃的时期。她还穿着旧白衣，挟持着在一块长方薄木板上夹住的几张工作报告表，水笔插在袋里。她走向右角那放着沙滤器的小桌旁，预备取水。

---

1 “大衣”原刊作“破大衣”。

谢宗奋 （听见有足步声，回头）哦，小夏。

夏霁如 （走到小桌旁，拿起水杯）咦，是你。

谢宗奋 （关心）怎么样？屋里丁昌好了一点了么？

夏霁如 （摇头）没有，他一夜没有睡。

谢宗奋 （不觉回头望望左门，又对夏）丁大夫呢？

夏霁如 你想，她哪能睡得着觉？（轻叹，转身拉开龙头取水）

谢宗奋 清早罗院长到院办公，还问我小丁大夫负伤回来，怎么样了？

夏霁如 （还在接着漏下来的净水，回头）怎么，院长还没有走？

谢宗奋 （笑着）早走了，十点以前就上船了。下水船快，我想十二天以内，他就可以赶回前线。

夏霁如 （端着茶杯，喝一口水，把帘帷轻轻拉开一半，望着外面的春日景色，摇头，低声喟叹）人活着，过得真快。我们调回来工作又差不多一年了。

谢宗奋 （没想到她现在也会感叹，笑着指她）我看你这个小孩真怪！

夏霁如 （望望他，有些怨望，不该再称呼她“小孩”，但仍然微笑着）怪什么？

谢宗奋 （仍然大哥哥似的指着她哧笑）看不出你这么点小孩也学会感慨了。

夏霁如 （很聪明地翻翻眼睛）为什么不？——人难道不长？（又回头望着窗外的微风吹动的垂柳，一面慢慢啜一口水）

谢宗奋 （看见她眉梢含蓄着不可解的思虑，只好）对，对！长，长！

〔半晌。微风里鸟声欢畅，一片暖和的阳光洒在地上。

谢宗奋 （也眺望外面）今天天气好得很。

夏霁如 （长嘘出一口气）嗯，都四月了。

〔忽由窗外飞进一只迅速矫健的蜜蜂，嗡嗡地围绕着[1]夏的头颈，上下疾绕。夏又笑又怕大叫了一声，两手连忙乱掸。[2]

谢宗奋 （回头）怎么？

夏霁如 （狼狈）蜜蜂！

谢宗奋 （急忙）哪儿？

夏霁如 （[3]昂首望着那花虫又矫健地飞出帷外，笑着）又飞出去了。

谢宗奋 （才望见那蜜蜂迅疾绕出，飞到青柳身后的花丛中，和一簇采蜜的蜂儿缠飞一起。雨后的花园，空气里浮泛着润湿的泥土气息。强烈的生存快感，深深刺痛[4]着他。他昂头一手轻捶着空阔的胸襟，饱足地吸进一口长气，赞叹）真是好天气！

夏霁如 （缓缓点头，莫明其妙，感到一种微漠的哀愁）嗯——四月天。

谢宗奋 （突然有力地）嗯，四月！——四月又是打胜仗的好日子。

夏霁如 （呆滞地重复）嗯，打——胜——仗——（忽回头望谢）谢

---

1 “围绕着”原刊作“围着”。

2 此句原刊作“夏叫了一声，连忙用手乱掸。”。

3 此处原刊有“突然”。

4 “刺痛”川版作“触动”。

先生，还有多久我们这些人可以回老家？

谢宗奋　（有信心）我看不远了，这两天战事连天都是好消息。

〔光行健由右前门——通办公室的——上。他更见精神，活泼健快，也穿一件半旧的黄哔叽制服，臂里挟一公文纸夹，手持军帽，进门就戴上。

光行健　（愉快地对谢）对不起，久等了。走吧，我们。

夏霁如　（笑着）咦，两个穿得这么整齐，干什么去？

光行健　到伤兵集中管理处。

谢宗奋　送治好的伤兵转院，（顽皮地）你当我们出去玩？

夏霁如　今天太阳这么好，我真以为——

光行健　（忽然想起一段快事）喂，我告诉你们——出了太阳，一段非听不可的消息。

夏霁如　什么？

光行健　（[1]惊人之笔）一个人死了！

谢宗奋　（略惊）谁？

光行健　（神秘地而又仿佛是开玩笑）一个要人！

夏霁如　（忍不住）快说吧，光先生。

光行健　（慢慢地）三年前他是——

谢宗奋　（急于想听）什么？你说呀？

光行健　（对谢兴奋地）他是三年前你们那位宝贝院长。

谢宗奋　（不相信）秦仲宣？

1　此处原刊有“故作”二字。

光行健 （点头）嗯。

夏霁如 怎么回事？

光行健 昨天他这个汉奸，又在上海五福楼——在大宴宾客，请那帮伪官吃饭，忽然来了一位爱国的青年对他一枪——

谢宗奋 （高兴，大声）打死了！

光行健 （很满意地慢慢点一下头）嗯！

夏霁如 你听谁说的？

光行健 今天的报上。（明快的笑）怎么样？（对谢）这个消息好不好？

谢宗奋 好！

光行健 痛快不痛快？

谢宗奋 痛快！

光行健 （顺手一拍，打在他的背上）那么走，我们办事！（拉着谢就向中门走）

〔夏抽出水笔[1]坐在矮凳上，填写她所持来的工作报告表。

〔徐护士——现在有些发胖，于是神气更为可笑——由中门上。

徐护士 （一把抓着光行健）光先生，别走，别走。签字，签字。（把一本领物单塞在他手里，光只好叹一口气，暂时留下签字）

谢宗奋 （故意逗弄他）我先走了——

〔谢由中门下。

---

1 “水笔”川版作“自来水笔”。

光行健　（更忙）喂！喂！（但[1]拿着单据，又得[2]核算上面的数目，用手急忙点一下。口中念念有词，时时翻着白眼，一面签字）

徐护士　（同时）夏小姐，丁大夫叫你找柳医官，帮她换药。

夏霁如　（立起，插好了笔）什么，丁大夫又去跟伤兵看着病？[3]

徐护士　（点头）嗯，已经看到第六十五号了。

〔夏忙向中门走。

徐护士　（追上一步）喂，夏小姐，陆看护长呢？

夏霁如　在外科室。

〔夏由中门下。

谢宗奋　（同时由中门探出身来）喂，老光——

光行健　（抬头望谢，急忙地）好，好，完了，完了，就完了。（把最后一张签了字，一把交给徐）给你！（玩笑似的狠狠对他点一次头，转身——）

〔光与谢立由中门下，徐也要走。

右前门内（桌上办公铃声[4]）李有才！李有才！（徐听见，回头望望）

徐护士　（对外，接着喊）李有才！李有才！

右前屋内　李有才！

徐护士　（到右后门——通那手术室的——前）李有才！

1　原刊无“但”。

2　原刊无“又得”。

3　“看着病”川版作“看病”。

4　此处川版有“，接着有人在喊”。

〔温副院长由右前门出。他现在较前十月气派轩昂，身体也不像以前那样孱弱。他穿一件黄呢制服，胸微挺，走路颇稳定有力。

温宗书 徐护士，你看见李有才了么？

徐护士 我刚才仿佛看他进了这个手术室。

温宗书 手术室怎么能让他随便进去？

徐护士 （赔笑）他是个刚来的听差，[1]回头我就去告诉他。

温宗书 徐护士，你看见谢先生了么？

徐护士 他跟光先生刚走。顶多到大门口。

温宗书 那么，请你替我把他追回来。说现在要赶紧跟前线的医院送大批慰劳物品，转院的事让光先生一个人办。

徐护士 是。

〔徐由中门下。

温宗书 （想起，又追到中门门口，对外探出半身，高声）请他立刻到我的办公室来。

〔徐在远处应声。

〔温转身正要向右前门走。由右前门走出来况西堂。况现在气色确比以前略微暗淡。最近一直感到如离水的鱼儿，周围都是令他窒息的压力，约束得他颇不自在。自从温副院长奉令接办后方医院，他也被调到了后方，满心以为可以稍事休息，不料现在的后方医院，几乎比在前方的还忙。

---

1 原刊无“他是个刚来的听差，”。

忆起从前那“画画到看看报”的悠闲日子，心中至为惘然。而且这一年来，院里年轻的公务人员，日见增添。他们经验虽不比他多，但办事认真，勇于负责的精神几乎个个比他好。年轻人有年轻人的思想，希望，和忙迫而活泼的生活方式，他以衰老的心情怎么能和他们混在一道？插在院里这一大批青年人堆里，他有若那仙人幻变的孤鹤，重来凭吊那“城郭在，人民非”，完全换了面目的城池，独来独往，心中着实凄凉。寂寞已极，他有时甚至于企盼和他素所鄙恶的孔秋萍做一次温旧的夜谈，然而即使这个不足轻重的“屁”也因“话多误事”，早被撤职。他的老妻常劝他：“时候难，事不好找，不如做一天是一天。”但他已痛苦地感到工作繁重，支持不来[1]，并且逐渐被人轻视，而怃然[2]有“归去”志。

〔他现在穿一件古铜色旧袍，须发几乎完全斑白。他有一点咳嗽，拿着黄而黑的旧手帕，堵着自己的嘴。

温宗书　（笑容满面）况先生，你来得正好，我正要找你。

况西堂　（略弯身，赔着笑容）副院长，十一点到十二点我请了一点钟的事假，因为内人一会儿要来院里看病，我想陪她一下。

温宗书　（望望钟）实在对不起，现在才十一点。请你跟我进来一会，顶多两分钟。你昨天写的呈文似乎有点小错。

1　“支持不来”原刊作“支持不来了”。

2　“怃然”原刊作“抚然”。

况西堂　小错?

温宗书　嗯，你进来看看，我就要到军部接洽伤兵教育班的事情。只费你一分钟的工夫。

〔温不由分说把他拉进右前门，二人同下。

〔阳台外群鸟欢鸣。偶尔鸟声微静，就听见成千成万，密匝匝的蜂群在墙外不断发出嗡嗡振翼声响，使人昏昏欲睡。

〔由中门李有才——一个院里的中年差役，穿一件短灰褂制服——[1]领着马登科上。马先生与昔日大不相同。面容憔悴，穿一件旧损而又颇肮脏的小花浅灰绸夹衫，和脚下一双裂了口的黑缎鞋，用一副仅存[2]的黑丝带牢牢扎着了瘦细[3]的腿，显得人异常沮丧落魄。他一脸晦气，两只小眼东溜西溜，还留着往日的狡猾相。如今他十分心虚，生怕万一进来一个旧相识，看见他目前的寒伧模样。原来他出狱之后，就和那为人抛弃的伪组织厮缠一起。凭借她由另一个男人手里压榨出来的几个私房钱，做了一次赚钱生意，就大肆吹嘘，想拉动亲友们的资本。但素来声名狼藉，终于[4]无人领教。而他得意之余，已经狂嫖乱赌；兼之，做了几次赔本买卖，终于悖入悖出，把伪组织一点积蓄，用得一干二

1　原刊无“——一个院里的中年差役，穿一件短灰褂制服——”。

2　“仅存”底本作“仅存在”，据川版改。

3　“瘦细”原刊作“细瘦”。

4　原刊无“终于”。

净。这一对露水夫妻，又流落在这个大城里，现在几乎典尽当光[1]，举债度日。偏偏这时伪组织的老病又在春天大犯起来。无可奈何，他们忽然想到这医院里一个救星，才涩涩然找到门来。他戴着一顶破旧的黑丝绒帽。

李有才 你先生（指着椅子）在这儿坐一坐，她现在忙的很。

马登科 （寒酸）是，是，回头请你（还是以前那样鬼鬼祟祟的）偷偷，——私下给她讲一下，说有个姓马的，马登科——

李有才 （轻藐看他一眼）知道了，我回头找着她一定说。

马登科 劳驾，劳驾。（十分局促地找一角落里坐下）

〔李由中门下。

〔马四面望望，微咳一声，把腿伸出来，掸掸尘土，又把那窄长黑丝腿带解开，重新慢慢扎紧。这时由右前门走上来摇头表示[2]不满的况西堂，由口袋内掏出一只小药瓶，里面装着补气活血一类的药丸。倒出四五粒，慢慢地踱到中门前。

况西堂 （向外）李有才！李有才！

〔马登科听得耳熟，抬头一望，立刻把帽子戴低，头歪过去。

〔李有才由中门上。

李有才 况先生。

---

1 “当光”原刊作“当绝”。

2 原刊无“表示”。

况西堂　老李，回头我的太太要来找我领她看病，请你把她，领到这里来，费心，费心。（把药瓶又搁在袋内）

李有才　嗯，知道。

〔李由中门下。

〔同时由中门匆匆走进来陆葳。她穿着看护长的衣服，挟一大批病历单，工作报告表之类的文件，十分忙碌，穿堂而过。她较前略胖，精神和从前一样的饱满。做起事来，令人感到益发稳重干练。

况西堂　（欣欣然）喂，陆先生，（陆停止）怎么，丁大夫的公子脱离危险没有？

陆　葳　（忙迫，不觉粗率）不知道，我正要进去看看。

〔陆由左门匆匆下。况略微有些不快，自己走到沙滤器前找一只杯子取水。

〔徐护士忙由中门上。

徐护士　（进门对况就问）喂，陆看护长你看见了么？

况西堂　（指着屋）在，在里面。

〔徐到左门前，轻轻叩门。况回头望望。

徐护士　（低声）陆先生！

〔陆由左门上。

陆　葳　（低声）轻一点，病人刚睡。什么事？

徐护士　（急促）何医官，请你立刻去一趟。

陆　葳　好。

〔徐、陆快步由中门下。

〔况斜眼望着她们又那样匆忙地走出去，回身把龙头拧好，举起杯子喝进一口，哇地吐出来。

况西堂　（低声咒诅）又灌些凉水！（急忙走到中门）李有才！李有才！（无人应声，正想走出叫喊，发发脾气，跨出一步，忽然转了一向息事宁人的念头："算了，何——必——呢！"又缩回脚步，立刻转过头来）

〔正在此时，马登科望着他的背影，满以为他会走出门去，不觉扬头，鼻涕眼泪地打了早已忍不住的一个酸懒的呵欠。偏偏西堂先生又出人意料地回头一望，瞧个正着，于是——

况西堂　（大吃一惊）喂，你——

马登科　（突然转过头去，不自主的咳嗽一声）

况西堂　（对这个十分熟悉的脸）你——

马登科　（强做冥想入神的样子，但不觉用手在嘴上擦弄一下）

况西堂　（转到马的面前）你不是登科兄吗？

马登科　（逼得抬头）啊！（仿佛刚看见）西——堂先生。（立起，非常惊喜）你看我这个眼睛，我简直没有看见。

况西堂　（欣逢旧雨）巧得很，居然在此地又遇着了！

马登科　（搭讪着）是呀，巧，巧！我也没有想到你还在这儿！

况西堂　嗬[1]！我还没离开医院。（心里着实畅快）你老哥现在在哪儿得意？

1　"嗬"原刊作"嗯"。

马登科　（掩饰）我现在在大，大东银行做事。

况西堂　（坐下）怎么，又不做生意啦？

马登科　（含含糊糊地）唔！唔！

况西堂　（关心地）宝眷呢？

马登科　（支吾）我，还不是一个人！

况西堂　（谈老话）怎么，太太呢？

马登科　早，早送回老家里去了！（微叹）好久啦！我们又两年没有见了！

况西堂　（随着叹息）是啊！抗战都快到了三年了。（取出一包烟）抽烟，请，请。

马登科　（矜持）不，不抽！

况西堂　（略惊，望着他）怎么？戒了？

马登科　不，不，现在我，我不大爱抽。（低声）丁大夫现在在院里吗？

况西堂　（自己点火吸烟）哦，你找丁大夫？（不知他用意何在）不晓得，我想大概在吧。

马登科　（拱拱手）老兄，请你替我传一声，说马登科来了，想见见她。

况西堂　不舒服么？

马登科　嗯，有，有点。

况西堂　什么病？

马登科　也，（打着哈欠说下去）也说不上来！（满脸酸懒的眼泪，忍不住，忽然）喂，你的纸烟还有么？

况西堂　怎么——（奇怪他方才为什么不要）自然！自然。（又从袋

里取出香烟。递他一支，又为他点上）

马登科 （长长吸了一口）真好！——（感慨系之）现在香烟真是贵得很。

况西堂 是啊，我现在也不大抽纸烟啦。

马登科 （索性拉下脸）不瞒你老兄说，足足有一个月，没尝纸烟是什么味了。

况西堂 （不胜同情）是啊，唉！像我们这些小职员，香烟金子似的，哪抽得起哟！

马登科 （恭维）你们在机关里的人究竟好多了。

况西堂 （苦笑）算了，莫穷开心了。我看现在什么东西都贵。（酸溜溜地）就是公务员便宜。

马登科 报上不是说又加薪了么？

况西堂 加是加了点。

马登科 （鄙笑）那不很好过么？

况西堂 唉，老朋友！（抚今追昔，感慨万状）现在不同以前了，事情不——好做，哪有从前那样的闲在！院里大半都是年轻人，每天从早到晚地死干。慢一点都会有人笑话。你想，（凄凉地）我这么大年纪，都是有孙子的人，哪里跟他们拼得过！（不觉拿出手巾擦擦稀稀的胡须）

马登科 （顺口说）是啊，一打仗，打得机关都改了样了。

况西堂 嗯，（摇头感叹）不同了，你我都算一个时候的人！（酸苦的讽刺）对不起你老哥，现在上了点年纪可不大时髦了。跟我同一个派头的，要要笔杆，只想奉公守法，不多事，不

找事，混一碗太平饭吃，仿佛就不大多了，也不受人重视了！（黯然神丧）

马登科　（漠然听过，随着叹息）可不是！

况西堂　前天晚上（低头自己说）我一个人走出衙门，背后就听见一个少壮派就用个新名词批评我，叫我作——（一字一字地）“没落分子”。（不寒而栗）老朋友，这四个字真是冷箭穿心，可怕得很哪。

马登科　（无话可谈，吸一口纸烟，忽然忆起）喂，“屁”呢？还在这儿么？

况西堂　（同情地）走了，半年以前就革职了。

马登科　为什么？

况西堂　（凄然）可怜，还不是因为他那张嘴！院里少壮分子都说他“话多误事”。

马登科　（掸掸烟灰）喂，他们办事究竟怎么样？

况西堂　（抬头）谁？

马登科　这些少壮分子，——年，年轻人。

况西堂　（真诚）还好，还好。说句公平话，现在年轻人，是老练得很，着实得很；不像我们年轻的时候，懵懵懂懂，冒冒失失，整天只晓得荒唐胡闹，说漂亮话。

马登科　（长叹一声，不知是真是假）是啊，我也后悔得很。

况西堂　（诉说）登科兄，刚打仗，我还不清楚。打了这么久，我才觉得现在是年轻人的世界。你岁数大，还将就，可人一老，没有精神，就万事皆休，单等着睡棺材。（喟然）老朋友，我已有归去之志。（辛酸）三十年省吃俭用，现在手头还积蓄一点养老的本钱[1]。我预备带我的老妻赋归去，就等着最近收复失地，再回到老家享一点晚福。（欣慰的微笑）

马登科　（有用意地捧着他）西堂兄，像你这么大的年纪，也应该休息休息了。

况西堂　（点点头）是啊，将近六十的人，活着还有几年呕！（忽然立起）登科兄，寒舍就在附近，百子巷十一号，有工夫请过来，咱们打点好曲酒，好好地谈谈。（点头）咱们再见。

马登科　（着急，生怕失掉这一次机会）不，不，西堂兄，（立起，情见乎词）其实你现在有钱，何不做点生意。上次我写信劝你——

况西堂　（知道来头不妙）不，不，不。我这钱来路不易，并非贪污纳贿弄来的。（愈讲愈慌）我不能悖入悖出，做那些冒险的生意。

马登科　（一脸甜蜜的笑容）其实何曾冒险，西堂兄——

况西堂　（快刀斩乱麻，不等他再谈下去，就——）咱们不谈，不谈。

马登科　（愣住，半晌）西堂兄，那么我跟你商量一件事情。

况西堂　嗯——啊？

马登科　（叙起旧事）我们是多年之交，从南京一块跑出来，[2]也可以说是共过患难的朋友。

1　“养老的本钱”原刊作“养老之资”。

2　原刊无“从南京一块跑出来，”。

况西堂　这个——

马登科　（强笑，紧接[1]）是啊，“这个”我们是无须客气的。你老兄一向又是非常慷慨好客，急人之急——

况西堂　（慌张）不，不，不，喂，（忽然提起）[2]登科先生，你不是现在在银行里——做事？

马登科　（侃侃而谈）哎，你是聪明人，还看不出来？这不过是说说罢了。（笑容满面）西堂兄，你向来知道我这个脾气，我再穷也不肯对人说通融的话的。今天我实在——

况西堂　（大急）可是登科先生，今天我实在手下没有现钱。

马登科　（突然满面冰霜）那就算了。

〔半晌。

况西堂　登科兄，（又怕得罪了他）你要通融多少，可我实在是不能多——

马登科　（冷冷地，手一挥）那就算了，那就算了。

况西堂　（畏首畏尾）不，不，那又何必呢？我素来不为己甚，（解释[3]）我又不是吝啬、刻薄，不过觉得目前大家日子都不好过，（马突然抬头望天，极端表示不快）好了，不谈，不谈，咱们[4]不谈“穷”这个字。（葸葸然）你知道我从前送份子，

1　原刊无“，紧接”。

2　“喂，（忽然提起）”原刊作“（忽然提起）喂，”。

3　原刊无“解释”。

4　原刊无“咱们”。

无论谁，至多只以二元为度。我现在也——（突改）我现在口袋里只有三元，我是尽其所有。（慌忙取出一堆香烟钞票，赶紧分出三元，把其余二元暗塞起来，歉笑）如果你不嫌少，（递出）你就拿去。

马登科 （看了他一眼，把手伸出，居然拿去）也好。（盯着他拿出来那一盒纸烟包[1]）

况西堂 （畏葸）不过我的拙荆，她也许到此地来看病。你要遇见她，请你千万别说，我通融你这三块钱。

马登科 哦，大嫂——

况西堂 你知道，贱内，我的老妻还是那个老脾气，（摇头）麻烦，麻烦，麻烦得很。

马登科 哦，（不觉[2]露出一点流氓气）西堂，你烟还有么?

况西堂 有，有，我刚买一包，你要么?（递出）

马登科 （顺手拿过来，放进袋里）西堂，（嘴一歪，讥讽地）你老兄办事总是那么不漂亮!

况西堂 （自认晦气，不理他[3]）我可要走了，哦，登科兄，我最近大概要搬家，我想——

马登科 （鄙笑）知道，知道，你别搬家，我也不去！老朋友，我就托你一件事，请你跟丁大夫说一声。

---

1 “盯着他拿出来那一盒纸烟包”原刊作“盯，见他拿出来的那一盒纸烟包”。

2 “不觉”原刊无。

3 “自认晦气，不理他”原刊作“不理他，自认晦气”。

况西堂　（为难）那我——

〔由中门昂然走进李营长，满脸健快的笑容。双目炯炯，蓬蓬勃勃的朝气，使人觉得生命在他身内充溢到会把他小小的躯壳涨破一般。伤愈以后，他又恢复从前的愉快精神，兴高采烈，见人就要说他的肝胆话。豪爽粗直，万分可爱。他现在穿一身整洁的黄呢军服，长筒皮鞋，带着马刺，铿铿然迈着大步。

李铁川　（对况欣欣然，"拍"一声行了一个军礼）况先生，好久没见。

况西堂　（吃了一惊，不知若何还礼，尴尬地）李营长，您完全好了？

李铁川　（兴奋异常）早养好了。况先生，对不起，请你进去问问丁大夫，说李铁川想见见她，看看能见吧？

况西堂　我，我去叫——（到中门）徐护士。

李铁川　况先生，她看完了病，我打听了。她现在在这屋里。

况西堂　（又走向左门）哦。

李铁川　（忽然拉着他，低声）怎么样？丁队长[1]伤势好点没有？

况西堂　（不明白）丁——

李铁川　（笑）我说丁昌，丁大夫的少爷——

况西堂　（摇头）大概很沉重，我今天早晨还听说危险，要开刀。

李铁川　（严重，沉吟）哦，如果她老人家心绪不大好，就不见也罢。您先把（拿出一张名片）这个名片递上去，说李铁川特来

1　"丁队长"原刊作"丁大队长"。

辞行。不过（天真地笑着）能见，还请见一下。眼看着[1]上前线，去以前没见着她老人家，就像缺少了点什么似的。

况西堂　（向中门叫）徐护士！徐护士！（无人应，转向李）您等等，我去问问。

李铁川　（立正）谢谢。

况西堂　（到左门旁轻叩）喂。

陆　葳　（在内）谁？

况西堂　我，况西堂。

〔况慢慢推开门走进。

李铁川　（坐在马旁边。中心愉快，见人便想说话，突然）现在前线打得一天比一天好。

马登科　（点点头）是的。

李铁川　你知道我们最近又把阳川克复了么？

马登科　哦。

李铁川　好，好，（兴奋地）现在各方面都好，前线打得好，医院办得好。对，痛快，叫我们受伤下来的弟兄们舒服，放心。（忽然对马，热诚地赞誉着）像你先生在医院里服务的人，真是我们中国（大拇指一竖）最有用的人才。

马登科　（索然）我，我不在医院里做事。

李铁川　（愣一下）你不在——（率直地）那你做什么事？

马登科　我，我做买卖。

1　“眼看着”原刊作“眼看”。

李铁川 做什么买卖？

马登科 我做，我做（看看手里的烟蒂头）香烟买卖。

李铁川 （刚劲[1]短促）香烟买卖？你来这里做什么？

马登科 我找丁大夫。

李铁川 （不胜惊异）你也认识丁大夫？

马登科 我从前认识。

李铁川 （不屑多谈）嗯！哦！（立刻站起离开他，又在另外一个角落里挺直坐下，再不理马登科）

〔况由左门出。

李铁川 （突然立起）她老人家能见我么？

况西堂 （点头）她说见。（低声）她的公子，这一会烧得更重了，我没敢多问话。

李铁川 哦。

马登科 怎么样，西堂兄？

况西堂 我还没有问她，请你在外面略微等一下，等她见完了李营长我再跟她说，好吧？

马登科 也好，我在外面等等。（拿起帽子）你务必说到。我先去找一个人，回头见。我一会来，就在这门口等。

〔马由中门下。

李铁川 这是谁？

况西堂 （厌恶地）谁知道是谁？一个打把式的！

---

1 原刊无“刚劲”。

〔左门缓开，丁大夫轻步走出。——丁大夫现在又苍老许多，两鬓斑白，前额已有深深的皱纹。笑起来，口角有些瘪进，显得分外蔼和动人。她的眼睛已开始不能视近，读书写字，戴着一副非常精致的无边老花眼镜，衬出她微微下陷的眼圈，仿佛已是五十开外的妇人。但她腰挺胸直，神色健壮，说话做事，依然坚决有力。她勇敢地面对着多少忧患苦难，时常无言微笑，刚毅帮了她渡过许多难关。惨痛的经历，使她更慈祥恺恻。她时常放下横在目前自己的忧虑，殷殷关怀她所爱护的伤兵们的安危。从那大半来自田间的士兵心里，她学得更诚朴单纯的气质。一两样简单的表示，哪怕是一句话，一声感激的叹息，都发自衷心的诚恳。每次治愈了一个伤兵，她就受着这样深挚动人的安慰。这人情的温暖，使她忘记个人的安适，深切感到活着应该为一个伟大的信仰。只有如此，人才获得精神的自由。

〔她现在仍套着医士白衣，衣袋内藏有她的眼镜盒，袋外露出一段诊听管。大衣下穿一件深灰的细呢旗袍，颈上悬挂着黑丝线系好的自来水笔。她现在脸上罩满了忧虑，但见到那精神勃勃的李营长，又颇为兴奋，欣然微笑。

李铁川　（突见她出来，莫名的欣喜。抢上一步，雄赳赳，铿然一声行了个军礼）丁大夫！（又跑过去）

丁大夫　（伸手，李热烈地握她的手）李营长！

李铁川　（笑得诚挚动人）铁川这次又能见您老人家一面，简直是高兴极了。

丁大夫　（仁慈地望着）我也高兴，李营长。

李铁川　（注视）哎呀，您老人家瘦多了。

丁大夫　嗯，这两天没怎么睡好。

李铁川　听说您的少爷从山西[1]回来，负伤很重。

丁大夫　（怛恻）是，在前线不小心，胸部中了一枪。以后又转成肺炎。好了。现在盲肠仿佛又有了毛病。

李铁川　医院事，您还在管。（直率而热诚地）您太累了，铁川不，不赞成。

丁大夫　（微笑）现在的院长非常负责，什么事都很顺手的。

况西堂　李营长，昨天一夜丁大夫又没有睡。

李铁川　（非常关怀）怎么，少爷的病更重了么？

丁大夫　倒不是，因为这孩子——

况西堂　昨天晚上，我听说丁大夫又跟一个伤兵同志的老婆接生，闹了一夜晚。

李铁川　（猛将军）丁大夫，这不成！您太辛苦了！铁川主张您得休息一下。铁川老家就在附近，还有几间草房。丁大夫，您要不嫌弃，我叫我老婆，亲自来接您，住在我家，侍候您；叫我的母亲给您老人家天天做她的拿手炖鸡汤。（感激）您不知道一提起上次您把血过给我，几天几夜不睡，硬救出铁川一条命，铁川的老母、老婆，一说就哭，一直忘不了[2]

---

1 “山西”原刊作“河南”。

2 “忘不了”原刊作“忘不下”。

您的恩典。

丁大夫　（缓缓地）我是不预备休息的。

李铁川　不，丁大夫，您得去！（直爽的赞美）我那个地方太好了！铁川是个老粗，不懂得艺术。可是多少人说我们乡下风景很好。鸡也肥，猪也大，您去休息，您少爷也跟着去养病。我回头就跟我的老婆说，叫她就来接您老人家。

丁大夫　（颇为感动）李营长，如果听你的话，我去休息，那么你呢？

李铁川　（刚劲）我要到前线！

丁大夫　那么为什么你们就要到前线打仗，辛苦，（微笑）我就到你家里休息，喝鸡汤呢？（略停）李营长？

李铁川　回丁大夫的话，那，那是因为抗战两三年，您实在太，太辛苦了。

丁大夫　（摇摇头）不，你知道我的脾气。（缓缓）在我们抗战还没得到最后胜利以前，我决不肯一个人找舒服的。

李铁川　那么铁川，铁川主张您该——

丁大夫　哦，李营长，你还记得我说过，你们再开江西[1]去，我还预备跟你们到前线，再做点事情？

李铁川　记得，可是现在——

丁大夫　（点头）现在我还是预备去。（扬起眼）我只希望，我那个小孩子的病有转机，不过（战抖）——万一（向前望）——

1 “江西”川版作“西江”。

李铁川 万一——

况西堂 （安慰）这哪里会？

丁大夫 （泪莹莹然）我想那个时候，我是更应该去的。

李铁川 你不要怕，这不会的。

丁大夫 哦，我不怕，抗战以来，我无论什么事，从来不从悲观处想。不过，到了这种时候，一个做母亲的心，总有点管不住——（用手帕擦眼泪）就是了。

李铁川 （突然）丁大夫，您知道前线比从前打得更好了。台州收复，广县收复，大庄收复，现在阳川又收复了！（骄傲而兴奋）最近还要有更大的胜利消息。

丁大夫 我知道，我知道，所以我乐观，高兴。抗战三年，军事有办法，国家有办法，人心有办法，局势一天比一天好。（又擦眼）我自己一点私事算什么？

李铁川 （忽然）报告丁大夫，铁川倒忘了一件最要紧的事。

丁大夫 什么？

李铁川 我们今天就要上船了。

丁大夫 好，（鼓励）打——上前线！

李铁川 这次铁川所带的官兵，大部都是以前从医院转来，重新编制的荣誉大队。这一营人，差不多都是在医院受过您的恩惠的。

丁大夫 那么（微笑）都是我的老朋友了。

李铁川 嗯，丁大夫，在我们上船以前，我们全体官兵，都要见您一面。听完您的训话，再回前线。

丁大夫　训话？你知道，我最不喜欢说话的。

李铁川　这是我们全体官兵的意思，我们最低限度也要见您一面。

丁大夫　他们在哪里？

李铁川　离此地三十里，高家村。

丁大夫　你知道，（看钟）我现在没有工夫分身，去看他们。

李铁川　回丁大夫的话，这一层请您放心。铁川已经命令他们徒步跑来。

丁大夫　（大吃一惊）徒步？叫他们跑三十里？

李铁川　是，丁大夫。

丁大夫　（忍不住）你怎么这样不知道时间宝贵？精力宝贵？你让他们在上船以前跑这一趟做什么？

李铁川　回丁大夫的话，其实也不是铁川的命令，是他们自动非来不可。他们说怎么也得见您老人家一面再上船，我想他们现在已经跑了一大半，说不定就要到院里来了。

〔陆由左门上。

陆　葳　丁大夫，丁昌又仿佛不大好，请您看看！

丁大夫　（对陆点点头）哦，哦。（回向李）那么，只好这样，不过你该先通知副院长一声。

李铁川　好，铁川就去。再见。（敬礼）

丁大夫　哦，（追上一步）我的小孩他昨天还跟我说，要托你许可他，在你的部队里，一同——

李铁川　嗯。

丁大夫　（忍不住眼泪流下来）唉！这有什么用——一会再说吧，我现在（突停）——再见。

〔丁由左门下，李愣一愣由中门下。[1]

〔条几上电话铃响。

况西堂 （走去接电话）喂，我是伤兵医院。——找丁大夫？您哪位？哦，（客气地）是您啊！是，她在医院。——她的少爷？（皱眉）听说是不好。嗯，我就请她去。

〔况到左门前轻叩。

况西堂 （低声）丁大夫。

丁大夫 （开门露出半身，低声）什么事？

况西堂 有您的电话。

丁大夫 谁来的？

况西堂 梁专员。

〔况悄悄由中门下。

〔丁大夫走出来，手帕堵住鼻孔，轻轻擤一下，眼眶里含满了泪水。

丁大夫 （拿起耳机）您，梁老先生，我是丁大夫啊。——嗯，是。（不由得望望左门）我的小孩，——还是不大好，热度很高。——嗯，需要开刀，我已经请了胡医官。（摇头，哀戚）我不知道这个手术他靠得住靠不住。嗯，嗯。（咬唇闭目）嗯，——我现在只有尽了做母亲的——心！（手帕又放在眼

1 此句原刊作“李愣一愣由中门下。丁由左门下。”。

上，惊讶）我？我自己[1]？（苦笑，摇头）不，我自己动不下去手[2]，——这（摇头）这太难了。（点头）我正在等着他。（望望中门）奇怪，胡医官到现在还没有来。——太晚了，现在不能再找旁人了。（诚恳）不，不，不。您不要来，您来也帮不了什么忙的。——不，不要——（急按机铃，终于废然放下耳机。低声向左门）陆葳！

〔陆由左门出。

丁大夫 你找徐护士问问，胡大夫回来了没有？（母亲的声调）怎么样了？

陆　葳 他又昏昏糊糊睡着了。（欲下）

丁大夫 屋里有人么？

陆　葳 有。

〔陆由中门急下。

〔丁来回踱了两趟，这时——

况西堂 （在外）不成，不成，这个——（仿佛有人从门外将他一下推进）不成！（一手抵住门框，回转头望见丁大夫，不由歉意地）丁大夫！

丁大夫 啊，有事么？

况西堂 嗯。

〔徐护士拿着一搭报告表，忙由中门上。

---

1 “我自己”原刊作“自己”。

2 “动不下去手”川版作“动不了手”。

徐护士 丁大夫，胡医官还没有到。

丁大夫 哦。

徐护士 这是您要查的昨天的工作报告表。（递出）

丁大夫 （接下）对不起，况先生，您等一下。（取出眼镜戴上，看了一下，立刻对徐）徐护士，这个数目不大对。你告诉洪主任，这我记得是二百二十五，请他再查查，决不是二百。（指着）这个对的，这个对的，这个也对的。（抬头对徐）你跟他说，我一会儿来看。

徐护士 是。

丁大夫 徐护士，请你跟陈看护、刘看护赶紧把手术室消毒！

徐护士 是，丁大夫。

〔徐由中门下。

丁大夫 （取下眼镜，和蔼地）况先生，您有什么事？

况西堂 （苦笑）对不起，丁大夫，有一个人要会您。

丁大夫 谁？

况西堂 （嗫嚅）马，马登科。

丁大夫 马——登科？

况西堂 就是从前老耽误您的事，后来吃了一年官司的马——

丁大夫 他呀。怎么，他又想托人叫我们买他的药么？让他快走，我不见这种人！

况西堂 不，不，他说这次是，是想求您看看病。

丁大夫 哦。

况西堂 （顺口）他现在潦倒的很——穿得非常破烂。

丁大夫　（怜悯）那么——就请他进来吧。

况西堂　（冷冷）我想大概是因为他又做国难生意，做赔了。

丁大夫　这种人——真坏。

况西堂　（忽然出了主意）丁大夫，我就说您不在家吧，您的心绪——

丁大夫　咦，我不是现在在这儿么？

况西堂　不过这个人（低声）现在的行为简直可鄙得很，他不但到处借钱，并且（忿忿地）刚才他居然出去把——

丁大夫　（爽快）不管他，（仁慈地）他不是病了么？

况西堂　嗯，他这么说。

丁大夫　那么就请他进来，（摇头）医生没有嫌病人讨厌不给他看病的道理。叫他来！

况西堂　（回到中门）马先生，（烦恶）请吧。

〔马登科由中门上，见丁大夫突然愣住，预备好的话，一句说不出来。

丁大夫　（也不大认识，终于——）马先生。

马登科　（脱帽鞠躬）丁大夫，我真是没有脸再见您。

丁大夫　（直截了当）你哪里不舒服？我看我有方法帮你的忙不？

马登科　丁大夫，（赔笑）我自己并没有病。

况西堂　（大急）登科兄，你这是开的什么玩笑？

马登科　我刚才在门口不是跟你说是她病了。她病了，你没有听见？

况西堂　（推着他）登科兄，那你走吧。

丁大夫　你们这是怎么？

况西堂　好，你说，我看你老哥怎么说起？

马登科 是这么回事，丁大夫——

丁大夫 （知道他话最多）马先生，你知道我一向不愿听啰啰唆唆的话。如果你个人有什么为难的事，你痛痛快快地说，我能办，准办。

马登科 （做势）丁大夫，我不是好说废话，实在这件事头绪太长。（翻来覆去）我要从头说起，实在太多；不从头说起，怕您又闹不明白。

丁大夫 马先生，你这是——

马登科 （仿佛非常诚恳）丁大夫，我必须先求您同情我、谅解我，我才能说。我才能仔仔细细地——

况西堂 （对马）嗐，我痛痛快快地替你说吧。（对丁）丁大夫，（愤慨）现在在门外等着的是当初的伪组织[1]，要看病的也是当初的伪组织[2]，刚才他一个跑出去找的，也是这个伪组织[3]，（推开）我事先毫不清楚，方才他一介绍我才晓得他们两个真是恬不知耻，拼[4]在一处——

马登科 （立刻抗议）岂有此理，你不能这么不问青红皂白，乱说一泡。事情并不这么简单。

况西堂 （看出马人穷志短，无可惧处，而且又在丁大夫面前，谅他

---

1 “伪组织”原刊作“这个”。

2 “伪组织”原刊作“这个”。

3 “伪组织”原刊作“这个”。

4 “拼”原刊作“姘”。

不敢如何）马先生，你无论怎么说，我给你一个不相信！（维护正道）你们两个所谓“狗男狗女”，我也猜不出你们要跑到丁大夫这里闹些什么把戏。（声明立场）我告诉你，我们现在一刀两断，我们并非朋友！绝非朋友！你们在此地惹出麻烦，我不在内。（转身）丁大夫，西堂从来没有像今天这么荒唐过，实在对不起丁大夫，我先走了。（欲走）

丁大夫　（严肃地）站住，况先生，你不能走。（对马）你们这是闹的些什么故事？（对况）你方才说的什么——伪组织[1]？这背后是怎么会事？

况西堂　（斜看马一眼）您问他？

丁大夫　马先生——

马登科　（不好意思）就是院长夫人。

丁大夫　（诧异）现在的院长有夫人？

马登科　不，我说是从前——从前的院长夫人。

丁大夫　（忆起）哦，是不是给我要铁床的那位太太？

况西堂　（赔笑）对，对。就是为铁床跟您无理取闹的那个伪组织。

丁大夫　她病了？

马登科　嗯，丁大夫。

丁大夫　也好，让她进来。

况西堂　（惊讶）您见她[2]？

---

1 “伪组织”原刊作“这个”。

2 “您见她”原刊作“见她”。

丁大夫 （恺恻）她不是有病了么？

马登科 （走向中门前，对外）进来吧，你！

〔伪组织走进来。她现在更形瘦削，颧骨突出，面色惨黄。穿一件旧花缎旗袍，头发蓬乱，右额上贴头痛膏，脖颈上掐成许多紫痕。声音嘶哑，喉内仿佛塞满了浓痰。她一进门看了丁大夫一眼，冷生生地立在中门前，就一直恶毒地瞪着马登科，一语不发，不知她心里打的什么念头。

〔半晌。

丁大夫 你有什么病？

伪组织 （一直怒目望马，头也不回，仿佛所有无耻龌龊的勾当都是马一人做的，气咻咻地）我没有病！

马登科 （无赖的样子）喂，你这装的什么蒜？好容易撕破了脸，跟丁大夫说好了。见着大夫，你又不说了。

伪组织 （狠狠指他）鬼！（在人前表明她是受害的牺牲者）都是你这个鬼害的！（突向丁，她的文章才领到题上）丁大夫，我真不知道哪辈子造的孽！好好地放着院长太太不当，跟这个死鬼缠在一起。受苦受穷，到了，还叫他惹上这种病。

马登科 （摇手）得了，得了。（厌恶）过去事，不要谈。别再在人家面前丢人了！

伪组织 （还在顾面子，逞威风）我丢什么人？我问你，我这丢什么人？我问你丢[1]——

---

1 “丢”原刊作“我丢”。

丁大夫 （警告）秦太太！

况西堂 喂，你们还是看病，还是吵架？

伪组织 （到底找着人诉说用意）况先生，我不跟这个（指马）混蛋在这儿说明白，我怎么有脸再见丁大夫？（转对丁）我从前是秦院长的正娶夫人，丁大夫，您是看见的。（四面布置，转身对况）您想，要不是（指）这个死鬼甜言蜜语勾引我，我，我怎么肯放着院长太太不做，找这种混账王——

马登科 （也气起来）算了吧，别在人面前自己贴金了。人家不要你了，人家到上海了。

伪组织 （在人前丢了人）你放屁，你放屁，他说了他还要接我的。

〔丁一直坐着莫明其妙地望着他们。况在一旁冷笑。

马登科 他的话算数？你当他是个什么好东西！

伪组织 他不好，他回上海也是个官——

马登科 那是汉奸！你知道不知道？汉奸，逮着要砍头，你这种没智识[1]的下等女人！

伪组织 你骂我下等，你配骂我下等，你骗去了我的钱，你招了我一身病，你当初不过是我手下的奴才——

马登科 我奴才，你——

丁大夫 （忍不下去）出去！

况西堂 （也大声）你们出去吵，这是医院！

丁大夫 （严肃地）我看你们两个根本是不预备来看病的。（起身向左

---

1 “智识”原刊作“知识”。

门走）

马登科　（对伪[1]）你一个人对丁大夫说去吧。

〔马气冲冲地由中门走出去。

伪组织　（看局势不对，立刻追到丁前，突然抽咽起来）丁大夫，你别走，我的病，您，您是非看不可的。（哀声）要不然，我的命就活不了的。（切实恳求）我知道，只有您肯这么大气，一个钱不要，给我看病。我实在（大哭）走投无路啦！请您可怜可怜我，我是个无智无识[2]的人，什么都不懂，上了人家的当啦！我们从前没好好说过话，可我心里明白，只有像您这样的人会搭救，搭救我这个落了难的人的。（又哀哀哭泣起来，仿佛要拉着丁大夫苦求）

况西堂　不要拉拉扯扯的。

丁大夫　（怜悯）你不要哭。秦太太，我跟你想办法。

伪组织　丁大夫，我可以治得好么？

丁大夫　我没有看，我怎么会知道。

伪组织　（立刻）丁大夫，我这个病，自从去年七月——

丁大夫　（摇手）不用说，刚才我已经听明白了。（诚恳地[3]）我告诉你，你这种病，我们伤兵医院是不治的。

伪组织　可是丁大夫，（几乎要跪下）你修修好吧，您不能不——

1　“伪”原刊作“魏”。

2　“无智无识”原刊、川版作“无知无识”。

3　“诚恳地”川版作“爽直”。

丁大夫　我是跟你想办法。你明天早上再来，我给你预备一封介绍信，给你转给另外一个医院治。

伪组织　可是——

丁大夫　我知道，你放心，我一定特别为你说说，托他们免费给你治。不过我看你们俩的鸦片烟倒是要赶快先戒。

伪组织　我不抽——

丁大夫　（冷冷望着她）不要骗我，我看得出来。我告诉你们，现在抽鸦片倒真是要砍头的。[1]

〔马又偷偷由中门上。

况西堂　你又来干什么？

马登科　（对伪[2]，他的冤家）唉！走吧！

伪组织　（回头，又大声）都是你，我哪辈子造的孽，放着院长太太——

丁大夫　喂！嘘！（用手指左）里面有病人，（对小孩的神气[3]）请你不要闹！（仁慈地[4]）安安静静地走出去。

伪组织　（望着丁，安详地）是，丁大夫。

〔马与伪[5]由中门走出去。

1　川版无“我告诉你们，现在抽鸦片倒真是要砍头的。”。

2　“伪”原刊作“魏”。

3　“对小孩的神气”川版作“轻声”。

4　“仁慈地”川版作“沉静地”。

5　“伪”原刊作“魏”。

丁大夫　（望着他们走出，摇头）也——惨！[1]

况西堂　（万分歉意）丁大夫，我，我实在抱歉。

丁大夫　（和蔼地）没有什么。

〔梁公仰由中门上。他近来面色益发红润，精力似乎更见充足。脸上微微有些汗。除了顶上斑白的发根[2]少许脱落而外，看不出他比以前添了些多少老态。他现在穿一身颇为整洁的黄军服，腹部微挺。脚下依然是那一双长筒黑皮靴，但是擦得十分洁净。他手里拿一根枣木削成的粗巨手杖，进了门后，掏出一个白手帕揩脸。

梁公仰　（同情地）丁大夫！

丁大夫　您怎么还是来了？

梁公仰　（诚恳）丁昌现在真要动手术么？

丁大夫　（低头）嗯。（忽然）您看见刚才那两个人了么？

梁公仰　看见了。

丁大夫　认得么？

梁公仰　当然认得。

〔夏由左门上。

夏霁如　丁大夫，胡医官来了。

丁大夫　哪儿？

夏霁如　屋里。病人样子不大好看。

1　“也——惨！”川版作“也有——这种人！”。

2　“发根”原刊作“头发”。

〔丁忙由左门下。夏随下。

梁公仰 （突回头）况先生，跟门房说一声，这两个人，——以后不要他们再来麻烦丁大夫。

况西堂 可是丁大夫觉得他们很可怜，[1]方才还说让他们明天早上再来看病呢。

梁公仰 让他们去吧，这种人在现在的中国活着是多余的。（忽然笑着）况先生，你喜欢听夏天树上的蝉叫么？

况西堂 （莫明其妙）蝉？

梁公仰 （点头）嗯，蝉，（沉思，忽然）我告诉你，蝉要长成，它必须把从前的旧躯壳蜕掉的。蜕掉一层旧躯壳是艰难的，并且是痛苦的。（昂头）但是为着新的生命，更有力、更健全的新生命，这个小小的生物不但能忍耐，而且能忍心把它的旧躯壳不要的。（坚忍的微笑）我们的国家要在抗战的变化中，生长起来，这一层腐败老朽的旧思想、旧人物，我们必须（一字一字，刚劲有力）忍——心——蜕——掉！我们要意志集中，力量集中，[2]不敷衍，不苟且。我们要革除旧习染[3]，创造新精神。在精神总动员之下[4]，造成一个崭新的

1 川版无“觉得他们很可怜，”。

2 川版无“意志集中，力量集中，”。

3 “旧习染”原刊作“旧习气”，川版作“旧习惯”。

4 “在精神总动员之下”川版作“我们要奋斗图存”。

青年中国。（落入冥想[1]）

况西堂 （惊心动魄，不觉移向梁专员，葸葸然）您觉得我，我老么？

梁公仰 （狡黠地反问）你自己觉得呢？

况西堂 （没想到）我——

梁公仰 （逼问）你？

况西堂 （翻翻眼）我自己觉得我（十分忸怩）我不老。

梁公仰 （大笑）那就对了。况先生，你有多大岁数？

况西堂 不小了，五十四了。

梁公仰 那你还是我的老弟，我比你大六岁。

况西堂 （惊异）什么，您已经六十了！

梁公仰 （愉快地）我觉得我很年轻呢！

况西堂 是，您是看不出来。

梁公仰 （拉着他）况先生，（低声）我最近发现一个大秘密，我今天想告诉你。

况西堂 （不觉四面望望，把耳朵凑过去，低声）什么，专员？

梁公仰 （对着他的耳朵，低声，十分秘密地）你听：人永远不会老，只要你自己不觉得老。（两眼一眨，重重拍了况肩膀一下，大声）懂么？（笑出来[2]）

况西堂 （应声）懂！懂！

---

1 原刊无“落入冥想”。

2 原刊无“笑出来”。

梁公仰 （对小学生似的，笑嘻嘻点点头）懂就好。

〔徐由中门急上。

徐护士 （一面走，一面对况讲）况先生，你太太来了，在内科室等你。（一直走向左门，轻叩）

况西堂 （对梁）专员，西堂有点事。（梁点点头）

〔况西堂对梁略弯身由中门急下。

徐护士 （同时，低声）丁，丁大夫。

〔胡医官由左门走出。他神色焦急，眉梢间冒着汗，眼瞳不定，表示他心里有些慌乱。他拿着诊听管，不安地敲着手。他穿着医士白制服。

胡医官 什么事？

〔丁低头由右门[1]出，似乎和胡大夫商议后，断定病人情况十分恶劣危险。

徐护士 丁大夫，一百五十七号伤兵同志喊着非要您看他的病。

丁大夫 （呆滞）一百五十七？

徐护士 就是那满脸胡子的那个——

胡医官 你没有说，丁大夫有事么？

徐护士 （着急）我说了。他病得快要死，他现在还不肯吃药，他说非丁大夫来叫他吃，他才肯吃。

胡医官 （烦躁）那么，你请柳医官去得了。

徐护士 不成，不成，他像个大孩子，谁去也不成。他闹着非要丁

---

1 “右门”原刊作“左门”。

大夫看他吃药不可。

〔丁大夫仿佛听见，慢慢向中门走。陆葳悄然由中门走出，立在门前。

胡医官　（挡住她）这不成，我去。（丁大夫又木然立着）你现在得看着丁昌。（欲走）

梁公仰　胡大夫，你去也是没有用的。你不懂，他们离家离久了，又恰巧有病，好容易见着一个像母亲一样的人，闹一点孩子脾气，也是免不了的。

胡医官　不过，丁大夫现在——

丁大夫　（仿佛突然由梦中清醒，坚决地）不，我要去的。（对胡）如果五分钟我不回来，请你跟我的孩子动手术，不要等我。（急切地）再等一下，他的病是绝无希望的。徐护士，开刀间预备好了么？

徐护士　预备好了。

丁大夫　（走了一步，又回头向胡）其实不等这五分钟也可以——

胡医官　（为难）不过，丁大夫——

丁大夫　好，我就来。

〔丁由中门下，陆微微擦着眼边泪痕。

梁公仰　胡医官，我进去看看。

胡医官　可以。

〔梁由左门下。

胡医官　（突然抬头，提起精神，对陆）陆看护长，再检查一下开刀室，快！

〔陆立刻由右后门下。

胡医官　（同时跑向中门，对外喊）陈看护，赶紧找李护士、江看护，叫他们到开刀室来。（转身跑一步，又想起，回来）陈看护，赶快把开刀室病床预备好，——喂，叫你找[1]谢护士呢？

外　面　已经去了。

胡医官　夏小姐呢？

外　面　在开刀间。

胡医官　（跑到右后门）夏小姐。

〔夏由手术室出，同时由中门陆续走进二白衣的护士，捧着白布单，和放在白盘里的其他消过毒的器械，一个一个走进右后门。

夏霁如　什么？

胡医官　电炉呢？

夏霁如　点上了。

胡医官　返光灯？

夏霁如　预备好了。

胡医官　谢护士呢？

夏霁如　在屋里。

胡医官　叫他们推病床。

〔夏转身走进右后门，立刻由右后门走出两个白衣护士，推出一张空病床，夏随在后面。同时由左门沉重地走出梁

1　“你找”底本作“找你”，据川版改。

专员。

梁公仰 （微叹，低声）胡医官，你看怎么样？

胡医官 我怕施手术已经太晚了，不行了。（又揩揩脸上的汗）

梁公仰 为什么不早点动手？

胡医官 这个地方能动这种手术没有几个人，我出差，所谓的名医都在旁的大城做自己的生意。我们的医官又差不多都在前线，而且——

〔陆葳由右后门上。

陆　葳 胡医官。五分钟差不多了，动手么？

胡医官 不，不，等等！（一面又拭拭汗）我们再等她两分钟，就两分钟！

〔静默。

胡医官 （转对梁，解释）我要她在旁边。您知道丁大夫是个寡妇，这又是她唯一的这么一个好儿子。他这次伤重，又转成旁的病。（不觉低声）我非常担心，我觉得她，她在旁边好些。

梁公仰 胡医官，我问一句痛快话，你觉得你的手术比她的怎么样？

胡医官 （老老实实）那自然她的手术高明。

梁公仰 （直快）那么，为什么她自己不——

〔丁大夫由中门静默走上，后随徐护士。外面有兵士们整齐的跑步声，渐行渐近。

胡医官 啊，丁大夫来了。

徐护士 （笑着）您看，这帮伤兵，他们看见丁大夫掉眼泪，他们也跟着哭起来了。

丁大夫 怎么，还没有动手？

梁公仰 等着你。

陆 葳 （对丁）动手么？

丁大夫 嗯。（立着不动）

〔胡与陆正走进开刀室。

〔李营长非常兴奋由中门跑进来。

李铁川 （敬礼）报告丁大夫，他们跑到了！我的部队跑到了！（丁不动）

梁公仰 嘘！（指指左门[1]，左门大开，李营长仿佛明白，向门内凝望）

〔丁昌睡在病床上，被人推进，他热度高，口焦唇干，脸烧得绯红，后随夏霁如。

丁 昌 （一眼望见母亲）妈！

丁大夫 （走近病床，拉着他的手）昌儿。

丁 昌 （咬牙）妈，我——（微顿，气声）忽然有点怕。

丁大夫 （抚慰）不要怕，孩子，你开了刀就立刻会好的。（望一望推床的护士，他们立刻向前推转）

丁 昌 （回头）妈不跟着来？

丁大夫 我不想进去，昌儿。

〔病床略停。

丁 昌 你来，妈。

---

1 “指指左门”原刊作“指左门”。

丁大夫　（微叹）好。（随走一步）

丁　昌　不，妈。你在旁边看着会着急的。（床又在动，丁昌忽忍不住——）妈。（护士们又停住）

丁大夫　（对他们）推进去。

〔病床推进了手术室。

〔丁愣在那里。

梁公仰　丁大夫！丁大夫！

丁大夫　啊？

梁公仰　（轻轻抚拍着她的肩膀，如同对自己的女儿）你拿出勇气来。

丁大夫　（望着前面）我是。

梁公仰　你该自己进去。

丁大夫　不，不，（望着门不动）我怕看他的刀——万一（微顿）下错了。（泪几乎夺眶而出）

梁公仰　你，（鼓起勇气）你该自己动手——

丁大夫　我是想——但是（摇头）我下不去手！

〔由右后门走进来夏霁如，捧着一只白盘，上面遮着白布。

梁公仰　怎么样？

夏霁如　正上麻药，就要开刀。

〔夏由中门下，门开时，看见门外立着许多院里的人员，伫听消息。

李铁川　（无限同情）丁大夫。

丁大夫　（才看见）哦，李营长。

〔一卫兵由中门跑上。

卫　兵　报告营长，弟兄们已经在外面花园站好，等丁大夫训话。

李铁川　叫他们等着，丁大夫现在有事。

卫　兵　是，营长。

〔卫兵望望，走向有阳台的高门前，同时由右后门走进陆葳。

陆　葳　丁大夫，胡大夫请您进去看一看。

丁大夫　嗯。

〔丁进手术室。陆随后进。

卫　兵　（进了阳台，对下面说）诸位弟兄，丁大夫现在有事，诸位等等，她老人家就会出来见我们。

〔外面高呼："抗战胜利万岁！——中华民国万岁！[1]——"

〔丁大夫又由手术室缓步走出。

梁公仰　怎么样？

丁大夫　正在动手。

〔外面又高声大喊："丁大夫万岁！丁大夫万岁！"

李铁川　（跑到阳台前，立刻外面一粗壮声音喊："立正！"突静）你们不要乱喊，丁大夫的少爷病重，正在开刀，小心惊动病人。（半晌，走到丁的面前，沉痛）我们真难过，丁大夫，到了您最为难的时候，我们没有法子帮您的忙。

丁大夫　（点头领情，用手指着椅子）请坐。

梁公仰　（低声）坐，坐。

李铁川　（坐下）唉！

1　"中华民国万岁！"川版作"丁大夫万岁！"。

〔况与谢宗奋由中门上。

况西堂 （对李，低声）怎么样？

李铁川 不知道。

谢宗奋 （关切，低声）有希望没有？

梁公仰 （指指立着的丁大夫，意思说不要在她面前问这句话）

〔况低声和谢说了一句话。

〔丁立在右后门旁边，仿佛在低声默祷。

〔手术室门开，走进一个拿着白盘子的看护——护士甲——由屋内穿过，大家一同望着他。几双眼睛随着他的足步，直到他由左门出去为止。

〔由中门跑进张营副，一个粗壮的紫脸膛的荣誉战士。

张营副 （对丁敬礼）丁大夫！（丁大夫回首对他点点头）

李铁川 什么事？

张营副 （立正）营长，（走到面前，低声）现在已经十一点三刻，一点钟准上船。要再晚一点，弟兄们就赶不上吃午饭了。

李铁川 你没有说，现在丁大夫——

张营副 刚才他们听见营长说。

李铁川 那么告诉他们回去，等到打完了仗回来，再见丁大夫。

张营副 我跟他们说了，他们不肯。

丁大夫 （回头）怎么，李营长？

李铁川 您不用管。（又走到阳台前，对下面）弟兄们，你们不要再等了。（回头看着丁大夫）丁大夫说叫你们不要等，赶回去吃午饭，好上船。

〔外面一个粗壮的声音：报告营长，我们情愿不吃午饭！饿着也要见一次丁大夫，再上船！

李铁川 （发脾气）不成，你们走，你们不能叫丁大夫——

丁大夫 不，不，李营长，（恻然）不要叫他们难过。（走过去）我是要见他们的。（向阳台走）

李铁川 （看见她已走到阳台，对阳台下面）丁大夫出来了！

〔外面欢呼："丁大夫！丁大夫！丁大夫万岁！"

张营副 （跑上前）请丁大夫训话。

李铁川 （目视张营副，责止他，但——）

〔外面兵士高呼："请丁大夫训话！请丁大夫训话！"

李铁川 （大声）立正！（外面兵士们齐声立正）

丁大夫 （凄然）诸位老朋友，我们忠勇的官兵同志，我今天说，说不成话。我——（这时忽然——）

〔陆非常紧张，忙由手术室跑出来。

陆　葳 丁大夫，丁大夫，胡医官请你赶快进去一趟。

丁大夫 怎么？（忙由阳台跑下）

陆　葳 （跟随丁跑，一面说）胡大夫要您帮忙动手。

〔丁跑进手术室。

梁公仰 （同时）怎么？

李铁川 （跑下阳台，同时）怎么啦？怎么啦？

陆　葳 （已跑到手术室门口）病人脉搏已经停止，胡医官两层衣服都汗透了。

〔陆立刻转身进去，大家面面相觑，静默。

张营副　（在阳台上）诸位弟兄，你们回去吧。病人开刀，经过危险，丁大夫现在自己动手去了。

〔一个山东兵士洪壮口音：不走！俺们要知道小丁大夫病没有危险才走。

张营副　你们难道不吃饭，愿意等？

大　家　（同声）不吃饭！等。

〔静默。〕

〔李营长面色焦急，却缓步来回走了两趟。

〔风又吹来，帷幕轻飘飘地涨起。远远传来单调弹棉花的声音。

〔半晌。

梁公仰　好长啊！

〔静默中，忽然近处有一个小孩的童声，随着口琴，非常悦耳地欢唱着："我们都是神枪手，每一颗子弹消灭一个仇敌……"继续唱下去。

况西堂　这唱的是什么？

谢宗奋　游击队的歌。

〔门开，护士乙一言不发，由手术室走出，穿过屋内由中门下。大家眼睛又随着绕了一转。

〔外面隐隐听见放爆竹的声音。

李铁川　远远的这是什么？

梁公仰　爆竹。

李铁川　（不高兴）现在点的什么爆竹？

况西堂　也许人家办喜事。

〔由左门走出来护士甲，大家眼睛不自主又随着他，直到他走进了手术室为止。

〔电话铃响。

况西堂 （接）哪位？第十一伤兵医院。哦——（对梁）梁专员，您的电话。

梁公仰 （接）喂，我梁公仰——（望况）断了！（按了几下机铃）喂，喂，喂。（对大家）奇怪，怎么今天电话特别声音乱，简直听不见话。（慢放下）

〔远处又有爆竹声，并且听见街市中喧嚣异常。

梁公仰 （微叹）

李铁川 （长叹一声，坐下）

〔忽然门大开[1]，夏霁如和护士乙由中门进，走入手术室。大家眼睛随他们绕了一圈，又低下头一声不响。

〔忽然门大开，缓缓走出来非常疲乏的丁大夫。

丁大夫 （立在左门口，把头靠在门框，摸着自己的额）

〔大家愣住，不知消息是好是坏。

梁公仰 （走近丁，无限同感）丁——

〔门突开，一步走进胡大夫。

胡医官 （一手拭着汗，一面对丁，笑着）恭喜！恭喜！

李铁川 怎么？（露出笑色）胡大夫？

胡医官 丁大夫的少爷，又叫丁大夫自己救活了。

---

1 原刊无“忽然门大开”。

梁公仰 （惊喜）你——

况西堂 （同时）丁大夫，你——

丁大夫 （突然哭泣起来）

谢宗奋 （对胡）完全好了？

胡医官 现在已经有完全好的希望了。

〔大家惊喜得说不成话。

〔胡又立刻向开刀室走下[1]。

李铁川 （跑到阳台前）诸位弟兄，小丁大夫又活了。（不由得）丁大夫万岁！伤兵的母亲[2]万岁！

外　面 （大喊）丁大夫万岁！抗战万岁！伤兵的母亲[3]万岁！我们请丁大夫再出来。

梁公仰 恭喜你，丁大夫。

谢宗奋 （跑到丁面前）你真是我们的英雄。

〔丁大夫点头领谢。外面连声欢呼："我们请丁大夫出来！"丁走了两步，几乎无力倒下。张营副忙上前扶掖。李随在后，走到阳台上。立刻外面呼声震天："丁大夫！丁大夫！"

丁大夫 （频频点头，情感暂时激动得说不成话，一次再次举起手，大家才渐渐静下。她望着下面一片朴实可爱的面孔，缓慢而沉静地）诸位老朋友，这几分钟，我觉得比一年还要长。

---

1 "走下"原刊作"下"。

2 "伤兵的母亲"川版作"中国"。

3 "伤兵的母亲"川版作"中国"。

（略重）幸亏诸位在我旁边，你们不但增加了我的勇气，并且无形中，是你们的榜样、你们的力量，才纠正我方才心里头，几乎是犯定了的错误！（停，大家瞠目相顾，低声）谢谢诸位，现在我的小孩子平安了。（外面大欢呼，她挥挥手，人声渐定。昂头）五分钟以前，我心里想如果他能够再好了，我再也不让他离开我，再也不许他到前线，再也不肯送他跟诸位，一道出生入死的。因为想到一个小小的生命，从生下到长成，白日夜里，无时无刻，加到母亲身上的苦难。一个当母亲的心，会这么可怜地自私的。（略停，四面望望台下这一片诚挚动人的眼睛）但是那个时候，我忘掉了你们；为着一个做母亲的私心，我把我们共同的大理想——一个自由平等，新的形式的国家给忘掉了。（各人互视，静肃无声，高亢地）同志们，我们这次抗战，是五千年来从来没有过的神圣战争，我们的敌人，也是从来没有过的强暴敌人。这样神圣的抗战，在中国历史上，是第一次，恐怕也是最末一次了[1]。生在这个时代的人，再毫无眼光，看不出奋斗图存的重要，我们的子子孙孙，就会沦落到永世也不能翻身的地步。然而（挺起胸，斩钢截铁）看到了！（微顿）奋斗了！（微顿）战胜了！我们就永远打定下，自由和平，一个理想的[2]新社会的基础！（由心里赞扬）

---

1 川版无“，恐怕也是最末一次了”。

2 “理想的”原刊作“稳固的”，川版作“理想”。

同志们，你们才真是我所崇拜的英雄。现在军事胜利，经济政治都有办法[1]，处处都是[2]崭新的青年气象，这都是你们牺牲血汗，一次再次地抛妻别母，为着民族的生存，坚苦奋斗的功劳！（停，非常留恋不舍地）现在你们又要走了！我看见了你们的榜样，我怎么能够再顾念到，一个小小的自己，不给我的孩子，他应该得到的权利，不催他跟你们一道走呢！朋友们：（热诚地伸出手）让我们相亲相爱地活下去吧！我希望我永远配做你们的同志。（突然庄严地）在你们面前，我现在立誓，把我的孩子也献给了我们共同的母亲——我们的祖国！

〔空气静默——突然爆炸似的大家欢呼起来："丁大夫万岁！""丁大夫万岁！"

李铁川 （感动）丁大夫！

丁大夫 （走下来）营长，我方才说我孩子要求你的事，就是这个。

李铁川 （立刻）我就办。他什么时候养好，请他随时到军部办事处，随时可以到前线来。

丁大夫 谢谢你，李营长。

李铁川 铁川要上船了。

〔突然附近有爆竹声。

张营副 这是什么！

---

1 "经济政治都有办法"川版作"大家开始有了新的希望"。

2 "都是"川版作"是"。

谢宗奋 （欣欣）大概附近民众欢送诸位将士吧。

〔同时外面集合号声，在过道上仿佛有人连喊："丁大夫！丁大夫！"

张营副 （连忙立正敬礼）丁大夫。

〔张忙由中门跑下。这时由外面跑进来一个背了许多东西，臃肿异常，面颊红得像一只熟苹果似的小兵，几乎和他撞个满怀。

小兵士 （一眼找着了丁大夫，欣喜非常。气都喘不过来，立正）丁大夫！（立刻跑到她面前，喘着，傻笑）你[1]还记得我么？（李营长咳嗽一声，他回头吓了一跳，立正）营长！（又回头期盼似的望着丁）

丁大夫 （惊喜）你不是——小伤兵。

梁公仰 （大高兴）小伤兵？（忙望丁一眼，转向小兵）你的腿——

小兵士 （骄傲地）您不是叫我再上前线的时候来看您一趟么？

丁大夫 （怜爱地）你胖多了。

小兵士 （点点头）嗯，我回了一趟家。（集合号连声吹起，他回身望望，立即匆匆从胸前掏出一个破报纸包[2]，一面说，一面解）跟您说不了话了，我又要走了。（打开包拿出一条小得像女人手帕似的绣花红[3]兜肚，腼腆地）这是我奶奶——七十多

---

1 "你"原刊作"您"。

2 "破报纸包"川版作"纸包"。

3 "红"原刊作"白"。

岁的人，亲手做的一个小红[1]兜肚，叫我送给你的。

丁大夫 （接下看，笑着）给我？（小兵士忙忙点头）给我戴？

小兵士 （天真地笑起来）不，不，我奶奶说这是给小丁大夫的小大夫戴的。

李铁川 （笑起来）快走吧，小鬼。

〔外面集合号声和兵士们的排队声。

小兵士 是，营长。（立正）再见，丁大夫。（走了一步，忽然转身留恋地望着丁大夫，但又说不出话）您，您，（突然）您长命百岁。

〔小兵士由中门跑下。

丁大夫 （追到中门）孩子，孩子！

〔鼓声，号声，领着兵士们整齐的步伐向前进行。

李铁川 （跑到她面前）丁大夫，再见。（敬礼）

丁大夫 再见，营长。

〔李营长由中门跑下。丁跑到阳台上，望着这一帮出发的再赴前线的兵士，悲哀[2]而又兴奋，不住挥扬那小红[3]兜肚。

〔院外爆竹声四起。

谢宗奋 怎么到处都放爆竹？

况西堂 奇怪。

〔电话铃急响。

---

1 “红”原刊作“白”。

2 “悲哀”川版作“慈爱”。

3 “红”原刊作“白”。

梁公仰 （跑去接电话，同时对谢）谢先生，你出去看看！（谢点头由中门跑下。况在一旁望着梁，仿佛在电话里可以得到什么异常消息）后方医院……是我。我就是梁专员，什么？（转向况）又不通了，电话声音乱得异常。（外面有卖号外声，对话机）什么？什么？（回头向况）况先生，你去看一下，外面有卖号外的。（况急由中门下。梁对电话）什么？什么？大都——大都克复？（狂喜）真的？……

〔谢与光行健由中门狂奔进来，拿着号外。

谢宗奋 （大喊）号外，号外，大都收复，大都收复！（把号外交梁手，梁轻声忙读）

〔同时夏由右后门跑出。

光行健 （喜得狂喊，摇撼夏的肩膀）大都收复，——大都收复！到处都是国旗！到处都是爆竹！

〔光由右前门跑下。

夏霁如 （狂喜，对手术室大喊）大都克复！（又一路喊着跑到左门下）

梁公仰 （看完，立刻跑到阳台门前）丁大夫，大都克复了！——

〔同时况由中门探出半身。

况西堂 （喜气盈盈[1]）专员，快来看！

谢宗奋 （拉着梁）我们去走走，梁先生！

〔谢忙拉梁由中门下。

〔温煦的阳光和悦地射满了一屋。四面爆竹声，闹市欢呼

1 此处原刊有“招手”。

声，一直不断。屋内静静的。手术室慢慢门开。

〔阳光下，望见这个饱经忧患，头发已经斑白的母亲，缓缓转过了头。悲悯的脸上，[1]欢喜的泪珠在眼眶内微微闪耀。

丁大夫　（望前）中国，中国，你是应该强的！

——这时病床慢慢推出。幕徐徐下。[2]

1　川版无“悲悯的脸上,”。

2　此处原刊有“(全剧完)”，川版有“——全剧终”。

关于“蜕变”二字

生物界里有一种新陈代谢的现象：多少昆虫（听说有些爬行的多足动物也是如此），在生长的过程中需要硬狠狠把昔日的老腐的躯壳蜕掉，然后新嫩的生命才逐渐长成。这种现象我们姑且为它杜撰一个名词，叫作“蜕变”。

“蜕变”中的生物究竟感觉如何虽不可知，但也不难想象。当着春天来临，一种潜伏的泼剌剌的生命力开始蕴化在它体内的时候，它或者会觉到一种巨大的变动将到以前的不宁之感。这个预感该使它快乐而苦痛，因为它不只要生新体，却又要蜕掉那层相依已久的旧壳。“自然”这样派定下那不可避免的铁律：只有忍痛蜕掉那一层腐旧的躯壳，新的愉快的生命才能降生。

在抗战的大变动中，我们眼见多少动摇分子，腐朽人物，日渐走向没落的阶段。我们更欢喜地望出新的力量，新的生命已由坚苦的斗

【题注】据1951年4月文化生活出版社第七版“曹禺戏剧集”本排印。通校1941年1月文化生活出版社第一版“曹禺戏剧集”本（校注称“初版”）、1984年12月四川人民出版社“曹禺戏剧集”本初版（校注称“川版”）。

争里酝酿着、育化着，欣欣然发出来美丽的嫩芽。这一段用血汗写成的历史里有无数悲壮惨痛的事实，深刻道出我们民族战士在各方面奋斗的艰苦同那被淘汰的腐烂阶层日暮途穷的哀鸣。这是一段需要“忍耐”但更需要“忍心”的坚苦而光荣的革命斗争。我们对新的生命应无限量地拿出勇敢来护持，培植；对那旧的恶的，应毫不吝惜、绝无顾忌地加以指责、怒骂、掊击，以至不惜运用各种势力来压禁，直到这帮人，这种有毒的意识“死”净了为止。

这本戏固然谈的是行政问题，但这种高深的专门学问决非如此窳陋的作品能在三点钟的演出时间内谈得透切明了。戏的关键还是在我们民族在抗战中一种“蜕”旧“变”新的气象。这题目就是本戏的主题。

图书在版编目（CIP）数据

曹禺全集. 第三卷 / 曹禺著. — 北京 ：北京十月文艺出版社，2023.6

ISBN 978-7-5302-2260-7

Ⅰ. ①曹… Ⅱ. ①曹… Ⅲ. ①曹禺（1910-1996）—全集 Ⅳ. ①I216.2

中国版本图书馆CIP数据核字（2022）第155335号

曹禺全集 3
CAOYÜ QUANJI 3
曹禺 著

出　　版 北 京 出 版 集 团
　　　　 北京十月文艺出版社
地　　址 北京北三环中路 6 号
邮　　编 100120
网　　址 www.bph.com.cn
发　　行 新经典发行有限公司
　　　　 电话 010-68423599
经　　销 新华书店
印　　刷 北京盛通印刷股份有限公司
版　　次 2023 年 6 月第 1 版
印　　次 2023 年 6 月第 1 次印刷
开　　本 700 毫米 ×980 毫米 1/16
印　　张 34.25
字　　数 379 千字
书　　号 ISBN 978-7-5302-2260-7
定　　价 116.00 元
如有印装质量问题，由本社负责调换
质量监督电话 010-58572393